OSTWALDS KLASSIKER
DER EXAKTEN WISSENSCHAFTEN
Band 161

Christian Doppler
30.11.1803 - 17.3.1853

OSTWALDS KLASSIKER
DER EXAKTEN WISSENSCHAFTEN
Band 161

Schriften aus der Frühzeit der Astrophysik

von
Christian Doppler

herausgegeben
von
H.A. Lorentz

Verlag Harri Deutsch

Die Deutsche Bibliothek - CIP-Einheitsaufnahme

Doppler, Christian:
Schriften aus der Frühzeit der Astrophysik / von Christian Doppler.
Hrsg. von H. A. Lorentz. - 2. Aufl. - Frankfurt/Main : Deutsch, 2000
(Ostwalds Klassiker der exakten Wissenschaften ; Bd. 161)
ISBN 3-8171-3161-5

ISBN 3-8171-3161-5

1. Auflage Engelmann Verlag Leipzig
2. Auflage 2000
Druck: Rosch - Buch Druckerei GmbH, Hallstadt
Printed in Germany

Inhalt.

[467] I.

Ueber das farbige Licht der Doppelsterne und einiger anderer Gestirne des Himmels.

Versuch einer das Bradley'sche Aberrationstheorem als integrirenden Theil in sich schliessenden allgemeineren Theorie.

(Abh. d. Böhmischen Ges. d. Wiss. V. Folge, Bd. 2, 1842.)

§ 1.

Die Undulationstheorie des Lichtes, sowie sie *Euler* und *Huygens* allererst aufstellten und mit vielem Scharfsinne gegen die erklärtesten Gegner derselben vertheidigten, ist im Verlaufe ihrer weitern Ausbildung bekanntlich auf Schwierigkeiten gestossen, welche spätere ausgezeichnete Gelehrte, wie *Young*, *Fresnel*, *Cauchy* u. A. dahin vermochten, von der ursprünglichen, wie es scheint nur allein naturgemässen und einfachen Voraussetzung sphärischer oder longitudinaler Aetherschwingungen abzugehen und sich zur Annahme blosser derartiger transversaler Schwingungen zu verstehen. Die glänzenden Erfolge dieser neuen Voraussetzung haben seitdem auch mehrere derjenigen Physiker, wenn auch nicht eben überzeugt doch vorläufig einigermassen beruhigt, welche sich von allem Anfange her nur höchst ungern und mit sichtlichem Widerstreben dieser neuen Ansicht über die Natur des Lichtes hingaben. Und so ist es denn gekommen, dass während diese Ansicht den feinsten analytischen Untersuchungen fortwährend zum Grunde gelegt wird, und zu mehr oder minder glücklichen Resultaten führt, man die Untersuchung und jegliche Discussion über die Zulässigkeit und innere Wahrscheinlichkeit dieser neuen Hypothese vor der Hand so gut wie fallen liess.

Auf eine vollständige und erschöpfende Erklärung sämmtlicher bisher bekannter Lichterscheinungen nach diesem Principe, scheint es, wolle man es ankommen lassen, diese wolle man abwarten und sodann erst versuchen, ob man sich mit wahrhafter Ueberzeugung dieser neuen Voraussetzung zuzuwenden vermögen wird.

Indessen giebt es bekanntlich sehr viele, die, wiewohl sie den Werth analytischer Ergebnisse in vollem Masse zu würdigen wissen, gleichwohl einen derartigen durchaus glücklichen Erfolg noch sehr bezweifeln und geradezu auf die Schwierigkeiten aufmerksam machen, [**468**] denen im steigenden Masse diese neuere Theorie entgegen geht*). — *Laplace* und *Poisson*, welchem Letzteren die Lichttheorie so viel verdanket, waren bekanntlich bis zum letzten Augenblicke ganz entschieden gegen diese neue Modification der Undulationstheorie, und haben diese ihre Ueberzeugung, wo sich nur immer die Gelegenheit hierzu darbot, mit Offenheit und ohne allen Rückhalt ausgesprochen. Auch *Herschel* d. J. hält diese Ansicht über die Natur des Lichtes (man sehe dessen Werk über das Licht, S. 540) durchaus noch nicht für die richtige und wahre, und er scheint sie nur einstweilen, ihrer Erfolge wegen, mehr dulden als vertheidigen und pflegen zu wollen. Dieser Meinung scheinen auch *Brandes* und viele andere höchst achtbare Physiker der Jetztzeit zu sein, und es ist überhaupt sehr die Frage, ob nicht selbst die eigentlichen Vertheidiger der transversalen Schwingungen, wenn sie von den glücklichen Resultaten ihres Calcüls absehen, einge-

---

*) Das Aberrations-Phänomen als solches darf wohl heut zu Tage, wo es bis auf die feinsten Details durchgeprüft erscheint, für fast ebenso constatirt angesehen werden, wie irgend eine andere Erscheinung in der Lehre vom Lichte. Unter Voraussetzung longitudinaler Aetherschwingungen bietet die Erklärung desselben nicht die geringste Schwierigkeit dar, ja folgt mit Nothwendigkeit aus der Zusammensetzung der Aetherwellen mit der eigenen fortschreitenden Bewegung der Erde. Nicht aber lässt sich ein Gleiches bei Annahme transversaler Schwingungen behaupten. *Fresnel*, der Mitbegründer der neueren Undulationslehre, hat dieses bekanntlich selbst anerkannt. Aber nicht nur nicht zu erklären vermag man dieses Phänomen nach dieser Voraussetzung; sondern es scheint sogar mit der neuern Undulationslehre in einem offenbaren und directen Widerspruche zu stehen. Sollte hierin für die eigentlichen Vertreter dieser Lehre nicht eine sehr bestimmte Aufforderung liegen, die Zulänglichkeit ihres Principes vor Allem an der Erklärung dieser Erscheinung zu erproben? — Bis dahin aber, wo dieses geschehen sein wird, dürfte wohl auch unserem gegenwärtigen Erklärungsversuche die gleiche billige Beachtung und Prüfung kaum versagt werden können. —

stehen müssen, dass man zu dieser ihrer Voraussetzung einen etwas starken Glauben mitzubringen habe. Es ist aber hier nicht an der Zeit, zu erörtern, wie hoch überhaupt der Werth einiger oder auch vieler mit der Erfahrung gut stimmender Rechnungsresultate gegenüber einer Voraussetzung anzuschlagen ist, die, wie es wenigstens dem Verfasser dieser Zeilen scheint, den Charakter einer grossen innern Unwahrscheinlichkeit an sich trägt. Wie immer aber auch in der Zukunft der Streit hierüber ausgetragen werden mag, so kann unter so bewandten Umständen wohl niemand sich vorzugsweise aufgefordert fühlen, irgend eine optische Naturerscheinung eben gerade nach dem Principe der Lateral-Schwingungen erklären zu wollen.

§ 2.

Nach der ursprünglichen Vibrationshypothese ist bekanntlich die Farbempfindung eine unmittelbare Folge der in gewissen Zeitintervallen regelmässig aufeinanderfolgenden Pulsationen oder Wellenschläge des Aethers. Die Intensität des farbigen Lichtes dagegen hängt lediglich von der Grösse der Excursionen jedes einzelnen Aethertheilchens oder beziehungsweise derjenigen ab, welche unmittelbar die Retina des Auges berühren. Alles, was demnach das Intervall der Zeit, die zwischen den einzelnen Stössen des Aethers verfliesst, ändert, zieht nothwendig eine Aenderung der Farbe nach sich, und jeder Umstand, der bewirket, dass die einzelnen Wellenschläge mit verminderter oder vermehrter Energie erfolgen, ändert den [**469**] Intensitätsgrad des farbigen und weissen Lichtes. Letzteres hängt wieder damit zusammen, dass in diesem Falle die Grösse der Excursionen, welche jedes Aethertheilchen macht, sich ändert. Was hier von den Lichtwellen gesagt und behauptet wurde, gilt natürlich auch vollkommen strenge von den Schallwellen, und man hat daher auch von jeher bis zu dem oben bezeichneten Zeitpunkte die verschiedenen Lichtphänomene aus jenen des Schalles auf dem Wege der Analogie mit vielem Glücke zu erklären gesucht. — Es dünkt mich aber sehr bemerkenswerth, dass man sowohl in der Licht- und Schall-Lehre, wie auch in der allgemeinen Wellenlehre meines Wissens wenigstens auf einen möglicher Weise sehr wohl vorkommenden Umstand bisher so gut wie keine Rücksicht genommen hat! Es scheint nämlich, man habe völlig unbeachtet gelassen, dass, wenn man von den Licht- und Schallwellen als Ursachen der Licht- und Schallempfindungen und nicht bloss als von objectiven Vorgängen spricht, man nicht sowohl darnach fragen müsse, in welchen Zeiträumen und mit welchen Intensitätsgraden die Wellenerzeugung an und für sich vor sich gehe, — als vielmehr darnach, in welchen Zeitintervallen und mit welcher Stärke diese Aether- oder Luftschwingungen vom Auge oder vom Ohre irgend eines Beobachters aufgenommen und empfunden werden. Von diesen rein subjectiven Bestimmungen, nicht aber von dem objectiven Sachverhalte hängt die Farbe und Intensität einer Lichtempfindung oder die Tonhöhe und Stärke irgend eines Schalles ab. Ereignet es sich daher irgend wie, dass eine numerische Verschiedenheit zwischen dem objectiven Vorgange und dem subjectiven Ergebnisse sich hierbei herausstellt: so hat man sich ganz unzweifelhaft an die subjectiven Bestimmungen zu halten. Im ersten Augenblicke mag es nun freilich scheinen, als sei das Gesagte mehr für eine bloss gelehrte Distinction, denn für eine von wichtigen praktischen Folgen begleitete Bemerkung zu halten. Doch hierüber möge der geehrte Leser, sobald er die nachfolgenden Zeilen einiger Erwägung gewürdiget, selbst entscheiden. — So lange man nämlich voraussetzet, dass sowohl der Beobachter als auch die Quelle der Wellen unverändert ihren anfänglichen Ort beibehalten, unterliegt es freilich keinem weitern Zweifel, dass die subjectiven Bestimmungen mit den objectiven numerisch vollkommen zusammenfallen werden. Wie aber, wenn entweder der Beobachter oder die Quelle oder gar beide zugleich ihren Ort veränderten, sich von einander entfernten oder sich einander näherten, und dieses zwar mit einer Geschwindigkeit, die mit jener, nach der die Wellen fortschreiten, in einigen Vergleich käme? Dürfte auch in diesem Falle auf eine solche Uebereinstimmung beider zu rechnen sein? Ich glaube kaum, dass der Leser sich geneigt fühlen dürfte, diese Frage ohne eine vorgängige Untersuchung geradezu zu bejahen! — In der That scheint nichts begreiflicher, als dass der Weg und die Zwischenzeit zweier aufeinanderfolgender Wellenschläge für einen Beobachter sich verkürzen muss, wenn der Beobachter der ankommenden Welle entgegeneilt, und verlängern, wenn er ihr enteilt, und dass auch gleichzeitig im ersteren Falle die Intensität des Wellenschlags grösser werden, im zweiten dagegen nothwendig sich vermindern muss. Bei einer Bewegung der Wellenquelle selbst findet natürlich eine ähnliche Veränderung in demselben Sinne statt. Hat doch auch der gemeinen Erfahrung zufolge ein auch nur etwas tiefgehendes Schiff, welches den andringenden Wellen gerade entgegensteuert, in derselben Zeit eine grössere Anzahl und viel heftigere [**470**] Wellenschläge zu erleiden, wie eines, das ruhet oder gar sich in der Richtung der Wellen mit ihnen fortbewegt. Was aber von den Wasserwellen gilt, warum dürfte dieses nicht mit den nöthigen Modificationen auch von den Luft- und Aetherwellen angenommen werden? Es scheint, als ob sich dagegen etwas Erhebliches kaum vorbringen lassen dürfte! — Unter diesen Umständen mag es zweckdienlich scheinen, die nöthigen darauf bezüglichen, ganz einfachen Formeln aufzustellen, und indem wir dieselben versuchsweise auf die Schallwellen anwenden, glauben wir zugleich auch der Akustik einen kleinen Dienst zu erweisen.

§ 3.

Wenn Beobachter und Wellenquelle sich einander nähern oder von einander entfernen, so kann die Richtung ihrer Bewegung, falls sie eine geradlinige ist, in ihre Verbindungslinie fallen, oder ihre Richtungen schliessen einen Winkel ein. Alles, was dabei eine Aenderung erfahren kann, ist die Dauer zwischen den aufeinander folgenden Wellenschlägen, ihre Intensität und die Richtung, in der sie dem Beobachter anzukommen scheinen. Der letztere Punkt kommt bei unserer gegenwärtigen Untersuchung nicht in Betracht, und ist überdies schon durch *Bradley*'s scharfsinniges Aberrations-Theorem als erledigt anzusehen. Es bleibt uns demnach nur der erstere Fall einer directen Annäherung oder Entfernung für die Betrachtung übrig, wo die Frage über die Richtung nicht zur Sprache kommt. Diesen vorliegenden Fall dagegen müssen wir unter einer doppelten Voraussetzung betrachten; das einemal nämlich, wo der Beobachter in Bewegung und die Quelle in Ruhe, das anderemal, wo gerade das Gegentheil davon angenommen wird.

F a l l 1. Es heisse die Geschwindigkeit, mit welcher die Wellen fortgepflanzt werden, a, und O und A (Fig. 1 u. 2) bedeute Anfang und Ende einer Welle, Q dagegen die entfernte Quelle derselben; ferner n die Anzahl Sekunden, die eine Welle nöthig hat, um von A nach O

Fig. 1.

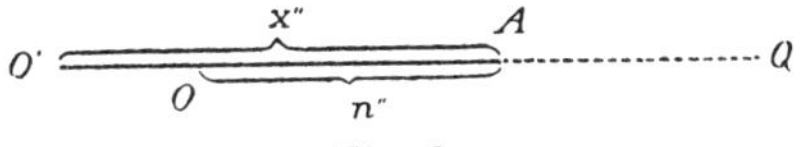

Fig. 2.

zu kommen, d. h., um eine Wellenlänge zu durchlaufen, und x'' die Zeit, die sie braucht, um den gegen oder von A sich bewegenden Beobachter O zu erreichen. Man hat daher für den Fall der Annäherung sowohl wie der Entfernung des Beobachters von oder an die Quelle, wegen

$$(1) \qquad ax \pm \alpha x = an,$$

$$x = \frac{an}{a \pm \alpha}; \text{ oder auch } \alpha = \mp \left(1 - \frac{n}{x}\right) a.$$ [1])

Fall 2. Wenn dagegen der Beobachter unbeweglich ist, die Quelle sich dagegen mit der Geschwindigkeit α zu oder von dem Beobachter bewegt: so hat man vor Allem den Einfluss dieser Bewegung auf die der Quelle nächste Welle zu berücksichtigen, da die einzelnen entstandenen Wellen, wie Fig. 3 und 4 veranschaulicht, in völlig unveränderter Weise bis zum entfernten Beobachter in O fortgepflanzt werden. Während daher die erste Welle von Q nach A gelangt, wobei sie einen Weg gleich an durchläuft, ist die Quelle Q selbst nach Q' gekommen, wobei sie einen Weg gleich αn macht, und die zweite Welle braucht nur noch eben so viele Zeit, als zum Durchlaufen der entsprechenden Wellenlänge $Q'A$ nöthig ist.

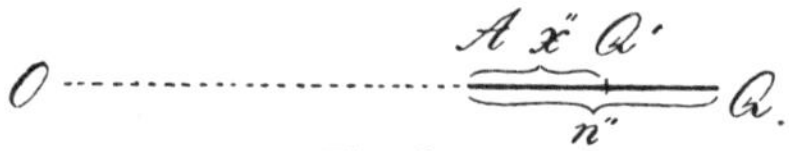

Fig. 3.

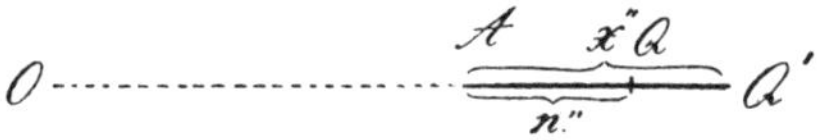

Fig. 4.

Man hat daher für beide Fälle, wegen

$$(2) \qquad an \mp \alpha n = ax,$$

$$x = \left(\frac{a \mp \alpha}{a}\right) n; \text{ oder auch } \alpha = \mp \left(\frac{x}{n} - 1\right) a.$$

[**471**] Aus der Verschiedenheit der beiden Formeln (1) und (2) ersieht man, dass es keineswegs selbst unter solchen gleichen Umständen einerlei ist, ob der Beobacher oder die Wellenquelle sich bewegt. — Rücksichtlich der Intensitätsänderung müssen wir uns, da bis jetzt die Vibrationsgeschwindigkeit der einzelnen Theilchen sich noch nicht ermitteln liess, mit der schon im Frühern ausgesprochenen allgemeinen Bemerkung begnügen. —

§ 4.

Entfernt sich der Beobachter von dem schallenden oder leuchtenden Objecte mit einer dem a selbst gleichen Geschwindigkeit, so findet man, da in Formel (1) das untere Zeichen zu gelten hat, $x = \infty$, d. h., die einzelnen Schallwellen erreichen niemals das Ohr des Beobachters, und die Tonerzeugung, wiewohl an und für sich vorhanden, ist für die Wahrnehmung des Beobachters so gut wie gar nicht da. Entfernt sich aber dagegen die Tonquelle selbst mit derselben Geschwindigkeit vom Beobachter, so findet man (da in Formel (2) das untere Zeichen zu gelten hat) $x = 2n$; d. h., der Beobachter vernimmt die nächst tiefere Octave desjenigen Tones, welchen an und für sich der schallende Körper hervorbringt. — Nimmt man endlich an, dass sich die Quelle dem Beobachter mit einer Geschwindigkeit annähert, die jener der fortschreitenden Wellen selbst gleich kommt: so hat man, da in Formel (2) das obere Zeichen[2]) zu gelten hat, wegen $\alpha = a$, $x = \frac{0 \cdot n}{a} = 0$, d. h., die einzelnen Wellenschläge treffen alle im nämlichen Augenblicke beim Beobachter ein, oder was dasselbe ist, in unendlich kurzen Zeitintervallen, welcher Umstand einen unendlich hohen Ton, der gar nicht mehr vernehmbar wird, begründen würde. — Um auf einige ganz specielle numerische Beispiele überzugehen, werde vorausgesetzt, die Geschwindigkeit des Schalles bei 10° Réaumur, d. i. a, sei 1024 par. Fuss, und man frage z. B. um die Geschwindigkeit α, mit der sich ein Beobachter gegen die Schallquelle bewegen muss, damit er das sogenannte grosse C als D vernehme, so erhält man wegen $n = \frac{1}{64}$, $x = \frac{1}{72}$, und $a = 1024$ nach Formel (1); $\alpha = 128'$ als Geschwindigkeit in der Sekunde. Umgekehrt zeigt die nämliche Formel, dass sich der Beobachter mit einer Geschwindigkeit von 114 Fuss in der Sekunde von der Schallquelle entfernen müsste, damit das D als grosses C vernommen würde. Noch viel günstiger für die Wahrnehmung irgend einer Tonänderung sind andere sich näher liegende Töne, da sie bei absoluter gleicher Fortpflanzungsgeschwindigkeit des Schalles dennoch einander näher liegende Schwingungszahlen darbieten. So z. B. bedarf es wegen $n = \frac{1}{120}$ und $x = \frac{1}{128}$ und $a = 1024$ nur einer Geschwindigkeit $\alpha = 68'$ von Seite eines Beobachters, um den Ton H als c zu vernehmen. Ein geübtes Ohr unterscheidet aber bekanntlich Tonunterschiede bis auf einen Viertelton, und es bedürfte daher gar nur nach Formel (1) einer Geschwindigkeit α von kaum 17′ in der Sekunde, um bei dem Tone H eine

Erhöhung oder auch Erniedrigung von einem Viertelton zu bewirken. Berücksichtigt man nun, dass die Annäherung oder das Entfernen ein wechselseitiges sein kann, so ist der Fall gar nicht undenkbar, wo bei einer beiderseitigen [**472**] Geschwindigkeit von nur wenigen, höchstens 8 Fuss in der Sekunde, für einen aufmerksamen Beobachter bereits kleine Tonveränderungen wahrnehmbar werden können. — Doch, ich will nun meinem vorgesteckten Ziele näher rücken, indem ich sofort die oben aufgestellten Formeln auf die Erscheinungen des Lichtes anwende.

§ 5.

Setzt man die Geschwindigkeit des Lichtes $a = 42\,000$ Meilen in der Sekunde, und fragt man, mit welcher Geschwindigkeit ein im weissen oder violetten Lichte leuchtendes Object sich von einem Beobachter entfernen müsse, damit es für ihn völlig unsichtbar werde, so hat man für $\frac{1}{n} = 727$ Billionen und für $\frac{1}{x} = 458$ Billionen zu setzen[3]), und man findet für α aus Formel (2) die Geschwindigkeit von 19000 Meilen in der Sekunde. Bei einer solchen Geschwindigkeit des leuchtenden Gegenstandes würden daher, falls er sich von uns entfernte, die äussersten violetten und um so mehr alle übrigen farbigen Strahlen, folglich auch das aus ihnen zusammengesetzte weisse Licht, wäre es selbst noch so intensiv, für jede Beobachtung völlig verlöschen. Rücksichtlich der übrigen Farben reicht übrigens schon eine bedeutend geringere Geschwindigkeit zum völligen Verlöschen derselben hin. Die Formel (2) giebt nämlich für gelbes Licht die Geschwindigkeit von 5007 Meilen in der Sekunde, für rothes gar nur 1700 Meilen[4]). Bei den hier namhaft gemachten Geschwindigkeiten würde, da immer je eine oder gar zwei der prismatischen Hauptfarben, sei es nun aus dem untern (beim Entfernen) oder aus dem obern Ende (beim Annähern) des Spectrums ganz austritt, das zurückbleibende farbige Licht stets ein vollkommen homogenes sein, ein Umstand, der hier sehr wohl zu beachten ist. —

Ganz anders dagegen stellt sich der Calcül, sobald wir von der Voraussetzung ausgehen, dass das beobachtete farbige Licht, weit entfernt, ein homogenes zu sein, vielmehr ein mit vielem Weiss gemischtes ist, welcher Fall eben bei den vorliegenden Betrachtungen eintritt. *Herschel* d. J. spricht es selbst aus, dass alles mit besonders lebhaftem Glanze und grossem sogenannten Feuer leuchtende farbige Licht stets ein mit ziemlich vielen weissen Strahlen gemischtes sei, und an einem andern Orte seines vortrefflichen Werkes über das Licht nimmt er an, dass das menschliche Auge noch Farbunterschiede gewahr zu werden vermag, welche durch ein Entziehen von nur dem hunderten Theile derjenigen rothen, gelben oder blauen Strahlen hervorgehen, die mit den übrigen zu weissem Lichte sich zusammengesetzt finden. Ein weiterer sehr bemerkenswerther Umstand ist folgender. Da nämlich die Intensität oder Menge der verschiedenfarbigen Lichtstrahlen mit ihren Schwingungszahlen nicht in gleichem Verhältnisse steht, indem die im weissen Lichte enthaltenen blauen die rothen um vielleicht dreimal, die gelben sie gar um mehr als zehnmal übertreffen, und da es ferner gerade die gelben Strahlen sind, die einerseits (bei einer Annäherung) in blaue, andererseits dagegen (bei einem Entfernen) in rothe übergehen: so ist klar, dass selbst bei einer Verminderung von nur einem Hundertel der äussersten rothen oder blauen Strahlen eine wenigstens dreimal, im andern Fall sogar zehnmal grössere Anzahl von farbigen Strahlen wirksam [**473**] auftreten und eine schon sehr merkliche Färbung zu bewirken vermögen werden. Aus eben diesem Umstande folgt, dass die rothe und orange Färbung unter übrigens gleichen Umständen intensiver und dem homogenen gleichnamigen Lichte näher kommen werde, wie die blaue und grüne, und ebenso dass zur grünen, orangen oder violetten Färbung keineswegs nothwendig alle blauen, rothen oder gelben Strahlen, sondern nur einige wenige derselben auszutreten haben, da die übrigen wieder zu weissem Lichte sich vereinigen.

Dies vorausgesetzt findet man, wenn $x = \frac{1}{458}$ und $n = \frac{1}{458 \cdot 37}$ gesetzt wird, wobei also die rothen Strahlen von der Schwingungszahl 458·37 Billionen auf 458 Billionen herabgebracht werden, also der hundertste Theil der rothen Strahlen austreten, $\alpha = 33$ Meilen für die Sekunde, d. h. wenn ein im weissen Lichte leuchtender Stern sich einem Beobachter mit einer Geschwindigkeit von 33 Meilen in der Sekunde annähert oder sich von ihm entfernt, so erscheint er demselben im ersteren Falle schon merklich grün, im andern dagegen orange gefärbt. Dieser Zahlwerth dürfte auch so ziemlich als die untere Grenze gelten. Bei der Voraussetzung, dass ein ganzes Zehntel der rothen oder blauen Strahlen austreten, wodurch zu Folge der oben ausgesprochenen Umstände eine sehr starke Färbung eintreten muss, erhält man wegen $x = \frac{1}{458}$, und $n = \frac{1}{460}$, für $\alpha = 187$ Meilen in der Sekunde. — Dem Gesagten zu Folge gehen daher bei einem Entfernen die im weissen Lichte enthaltenen Strahlen in solche von längerer Schwingungsdauer, also die violetten in blaue, die blauen durch grün in gelbe, die gelben durch orange in rothe über, und die rothen treten endlich bei zunehmender Geschwindigkeit ganz und gar aus, d. h. werden insensibel. Im umgekehrten Falle dagegen, wo zuerst die blauen Strahlen ausscheiden, erscheint das weisse Licht anfänglich grün, hierauf blau und endlich violett. —

§ 6.

Das bisher über den Einfluss der Bewegung auf die Lichterscheinungen Vorgebrachte lässt sich übersichtlich in nachfolgende Punkte zusammenfassen:

1. Wenn ein leuchtendes Object, gleichviel ob selbstleuchtend oder bloss beleuchtet[5]), sich mit einer gegen die Geschwindigkeit des Lichtes in Betracht kommenden Schnelligkeit in directer Richtung dem Auge eines Beobachters nähert oder sich von ihm entfernt: so hat diese Bewegung nothwendig eine Aenderung in der Farbe und Intensität des Lichtes zur Folge und zwar:

   α. Bei einer Annäherung nimmt die Intensität jedenfalls zu, die Färbung dagegen geht bei steigender Geschwindigkeit von Weiss in Grün, von da in Blau und endlich in Violett über.

   β. Bei einem Entfernen vermindert sich dessen Intensität in jedem Falle, und das weisse Licht geht allmählich in Gelb, Orange und endlich in Roth über. Hat indessen das Licht bereits schon eine gewisse Färbung, z. B. eine gelbe, so beginnt die Veränderung von dieser an und steigt auf- und abwärts nach den in α und β ausgesprochenen Bedingungen.

[**474**] γ. Ist die Geschwindigkeit gross genug, so kann in beiden Fällen das weisse oder farbige Licht völlig insensibel werden, indem im ersteren Falle die Zeitintervalle der einzelnen Pulsationen zu klein, im zweiten dagegen zu gross ausfallen, um noch empfunden werden zu können. Die Intensität nimmt mit der Farbänderung übereinstimmend zu und ab und trägt somit

noch dazu bei, dass der genannte Erfolg des völligen Verschwindens bedeutend früher eintritt.

δ. Zum völligen Verschwinden eines im weissen Lichte glänzenden Gestirnes reicht ohne Rücksichtsnahme auf die diesem Ereignisse sehr günstige Intensitätsverminderung eine Geschwindigkeit von 19000 Meilen in der Sekunde hin. Für Sterne, die im homogenen gelben oder rothen Lichte leuchten, ist dagegen schon eine Geschwindigkeit von beziehungsweise 5007 und 1700 Meilen zum völligen Verlöschen ausreichend.

ε. Sterne, die im weissen Lichte leuchten, zeigen schon bei einer Geschwindigkeit von 33 Meilen in der Sekunde eine deutliche Färbung, und bei einer solchen von 187 Meilen eine sehr bedeutende und auffallende, die jedoch noch immer mit vielen weissen Strahlen vermischt ist. —

φ. Aendert sich die Geschwindigkeit eines bewegten Sternes, so erleidet auch seine Farbe und Intensität eine Aenderung, und so kann es immerhin geschehen, dass ein Stern im Verlaufe der Zeit alle Farben des Spectrums uns zu durchlaufen scheint.

2. Ist dagegen das leuchtende Object in Ruhe, der Beobachter dagegen in einer direct gegen oder von demselben gerichteten, bedeutend schnellen Bewegung begriffen, so erfolgen zwar alle Veränderungen in demselben Sinne, d. h. entsprechend der Annäherung oder dem Entfernen, die numerischen Daten jedoch weichen von jenen, den unter 1 aufgeführten Fällen entsprechenden Bestimmungen mehr oder weniger ab.

3. Geschieht das Annähern oder das sich Entfernen nicht wie es in 1 und 2 vorausgesetzt wird, direct, d. h. in der Richtung ihrer anfänglichen Verbindungslinie, sondern geht es in einer Richtung vor sich, die mit jener einen Winkel einschliesst; so ändert sich nebst der Farbe und Intensität auch noch die Richtung, und der Stern erleidet zugleich eine scheinbare Ortsveränderung.

Erkennt man die bisher aufgestellten Grundsätze für richtig an, so wird man gerne auch zugestehen, dass sie gleichsam die Grundlage einer neuen Theorie bilden, von welcher das berühmte *Bradley*'sche Aberrations-Theorem nur einen Theil vorstellet. Demgemäss wird man sich schon a priori zu nachfolgenden Behauptungen für berechtiget halten dürfen. Wenn als die natürliche Farbe der Sterne die weisse oder schwachgelbliche angenommen wird, und es unter der unzählbaren Menge derselben solche giebt, die sich mit einer Geschwindigkeit von 33 Meilen bis zu 19000 Meilen in der Sekunde bewegen, so muss der gestirnte Himmel uns die Erscheinung einzelner Sterne jeder Farbe darbieten, und es müssen einige von ihnen sogar zeitweilig ganz verschwinden, andere dagegen scheinbar entstehen; und umgekehrt, wenn uns eine genaue Beobachtung des Himmels wirklich solche Erscheinungen, wie sie soeben aufgezählt wurden, ganz unzweifelhaft zeiget, so liesse sich hieraus der Schluss ziehen, dass es unter den Gestirnen des Himmels einzelne Sterne geben dürfte, die sich mit einer [**475**] Geschwindigkeit von 33 Meilen bis 19000 Meilen im Weltraume bewegen. Wenn aber endlich nicht nur die erwähnten Erscheinungen am Himmel mit Gewissheit beobachtet, sondern es auch durch genaue Beobachtungen und aus mechanischen Gründen als erwiesen anzusehen wäre, dass einige dieser Himmelskörper wirklich eine Geschwindigkeit von 33 bis 19000 Meilen besitzen, ja noch überdiess, dass gerade eben nur an diesen schnellbewegten Körpern nach Massgabe der oben aufgestellten Grundsätze sich jene Farben- und Intensitäts-Erscheinungen zeigen: so würde dieses hinwieder für die Richtigkeit der hier aufgestellten Theorie und weiter zurück sogar für das Stattfinden der Longitudinal-Schwingungen ein sehr beachtenswerthes und gewichtiges Zeugniss ablegen. — Unter diesen Umständen fühlt man sich aufgefordert, sich nach den Angaben der beobachtenden Astronomie umzusehen. —

§ 7.

Bekanntlich ist es bisher den Bemühungen der Astronomen und Physiker noch keineswegs gelungen, die höchst merkwürdige und wahrhaft räthselhafte Erscheinung der mit farbigem Lichte leuchtenden sogenannten Doppelsterne und einiger anderer Gestirne des Himmels auf eine auch nur halbwegs befriedigende Weise zu erklären. An und für sich und im ersten Augenblicke mag es wohl scheinen, als hätte man um so weniger einen Grund, sich über farbige Fixsterne im Allgemeinen zu wundern, als sich ja auch auf unserer Erde selbst und im Bereiche der täglichen Erfahrung leuchtende Körper jeder Farbe genug vorfinden. Allein eine genauere Erwägung aller dabei obwaltenden Umstände muss wohl jeden von dieser anfänglichen Meinung, falls er sie gefasst, gar bald wieder zurückbringen.

Denn abgesehen selbst von anderem, muss es schon in hohem Grade auffallen, dass wir unter der unzählbaren Menge der eigentlichen, d. i. derjenigen Fixsterne, an denen wir keinerlei Bewegung wahrnehmen, ohne Ausnahme nur solche bemerken, die im weissen oder schwach gelblichen und nur einige wenige, die im röthlichen Lichte glänzen; keinen einzigen dagegen, welcher im blauen, grünen oder violetten und keinen auch der im schön orangen oder intensiv blutrothen Lichte uns erschiene. Alle Doppelsterne dagegen lassen sich übersichtlich in zwei Classen bringen, in solche, bei denen der eine von ihnen sich durch seine in die Augen fallende grössere Intensität seines Lichtes als Haupt- oder Centralstern beurkundet, und sodann in solche, deren Einzelsterne eine ziemlich gleiche scheinbare Grösse besitzen, und die sich daher auch höchst wahrscheinlich um einen unsichtbaren Centralkörper oder um ihren gemeinschaftlichen Schwerpunkt bewegen. — Bei den Doppelsternen der ersteren Art leuchtet der Hauptstern stets im weissen und nur bei wenigen im schwach gelblichen Lichte, und zeigt somit eine vollkommene Uebereinstimmung mit den übrigen unbeweglichen Fixsternen des Himmels, während dagegen die dazu gehörigen Begleiter entweder im grünen, blauen oder violetten, bei andern dagegen im intensiv orangen, schön blut- oder wohl auch dunkelrothen Lichte glänzen. — Doppelsterne der zweiten Classe bestehen dagegen fast immer aus solchen Einzelsternen, die im verschiedenfarbigen Lichte schimmern, und merkwürdig ist es dabei, dass die Farben entweder wirklich einen complementären Gegensatz zu einander bilden, oder dass wenigstens die Farbe des einen dem obern, die des andern dem untern Theile des Farbenspectrums [**476**] entnommen ist. Man hat zwar versucht, wiewohl mit wenig Glück, die genannten Erscheinungen aus den Wirkungen des Contrastes zu erklären. Allein abgesehen davon, dass diese Erklärung im günstigsten Falle höchstens nur auf jene Doppelsterne angewendet werden könnte, bei denen das vorkommende farbige Licht in einem complementären, nicht aber in einem andern Gegensatze sich befindet, wie dieses doch bei allen der ersten und bei sehr vielen der zweiten Classe der Fall ist, — haben noch überdies directe Versuche das Unhaltbare dieser Ansicht seither zur Genüge dargethan. Diese Versuche bestanden bekanntlich darin, dass man den einen der farbigen Doppelsterne durch einen im Fernrohre ausgespannten Faden völlig verdeckte und somit dem Auge gänzlich entzog. Da nun hierdurch die angebliche Ursache des Contrastes wegfiel, so hätte auch die Wirkung davon, nämlich das Erscheinen der complementären Farbe ausbleiben sollen. Dieses aber geschah nicht, und der Stern leuchtete vor wie nach mit demselben farbigen Lichte. — Damit das Mass des Wunderbaren endlich voll werde, hat eine Vergleichung der älteren Angaben *Herschel*'s d. Ae. mit den neuesten *Struve*'s noch überdies bis zur Evidenz es herausgestellt, dass die Farben vieler dieser Doppelsterne im Verlaufe dieser Zeit sich sehr bedeutend und zwar auf eine Weise geändert haben, die der Vermuthung keinen Raum gewährt, als wäre der Grund dieser Verschiedenheit in der Beschaffenheit der hier und dort angewandten optischen Instrumente zu suchen. Sterne, die ehemals als gelb beobachtet wurden, werden heutzutage als orange und roth und umgekehrt beschrieben, und solche, die *Herschel* als vollkommen weiss bezeichnet, findet *Struve* goldfarbig, rothgrün oder auch blaugrün! — Kein Wunder also, wenn sich neuere Beobachter (siehe *Mädler*'s pop. Astronomie, S. 493) zu der Frage aufgefordert fühlen, »ob sich denn in der That die Farben der Doppelsterne während der letzten 50 Jahre so gar bedeutend sollten geändert haben?«

§ 8.

Eine andere, nicht minder interessante und bisher ebenso unaufgeklärte Erscheinung des Himmels sind die sogenannten periodisch veränderlichen Sterne. Sie kommen nach den bisherigen Beobachtungen mit alleiniger Ausnahme des Sternes Algol im Medusenhaupte (von dem später noch die Rede sein wird) insgesammt darin überein, dass sie von Farbe roth sind, nach ihrem grössten Glanze eine Kupferfarbe annehmen, und indem diese allmählich sich mehr und mehr verdunkelt, endlich völlig unsichtbar werden und verschwinden, bis sie nach einiger Zeit ihren periodischen Lichtwechsel wieder von vorne beginnen. Auch darin kommen sie ferner mit einander überein, dass die Zeit ihrer Unsichtbarkeit meistentheils 3 bis 4 mal länger währt, als jene ihres grössten Glanzes, und endlich, dass ihre Lichtzunahme viel rascher vor sich gehet und weniger Zeit erfordert, wie ihre Abnahme und ihr Verschwinden. Die Art und Weise der Lichtzu- und Abnahme ist mit der Voraussetzung unverträglich, dass dieses zeitweilige Verschwinden in einer Achsendrehung und ungleichen Lichtvertheilung auf der

Oberfläche dieser Himmelskörper, oder auch in einem periodischen Verdecktwerden durch einen umkreisenden dunkeln Planeten seinen Grund habe. — Auf den ersten Augenblick scheint es, als ob die beiden erwähnten, so verschiedenartigen Erscheinungen, nämlich jene [477] der farbigen Doppelsterne und die der sogenannten veränderlichen Sterne, nur mit einigem Zwange ein und demselben Erklärungsprincipe untergeordnet werden könnten. Allein die Beobachtung hat uns noch mit einer dritten Classe von merkwürdigen Sternveränderungen bekannt gemacht, die gleichsam zwischen beiden mitten innestehen und als wahre Vermittlungsglieder dieser Erscheinungsgruppen betrachtet werden können. Es sind dieses die verschwundenen und neuen Sterne.

Hierher nun gehört vorzüglich der im Jahre 1572 im Sternbilde der Cassiopëia erschienene neue Stern, welchem man eine Umlaufszeit oder Periodicität seines Lichtwechsels von etwa 300, vielleicht gar nur von 150 Jahren beilegen zu müssen glaubt. Als man auf ihn aufmerksam wurde, hatte er bereits nahe schon das Maximum seiner scheinbaren Grösse und der Intensität seines Lichtes erreicht und überstrahlte mit blendend weissem Lichte den Sirius und selbst die Venus. Bald darauf nahm er an Grösse schnell ab, und sein Licht ging gleichzeitig und allmählich von Weiss in Gelb und von diesem in Roth über, welches immer dunkler wurde und endlich für die Beobachtung ganz erlosch. (*Richter*'s Astronomie, S. 684.) — Noch auffallender waren die Erscheinungen bei dem im Jahre 1604 von *Kepler* im Fusse des Schlangenträgers entdeckten neuen Stern. Nachdem sein Licht durch alle Farben des Regenbogens niedersteigend abgenommen hatte, verschwand er nach etwa einem Jahre und ist seitdem niemals wieder gesehen worden. Endlich erwähnen auch Schriftsteller früherer Zeiten ähnliche Erscheinungen, und vom Sirius, der gegenwärtig in blendend weissem Lichte strahlt, soll es keinem Zweifel unterliegen, dass er ehemals ein rothes Licht hatte u. a. m. — Es haben demnach diese Gestirne mit den Doppelsternen das Farbenspiel und mit grosser Wahrscheinlichkeit die schnelle Bewegung, so wie die meistentheils auf Jahrhunderte sich erstreckende lange Periodicität, — mit den sogenannten veränderlichen Sternen dagegen das völlige Verschwinden und gänzliche Unsichtbarwerden, so wie auch, dass sie ungleich länger unsichtbar wie sichtbar sind, und endlich, dass die Lichtabnahme von längerer Dauer ist, wie die Lichtzunahme und noch mehreres andere gemein. — Wir sehen daher alle diejenigen Erscheinungen an den verschiedenen Objecten des Himmels wirklich durch Beobachtungen nachgewiesen, die wir oben unter Voraussetzung einer ihnen zukommenden grossen Geschwindigkeit ihrer Bewegung bis ins Detail prognosticirten. Wir wollen uns daher noch weiter umsehen, was die unmittelbare Beobachtung und Berechnung, wie auch die Wahrscheinlichkeit uns rücksichtlich ihrer Bewegung selbst lehrt.

§ 9.

Die Geschwindigkeit der Planeten unseres Sonnensystems, selbst, wenn sie sich im Perihelio befinden, ist vergleichungsweise noch nicht sehr bedeutend. Die Erde bewegt sich mit einer Geschwindigkeit von beiläufig 4,7 Meilen, bei der Venus beträgt sie 6,7 und beim Merkur 8,3 Meilen in der Secunde. Kein Wunder also, dass wir an ihnen bisher noch keine Farbenänderung und noch weniger ein zeitweiliges völliges Verschwinden beobachtet haben. Wäre die Geschwindigkeit unserer Erde wenigstens zehnmal so gross als sie wirklich ist, so müssten uns alle Fixsterne in den östlichen Gegenden der Ekliptik ohne Ausnahme mit blauer [**478**] oder grünlicher Färbung, auf der entgegengesetzten westlichen Seite dagegen orange oder roth erscheinen. Durch eine so auffallende, auf alle Fixsterne in gleicher Weise sich erstreckende Regelmässigkeit eines solchen Phänomens aufmerksam gemacht, würde man, wie einstens bei jenem der Aberration, die Ursache davon in der Bewegung der Erde suchen und finden. So aber, wo diese Erscheinungen nur vereinzelt auftreten, da sie auch nur in den vorzugsweise schnellen Bewegungen einzelner Fixsterne ihren Grund haben, muss es schon viel schwieriger sein, dieselben bis ins kleinste Detail zu erklären, und höchst wahrscheinlich gehören absichtlich zu diesem Zwecke veranstaltete Beobachtungsreihen dazu. — Die Monde bewegen sich bekanntlich bald langsamer, bald schneller wie ihre Planeten, und es mag dahingestellt bleiben, ob nicht einige an ihnen wahrgenommene Eigenthümlichkeiten hierher zu zählen sein dürften? — Viel bedeutender dagegen ist schon die an den Cometen beobachtete Geschwindigkeit ihrer Bewegung. Der *Halley*'sche Comet hat im Perihelio nahe 18 Meilen Geschwindigkeit in der Secunde, und jener vom Jahre 1680 bewegte sich in der Sonnennähe mit einer Geschwindigkeit von 74 Meilen in der Secunde und somit nahe 17mal so geschwind wie unsere Erde. Es ist gar nicht daran zu zweifeln, dass es selbst schon unter den bisher beobachteten aber nicht berechneten Cometen früherer Zeit einen oder den andern gegeben haben mag, dessen Geschwindigkeit mehrere hundert Meilen in der Secunde erreichte. Bei diesen nun ist eine schwache Färbung in Folge ihrer schnellen Bewegung nicht unwahrscheinlich, und soll auch wirklich bei einigen derselben beobachtet worden sein. Dass es hierbei auf die Richtung ihrer Bewegung und auf die Lage ihrer Bahnen gegen unsere Erde ankommt, versteht sich fast von selbst, und es wäre interessant, die damalige Stellung unserer Erde gegen die Bahnen jener Cometen womöglich zu ermitteln. Dadurch aber, dass wir unserer Erde die Fähigkeit absprechen, für sich allein merkbare Farb- und Intensitätsänderungen an den verschiedenen Himmelskörpern in Folge ihrer fortschreitenden Bewegung zu bewirken, wollen wir keineswegs zugleich behaupten, dass dieselbe nicht auf das frühere oder spätere Eintreffen jener Erscheinungen und auf den Grad derselben einen sehr merkbaren Einfluss ausüben werde, ja sogar nothwendigerweise ausüben müsse. Höchst wahrscheinlich haben einige an den periodisch veränderlichen Sternen beobachtete Anomalien, von denen weiter unten noch die Rede sein wird, hierin ihren erklärenden Grund. — In Betreff der Fixsterne ermangelt es eines jeden Grundes, anzunehmen, dass unsere Sonne sie alle insgesammt an Masse und Grösse übertreffe. Es kann vielmehr für eine stehende Ansicht in der Astronomie gelten, dass es höchst wahrscheinlich Fixsterne geben dürfte, welche unsere Sonne im Durchmesser um vielleicht mehrere Hundertmal, an Masse sie um eben so viele Millionenmal übertreffen mögen. Nun hängt aber die Geschwindigkeit, mit welcher sich Satelliten um ihre Centralkörper bewegen, unter gleichen Umständen direct von der Masse desselben ab, und man hätte daher unter so bewandten Umständen keinen Grund, sich sehr darüber zu wundern, wenn uns die Beobachtung wirklich an einigen dieser Himmelskörper Bewegungen zeigte, deren Geschwindigkeit selbst die des Lichtes übertreffen. In der That hat man an den sogenannten Doppelsternen und höchst wahrscheinlich auch an den veränderlichen und neuen Sternen derlei schnell bewegte Gestirne kennen gelernt. Ich begnüge **[479]** mich dasjenige anzuführen, was ein geachteter Astronom (siehe *Littrow*'s Wunder des Himmels, S. 470) rücksichtlich des Doppelsterns γ in der Jungfrau berichtet.

»Merkwürdig,« sagt er, »ist die grosse Geschwindigkeit dieses Satelliten zur Zeit seines Periheliums, wo er in einem Tage einen Weg von 3490 Millionen Meilen und somit in einer Secunde nahe an 40000 Meilen zurücklegt, und somit fast genau ebenso schnell sich bewegt, wie das Licht selbst.«[6]) Mag man daher immerhin in diesem speciellen Falle diesen mehr auf einer ungefähren Schätzung als auf genauen Beobachtungen beruhenden Angaben keinen grossen Grad von Genauigkeit zuschreiben: so geht doch jedenfalls aus selben so viel hervor, dass die Annahme einer Geschwindigkeit von 33 bis 19000 Meilen in der Secunde, mit welcher ein oder der andere der Fixsterne sich bewegen mag, weder für unwahrscheinlich, noch für im mindesten übertrieben zu halten ist.

§ 10.

Es ist gewiss im höchsten Grade auffallend, dass wir gerade nur an jenen Himmelskörpern so bedeutende Veränderungen in Farbe und Intensität des Lichtes wahrnehmen, bei denen wir entweder zu Folge unmittelbarer Beobachtung eine ganz ausserordentlich grosse Geschwindigkeit ihrer Bewegung vorauszusetzen berechtigt sind, oder aber, bei welchen wir diese vermöge aller Analogie voraussetzen können, während bei allen übrigen Gestirnen des Himmels, die wir vergleichungsweise für ruhende oder wenigstens für viel minder schnell sich bewegende anzunehmen genöthigt sind, solche Erscheinungen ohne Ausnahme nicht vorkommen. Man fühlt sich daher sehr zu der Meinung hingezogen, dass sämmtliche Gestirne des Himmels an und für sich im weissen oder schwach gelblichen Lichte schimmern, und dass, wenn dieses bei einzelnen anders gefunden wird, ein Grund dafür bestehen müsse, welcher mit der grossen Geschwindigkeit ihrer Bewegung höchst wahrscheinlich in einem nicht bloss zufälligen, sondern nothwendigen Zusammenhange steht. Es war der Zweck der gegenwärtigen Abhandlung, nicht etwa bloss die allenfallsige Möglichkeit, sondern die Nothwendigkeit eines solchen Einflusses der ungemein schnellen Bewegung der Himmelskörper auf ihre Farbe und auf die Intensität ihres Lichtes darzuthun, und es gewährt dem Verfasser derselben eine erfreuliche Genugthuung, die vollkommenste Uebereinstimmung der Beobachtungen, insoweit sie ihm bekannt sind, mit den oben aufgestellten Grundsätzen oft selbst bis ins Detail wahrzunehmen. Es möge daher gestattet sein, auf einige derselben hier aufmerksam zu machen. Es erklärt sich hieraus ganz einfach:

1. Warum von den beiden Doppelsternen der grössere und somit wahrscheinlich beziehungsweise unbewegliche Central- oder Hauptstern fast ausnahmslos weiss, der beigegebene dagegen meistentheils farbig erscheint!
2. Warum in jenen Fällen, wo beide ziemlich gleich gross erscheinen, beide gefärbt sich zeigen!
3. Weshalb in diesem letztern Falle der eine fast immer mit einem Lichte glänzt, welches dem obern Theile des Farbenspectrums zugehört (also grün, blau, violet), der zugehörige dagegen mit einer Farbe aus dem untern Theile desselben (also roth, orange oder gelb). [**480**] Denn bei gleichgrossen Doppelsternen kann füglich angenommen werden, insbesondere, wenn sie sich um ihren gemeinschaftlichen Schwerpunkt bewegen, dass der eine in der Annäherung begriffen ist, während sich der andere von uns entfernt.
4. Es erklärt sich hieraus äusserst einfach, warum die Farben der einzelnen Doppelsterne mit der Zeit sich so bedeutend ändern. So z. B. bezeichnet *Herschel* d. Ae. den schönsten Doppelstern des Nordens, nämlich γ Leonis, den einen schön weiss und den dazu gehörigen weissröthlich, während *Struve* den Hauptstern goldfarbig und den Nebenstern rothgrün findet. Noch auffallender ist dieses bei dem Doppelstern γ Delphini. Bei den so auffallenden und deutlichen Farben, goldgelb und blaugrün (sagt *Mädler*, Populäre Astronomie, S. 500) ist es sehr zu verwundern, dass sie *Herschel* ausdrücklich beide weiss nennt. — Wir aber müssen zu Folge unsers Erklärungsprincipes noch hinzufügen, dass eine Zeit kommen wird, wo diese Doppelsterne sogar dieses ihr farbiges Licht wechselseitig austauschen werden. Die Doppelsterne durchlaufen also während jeder ihrer Revolutionsperioden die Farbenscala des Sonnenspectrums, zum wenigsten einen Theil derselben.
5. Es erklärt sich hieraus ferner das merkwürdige Verhalten der periodisch veränderlichen Sterne, und warum namentlich die Farbe dieser Sterne gerade die rothe ist. Denn entweder sind sie an und für sich für uns unsichtbare Sterne (vielleicht wegen zu geringer Intensität oder zu langer Schwingungsdauer), die nur durch ihre gegen uns

gerichtete schnelle Bewegung die erste Stufe der Wahrnehmbarkeit erreichen, d. h. uns mit rothem Lichte erscheinen. Vielleicht aber sind sie in der That von röthlichem Lichte und verschwinden uns in Folge der von uns weggerichteten Bewegung.

6. Auch noch der Umstand der kurzen Zeit ihres Sichtbarseins im Vergleiche zu ihrer Periodicität findet durch den Hinblick auf Fig. 5 und 6 eine genügende Erklärung, ja folgt gewissermassen mit Nothwendigkeit aus derselben. Denn ungefähr während voller drei Viertel seines Umlaufs und oft viel mehr noch, je nach der Lage und Form der Ellipse gegen den Beobachter, muss ein solcher nur durch sein Annähern, also immer nur während der Zeit seines Periheliums uns sichtbar gewordene Stern uns unsichtbar bleiben. Dies tritt besonders auffallend hervor, wenn man als Bahn eine Ellipse von bedeutender Excentricität und von einer Lage gegen den Beobachter voraussetzt, wie die in Fig. 6 dargestellte ist.

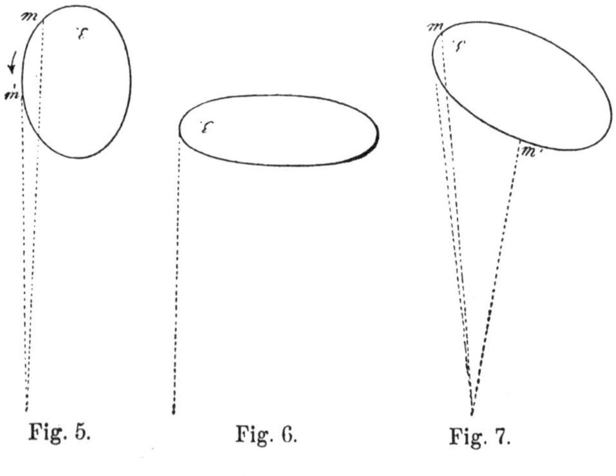

Fig. 5. Fig. 6. Fig. 7.

7. Die früher erwähnte Erscheinung, dass die veränderlichen Sterne meistentheils eine viel kürzere Zeit zur Zunahme als zur Abnahme des Lichtes bedürfen, findet gleichfalls in Fig. 7 eine genügende Erklärung. Bis kurz vor dem Eintritt ins Perihelium hat der Stern bei schon sehr bedeutender absoluter Geschwindigkeit noch eine so un-

günstige Richtung seiner Bewegung, dass sich derselbe dem Beobachter in O gar nicht oder nur sehr wenig annähert, bis er in m angelangt, plötzlich in die günstigste Richtung, bei nahe noch grösster absoluter Geschwindigkeit, deren er fähig ist, eintritt. Noch günstiger für das Eintreffen dieses Ereignisses ist eine beziehungsweise Lage, wie jene in Fig. 8 vorgestellte, und man begreift demnach leicht, wie Sterne innerhalb weniger Stunden [**481**] plötzlich sichtbar werden und dieses durch einige Zeit verbleiben, dann aber allmählich abnehmen und nach einigen Jahren völlig wieder verschwinden konnten.

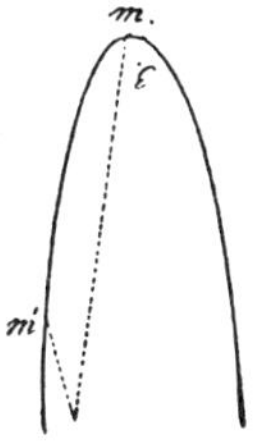

Fig. 8.

8. Ebenso erklärt sich auch daraus, warum die sogenannten neuen und verschwundenen Sterne alle Farben des Regenbogens durchlaufend mit kupferrothem Lichte endlich verschwinden. Höchst wahrscheinlich dürfte keine geringe Anzahl derjenigen Sterne, die wir gewöhnlich für unbeweglich und unveränderlich halten, einem ähnlichen Farben- und Lichtwechsel unterworfen sein, wie ja dieses in Bezug auf Sirius ausser Zweifel gestellt scheint.

9. Endlich dürften sich höchstwahrscheinlich die bei verschiedenen periodisch veränderlichen Sternen wahrgenommenen Anomalien aus der Bewegung unserer Erde erklären lassen. So z. B. zeigt der Stern Mira am Halse des Wallfisches bald eine Periode des Lichtwechsels von $328\frac{1}{2}$ Tagen, bald wieder eine von $335\frac{1}{2}$ Tagen, also einen Unterschied von 7 Tagen. Da nun die Umlaufszeit unserer Erde $365\frac{1}{4}$ Tage währt, so befindet sich die Erde zur Zeit, wo jener Stern zu seinem grössten Glanze gelangt, in jedem Jahre in einem andern Zeichen, und die Richtung ihrer Bewegung gegen oder von jenem Sterne ist somit in verschiedenen Jahren eine verschiedene. Aber da die Bewegung der Erde auf das Eintreten in die Phase ihres grössten Glanzes ganz unzweifelhaft einen Einfluss ausüben muss, so wird dieselbe das eine Mal um etwas früher, das andere Mal um eben so viel später erfolgen. Eine Geschwindigkeitsdifferenz von 9,4 Meilen würde daher das Verschwinden oder die Erlangung des grössten Glanzes um volle 7 Tage verzögern oder beschleunigen. Ist dies richtig, so müsste sich beim Stern Mira eine

Periodicität dieser scheinbaren Anomalie von beiläufig 12 Jahren nachweisen lassen [7]), und fände es sich wirklich so, so wäre dieses eine überraschende Bestätigung der vorliegenden Theorie. In den mir gegenwärtig zu Gebote stehenden Werken habe ich hierüber, und dass diese Anomalie in eine Periode eingeschlossen sei, nichts erwähnt gefunden.

§ 11.

Bevor *Olauf Roemer* uns die Geschwindigkeit des Lichtes kennen lehrte und selbst noch viele Jahre nach ihm hielt man an der Meinung fest, dass keine Bewegung am Himmel und auf Erden mit jener des Lichtes in irgend einen Vergleich kommen könne und bei einer Gesichtswahrnehmung einen auch noch so geringen Einfluss auf dieselbe auszuüben vermögen werde. Die scharfsinnige Erklärung des Aberrations-Phänomens, diesem Wahne entgentretend, verdankte es ganz der unwiderstehlichen Kraft der Wahrheit ihrer Lehre, wenn sie gleichwohl in nicht gar langer Zeit sich allgemeine Anerkennung erwarb. Ist aber eine Geschwindigkeit von 4,7 Meilen hinreichend, die Richtung des Lichtstrahls um 20″ abzulenken, warum sollte nicht eine nachweisbar ungleich grössere eine Aenderung in Farbe und Intensität des Lichtes bewirken? Nichts kann einen Forscher hindern, sich und andern eine solche Frage vorzulegen und in deren Beantwortung sich zu versuchen. Ob uns die dermalen vorliegenden Beobachtungen schon in den Stand setzen werden, diese Frage zu einer definitiven Beantwortung zu [**482**] bringen und dieser Theorie den Stempel einer apodiktischen Gewissheit aufzudrücken, will ich der Entscheidung der eigentlichen Sachkenner anheimstellen. So viel indessen scheint gewiss, dass, das hier durchgeführte Raisonnement als richtig vorausgesetzt, hiermit einer Theorie eine Grundlage gegeben ist, von welcher die berühmte *Bradley*'sche Aberrationslehre, da sich diese nur allein auf die Richtung, jene aber auch noch überdies auf die Farbe und Intensität des Lichtstrahls bezieht, nur als ein integrirender Theil derselben anzusehen ist, und es ist fast für gewiss anzunehmen, dass dieselbe in nicht ferner Zukunft den Astronomen ein willkommenes Mittel darbieten dürfte, die Bewegungen und Entfernungen selbst solcher Gestirne zu bestimmen, welche wegen ihrer unermesslichen Entfernungen von uns und der damit zusammenhängenden Kleinheit der parallactischen Winkel bis zu gegenwärtigem Augenblicke kaum die Hoffnung zu solchen Messungen und Bestimmungen darboten. —

[115] II.

Ueber das farbige Licht der Doppelsterne,

mit vorzüglicher Bezugnahme auf eine von Herrn Dr. Mädler im Stuttgarter Morgenblatte Nr. 51 erschienene Recension einer unter obigem Titel verfassten Druckschrift.*)

(Oesterr. Blätter für Literatur und Kunst. 1844, Nr. 15.)

Es ist meiner Abhandlung: »Ueber das farbige Licht der Doppelsterne und einiger anderer Gestirne des Himmels**)«, in Nr. 51 des Morgenblattes die unerwartete Ehre zu Theil geworden, von einem Schriftsteller sehr bekannten Namens, Herrn Hofrath Dr. *Mädler* in Dorpat angezeigt und gleichzeitig auch wiewohl auf eine höchst aforistische Weise beurtheilt zu werden. Ganz zufälliger Weise darauf aufmerksam gemacht, bedurfte es jedoch einer geraumen Zeit, bis es mir vergönnt war, jenen Aufsatz selber zu Gesichte zu bekommen, und dies wird mich hoffentlich bei denjenigen Lesern jener Zeitschrift entschuldigen, die eine frühere Erwiderung von meiner Seite vielleicht erwartet haben mögen. Ich hoffe indess, dass diese noch immer früh genug zumal für den Herrn Ver-

---

*) Da es wünschenswerth schien, die Erwiderung in demselben Blatte erscheinen zu lassen, in dem die Recension ihre Aufnahme gefunden hatte, so sandte ich den wesentlichen Inhalt gegenwärtiger Abhandlung an die Redaction des Morgenblattes. Es wurde diesen antikritischen Bemerkungen die Annahme angeblich aus dem Grunde verweigert, weil es die Tendenz jenes Blattes nicht gestatte, so umfassende Erwiderungen desselben aufzunehmen.

**) Nr. I dieser Sammlung.

fasser jener Recension kommen dürfte. — Ich kann schwer jene Mischung von Verwunderung und Indignation beschreiben, die mich bei Durchlesung jenes Aufsatzes überkam. — Herr *Mädler* findet eine Abhandlung, die über Doppelsterne zu handeln verspricht, und dies reicht für ihn schon hin, sich für einen vorzugsweise competenten Richter über den ganzen Inhalt derselben zu halten. Wer aber Bücher und Abhandlungen nach ihren Titeln und die Menschen nach ihren Kleidern beurtheilt, handelt gleich voreilig, denn hinter beiden steckt oft ganz etwas anderes, als man dem ersten Anschein nach vermuthet. Auf eine ganz ähnliche Weise erging es Herrn *Mädler* mit meiner Abhandlung. — Zum Glücke gestattet der in jener Abhandlung besprochene Grundgedanke eine so einfache und anschauliche Darlegung, dass ich es den irgend sachkundigen Lesern dieser Zeilen getrost überlassen kann, über die Richtigkeit desselben abzuurtheilen. — Und sodann mögen sie selber ermessen, welcher Gewinn, ich will nicht einmal sagen für die Wissenschaft, sondern selbst für ein Belehrung suchendes grösseres Publikum aus derartigen in belletristische Zeitschriften eingerückten Recensionen wissenschaftlicher Werke sich erwarten lässt? — Ich beginne demnach mit dem, was eigentlich die Pflicht des Recensenten gewesen wäre, — nämlich mit einer bündigen Auseinandersetzung des in Rede stehenden von Herrn *Mädler* recensirten Gegenstandes.

Gesetzt, von einer Stadt A aus werde regelmässig etwa alle Stunden ein Bote nach einer andern Stadt B abgesandt, um einer daselbst verweilenden Person b den Fortgang irgend eines wichtigen Ereignisses zu berichten: so ist klar, dass, falls die Boten vollkommen gleichschnell fortschreiten und genau denselben Weg betreten, sie auch einer um den andern regelmässig von Stunde zu Stunde in B eintreffen werden. Würde indess die in B weilende Person b, von Ungeduld getrieben, statt abzuwarten, den Boten entgegeneilen, so ist es eben so begreiflich, dass jene Sendlinge in kürzeren Zwischenräumen, als in jenem einer Stunde bei ihr ankommen werden. Bei vorausgesetzter gleicher Geschwindigkeit geschähe dies von halber [**116**] Stunde zu halber Stunde, bei andern Geschwindigkeitsverhältnissen dagegen natürlicher Weise in kürzeren oder längeren Zeiträumen. Dasselbe müsste geschehen, wenn jene Person a von A gegen B hin reiste, dabei aber fortwährend von Stunde zu Stunde einen Boten voraussendete. Auch in diesem Falle müssten die Zwischenzeiten, in denen jene Boten in *B* ankommen, kürzer als eine Stunde ausfallen.

Nun wird es in der Physik für völlig ausgemacht und über allen Zweifel erhoben angesehen, dass sowohl die Tonhöhe beim Schalle, als auch die Farbe beim Lichte von der Anzahl der innerhalb einer Zeitsekunde beim Beobachter ankommenden Wellen oder Undulationen abhängt. Setzt man daher an die Stelle der obigen Boten die Undulationen, und lässt man die Person *b* als Beobachter, jene in *A* befindliche *a* dagegen als die Schall- oder Lichtquelle gelten, so lautet die eben ausgesprochene Wahrheit wie folgt: »Wenn ein schallender oder leuchtender Körper sich einem Beobachter nähert, oder sich von ihm entfernt, oder umgekehrt, wenn ein Beobachter sich von oder gegen eine Schall- oder Lichtquelle bewegt, oder endlich wenn beides zugleich geschieht, so muss damit nothwendig für die Wahrnehmung eine Aenderung in der Tonhöhe und Farbe eintreten.« — Ein Satz aber, der allgemein gilt, muss auch in jedem speciellen Fall sich als richtig erweisen, und ich schloss daraus, wie mich dünkt, ganz folgerecht, dass falls die Gestirne des Himmels sich mehr oder weniger schnell bewegen, sie in Folge dieser Bewegung eine Farbänderung zeigen müssen. Ob diese für uns schon eine wahrnehmbare sein wird, hängt natürlich bloss von dem Grade der Geschwindigkeit ab, mit der sie sich bewegen, und ich glaube nachgewiesen zu haben, dass man diesfalls nicht viel über 33 Meilen Geschwindigkeit in der Sekunde bei ihnen vorauszusetzen braucht. — Von diesem zunächst in die allgemeine Wellenlehre und somit in die Physik gehörigen Satze wird nun gleichsam gelegenheitlich, so wie einerseits auf die Akustik, so andererseits auf das farbige Licht der Doppelsterne eine Anwendung versucht, und ich übersah es hierin nicht, die Entscheidung des letztgenannten Punktes, wie billig, dem Urtheile praktischer Astronomen anheimzustellen, nicht aber wie Herr *Mädler* sich ganz irrigerweise ausdrückt, hierüber selber abzusprechen. — Dies das Wesentlichste meiner Abhandlung; — dies aber auch diejenigen Punkte, die jener Recensent hätte widerlegen oder entkräften müssen, falls seine ebenso anmassende, als nichtssagende Sprache wenigstens einigermassen eine Entschuldigung finden sollte. Wie er dies gethan, wird man sogleich sehen.

Als ich obige Gedanken veröffentlichte, glaubte ich nicht, ganz Unnützliches unternommen zu haben. Ich hielt es für interessant und der Mittheilung würdig, eine so allgemeine Wahrheit bezüglich aller Fixsterne ausser Zweifel gestellt zu haben, und vermeinte eher einer freundlichen Aufnahme, als völlig unbegründetem und deshalb unverständigem Tadel entgegensehen zu dürfen. Und in der That eine grosse Zahl der achtenswerthesten Männer, deren einem sogar die Wellenlehre ihre jetzige Gestalt mit verdankt, sind in ihrer Ueberzeugung dieser meiner Ansicht beigetreten, und wieder andere haben keinen Anstand genommen, dieses selbst öffentlich auszusprechen. (*Gerstendorf*'s Repertorium 1843 Januar, Heft 1, pag. 107 und in den *Atti della societá italiana delle scienze residente in Modena* 1842—43. — *Poggendorff*'s Annalen der Physik Band LX, 1843, pag. 83. — Astronom. meteorolog. Jahrbuch für Prag, 3. Jahrg. 1844, pag. 253 etc.)

Wie macht es nun aber Herr *Mädler*? — Vorerst versieht es derselbe, vermuthlich durch den Titel der Abhandlung irregeleitet, darin, dass er eine Nebensache für die Hauptsache, eine sich zufällig darbietende Anwendung einer für richtig gehaltenen Wahrheit für den alleinigen Zweck, weshalb jene Abhandlung verfasst wurde, und einen Gegenstand, der seinem Principe nach zunächst und vorzugsweise der Physik angehört, für eine Angelegenheit hält, über die nur der Astronom allein abzuurtheilen ein Recht habe. — Sollte man aber nicht billiger Weise bei einem Recensenten voraussetzen dürfen, dass er nebst dem Titel auch noch den Inhalt zumal einer so kurzen Abhandlung mit einiger Ueberlegung lesen werde? — Doch dies mag noch hingehen. — Wie aber Herr *Mädler* die Richtigkeit des oben auseinandergesetzten Grundgedankens, d. i. das der erwähnten Formel zu Grunde liegende Princip im Entferntesten bezweifeln und es für eine blosse Voraussetzung von meiner Seite halten kann (deren Richtigkeit erst noch überdies durch Versuche auf Eisenbahnen festgestellt werden muss!!), nämlich dass die Anzahl der in einer Zeitsekunde beim Beobachter anlangenden Wellen durch Bewegungen oberwähnter Art nothwendig eine Aenderung erfahren müsse, ist mir, ich gestehe es offen, geradezu unerklärlich! — Wie kann Herr *Mädler* solche Aeusserungen vor sämmtlichen Mathematikern, Physikern und Astronomen, denen doch seine Recensionen möglicher ja sogar wahrscheinlicher Weise früher oder später auch in die Hände kommen, und wie vor den nachdenkenderen Lesern jener Zeitschrift verantworten? — Ich bin wahrlich sehr begierig, wie er dieses zu thun vermögen wird! — Denn kann man solche Wahrheiten noch bezweifeln, dann steht es schlimm, selbst um *Pythagoras*' Rechentisch! Die Ableitung der in meiner Abhandlung vorkommenden Formel ist allerdings durch eine falsche Accentuirung etwas undeutlich geworden. Allein Recensent hätte sich damit trösten sollen, dass eben jene Formel in jedem gewöhnlichen Rechenbuche, das auch nur von den Gleichungen des ersten Grades handelt (wie z. B. in *Salomon*'s Lehrbuch d. Element. Mathem. p. 414), dort wo eben jene Aufgabe von den Boten gelöst zu werden pflegt, mit aller Umständlichkeit vorkommt!

Eine weitere Flüchtigkeitssünde begeht Herr *Mädler* ferner dadurch, dass er meint, er liefe Gefahr, sich in einen Streit rücksichtlich der verschiedenen Lichttheorien einlassen zu müssen, falls er in eine weitere Untersuchung jenes Erklärungsprincipes einginge. Hätte aber Recensent diesen Gedanken auch nur etwas reiflicher erwogen, so würde er gefunden haben, dass alles von den Farbänderungen Gesagte in ganz gleicher Weise in der einen wie in der andern der verschiedenen Lichttheorien gelte. Wahrscheinlich hat es Herr *Mädler* übersehen, dass der ganze Inhalt des ersten Paragraphen meiner Abhandlung sich [**117**] zunächst auf den in der Anmerkung erwähnten Gegenstand beziehen sollte. Also abermals ein Beweis, dass Herr *Mädler* die in Rede stehende Abhandlung höchstens nur durchblättert haben konnte.

Ueberhaupt scheint Recensent, wie dies am besten die Folge zeigen wird, rücksichtlich dessen, was er eigentlich an meiner Abhandlung tadeln wollte, bis zum letzten Augenblicke mit sich selber nicht recht ins Klare gekommen zu sein, und man vermisst überdies die einem Kritiker so wesentliche nothwendige Gabe Gewandtheit, nämlich einen vorliegenden Stoff bis zur Durchsichtigkeit vor sich auszubreiten, und mit logischer Bestimmtheit und Sicherheit, die Wahrheit vom Irrthum, objectiv begründete Wahrscheinlichkeit oder deren Gegentheile von einem blossen subjectiven Dafürhalten oder subjectiven Verneinen zu sondern, und auf das Mass einer vernünftigen Werthschätzung zurückzuführen. — Unmöglich hätte er sonst auch nur einen Augenblick anstehen können, die unwiderlegliche und eben deshalb vernünftigerweise gar nicht zu bestreitende Behauptung anzuerkennen, »dass vorausgesetzt, einige der Fixsterne bewegten sich gegen oder von uns weg, und vorausgesetzt ferner, die eine oder andere der bestehenden Ansichten über das Licht sei die richtige, dass, sage ich, unter diesen beiden Voraussetzungen, es unter den Fixsternen nothwendig einige geben müsse, welche scheinbare Farbänderungen erleiden;« — und da Herr Dr. *Mädler*, ohne sich mit der ganzen wissenschaftlichen Welt in einen Kampf zu verwickeln, kaum hätte anstehen können, diesen beiden Voraussetzungen beizupflichten, so wäre er auch *nolens volens*, d. h. mit Nothwendigkeit zu der weitern Schlussfolgerung geführt worden, »und somit giebt es also in der That unter den Fixsternen solche, welche in Folge ihrer Bewegung Farbänderungen zeigen.« — Nun, dies hätte schon ganz anders geklungen, wie die querüberliegenden und völlig unmotivirten Vorwürfe seiner Recension, und die Kluft der Meinungsverschiedenheit zwischen uns hätte sich mächtig geschmälert. Auch hätte sodann Recensent vielleicht noch die Billigkeit geübt, anzuerkennen, dass diese Wahrheit schon an und für sich, d. h. abgesehen selbst von jeder etwaigen Anwendung eine nicht ganz uninteressante, und vielleicht auch keine ganz unwichtige zu nennen sei. — Der Wahrheit obigen Satzes aber ungeachtet könnte es immerhin noch geschehen, dass diejenigen Farbänderungen, die wir an den Doppelsternen beobachten, einer andern Ursache wie ihrer Bewegung zugeschrieben werden müssten, und dass überhaupt möglicher Weise jene Bewegungen der Fixsterne viel zu unbedeutend sind, um jene als nothwendig nachgewiesenen Farbänderungen, bis zu dem für die Wahrnehmung erforderlichen Grad zu steigern. Hierüber aber kann wieder nur die Erfahrung, und wo diese fehlt, die objective Wahrscheinlichkeit, und wo diese fehlt, allenfalls ein bescheidenes subjectives Dafürhalten uns zu einem Ausspruch verhelfen. — Wenn nun Herr Recensent behauptet, kein Himmelskörper, oder wenigstens doch kein sogenannter Fixstern könne oder dürfe sich mit mehr als 10 Meilen Geschwindigkeit die Sekunde bewegen, so will dies nach Obigem nicht viel, oder vielmehr es will nur so viel sagen, als: »ich, Dr. *Mädler* in Dorpat, halte dafür, dass dies so sei«, und einem solchen extravagantem Vermeinen halte ich ganz einfach die wohlerwogene herrschende Ansicht fast aller übrigen Astronomen entgegen. — Doch ich kehre von dieser nochmaligen Hindeutung auf das, wie es Recensent, wäre es ihm um Förderung der Wissenschaft zu thun gewesen, hätte machen sollen, wieder zur weitern Erwägung seiner Recension selbst zurück.

Herr *Mädler* geht hierauf noch weiter, und wir folgen ihm auf dem Fusse. Vorerst beschuldigt er mich, dass ich die

Geschwindigkeit des Cometen von 1680 zu 74 geographischen Meilen im Perihelium angegeben habe, während sie doch nach seiner Meinung nur 53 Meilen betragen solle. — Ich weiss in der That nicht mehr, welchem Werke ich jene Angabe entnahm, aber in zwei mir eben zur Hand liegenden Werken (*Richter*'s Populäre Astronomie II. Theil 1832, pag. 625 und *Littrow*'s Wunder des Himmels p. 421 Anmerkung) finde ich abermals verzeichnet, bei ersterem, dass jene Geschwindigkeit mehr als 73 Meilen, und bei *Littrow*, dass sie $73\frac{3}{5}$ Meilen betragen habe. — Nun kann man zwar sagen, dass diese Angaben nur sogenannten populären Werken entnommen seien. Wenn es aber ein Vorrecht solcher Werke wäre, dem lernbegierigen Publikum so grobe Irrthümer bieten zu dürfen, so müsste man vom Ankauf aller derartigen Leistungen und somit auch jener des Herrn Recensenten ernstlichst abrathen. Im Uebrigen hat jener Comet, seiner ungemein excentrischen Bahn wegen, den Astronomen bekanntlich viel zu schaffen gemacht, welches sich schon daraus entnehmen lässt, dass *Halley* dessen Umlaufszeit auf 575 Jahre berechnete, während sie nach *Encke* nicht weniger als 8800 Jahre betragen solle!

Was endlich das Citat aus *Littrow*'s Werke bezüglich *γ virginis* anbelangte, so findet sich daselbst allerdings der Beisatz, »wenn derselbe von seinem Hauptsterne eine Billion Meilen entfernt ist,« (und nicht, wie Recensent fälschlich sich ausdrückt, entfernt wäre). — Allein diese Annahme ist nicht für eine aufs gerathewohl angenommene, für ein blosses »*ponamus*,« wie man derlei Zahlen bei Erläuterung einer Rechnungsregel zuweilen anzunehmen pflegt, sondern für den Ausdruck einer auf Wahrscheinlichkeit hin angenommenen Ueberzeugung zu halten. — Es geht dies nicht nur schon aus der angezogenen Stelle selbst, sondern auch aus dem übrigen Inhalte seines Werkes (z. B. pag. 467) zur Genüge hervor. — Und würde man dem herrlichen Gedanken *Savary*'s so viele Aufmerksamkeit geschenkt haben, wenn die Durchmesser der Bahnen der Doppelsterne so unbedeutend wären, wie sie uns Herr *Mädler* glauben machen will? — Auch war *Littrow* ein viel zu mathematisch gebildeter Astronom, als dass er nicht hätte wissen sollen, dass bei der völligen Unbekanntschaft mit dem Minimum der Parallaxis und bei den gleichwohl auf mehrere Sekunden sich erstreckenden scheinbaren Entfernungen der Einzelsterne, deren wirkliche Entfernungen sowohl, wie deren Geschwindigkeiten, wenn auch in der Ziffer bisher unangebbar, doch jedenfalls ungemein gross sein müssen. — Herr *Mädler* aber will es nun einmal haben, dass kein Himmelskörper eine 10 Meilen übersteigende Geschwindigkeit haben soll! — Ob ihm hierin [**118**] viele Astronomen beipflichten dürften, möchte ich sehr bezweifeln? — Was übrigens den Doppelstern γ *virginis* und das Citat *Littrow*'s anbelangt, so wäre das Unternehmen Herrn *Mädler*'s, selbst wenn es ihm gelungen wäre, jedenfalls nur einem Luftstreiche gleich zu erachten, da ich ja nicht 40 000 Meilen, sondern nur 33 Meilen und etwas weniges darüber für meine Ansicht anspreche. Der Streich fiel weit zur Seite, — um desto besser. — Herr *Mädler* mochte dieses wohl selber gefühlt haben, da er unmittelbar darauf jenes wunderliche Interdict von 10 Meilen ergehen liess!

Endlich findet Recensent es von meiner Seite völlig unbegreiflich, wie ich es auch nur für möglich halten könne, dass ein Comet in seiner Sonnennähe eine Geschwindigkeit von hundert, geschweige denn erst von mehreren hundert Meilen die Sekunde haben könne. Ja es fehlt wenig, dass er es zu Folge seiner Ausdrucksweise geradezu heraussagte, ich müsste, dieses behauptend, nicht recht bei Troste sein. Als er dieses niederschrieb, konnten ihm, der Zeit nach, füglich weder die südlichen Beobachtungsdaten, noch auch die darauf sich gründenden Ergebnisse der Berechnung des in diesem Jahre erschienenen grossen Cometen bekannt sein. — Wie mag sich nun Herr *Mädler* gewundert haben, als er vernahm, dass dieser Comet der Sonne noch viel näher kam und eine noch viel grössere Geschwindigkeit hatte (nach Arago 104 Lieues die Sekunde, nach den Berechnungen an der k. k. Prager Sternwarte durch Herrn Adjunkten *Kreil* 80 geographische oder deutsche Meilen die Sekunde. Siehe »Beobachtungen über den grossen Cometen von 1843, von *Karl Kreil*, Adjunkten der k. k. Sternwarte. Prag, bei *Fried. Ehrlich*,« nach der *Piazzi*'schen Formel, mit Zugrundelegung der *Encke*'schen Elemente, eine noch ungleich grössere) als jener vom Jahre 1680! — Im Uebrigen glaube ich so gut wie Herr *Mädler* selber zu wissen, dass bei der Masse unserer Sonne Cometen, die in elliptischen Bahnen um dieselbe sich bewegen, in der That selbst im Perihelium die Geschwindigkeit von 150 Meilen die Sekunde ganz sicherlich nicht erreichen können, ohne Gefahr in dieselbe hineinzustürzen. Allein wer hat es dem Herrn *Mädler* gesagt, dass ich, jenen Ausspruch thuend, mir bloss Cometen dachte, die in geschlossenen Bahnen um die Sonne kreisen? Erforderte dies etwa die hiervon gemachte Anwendung, oder geschieht davon auch nur mit einer Silbe in meiner Abhandlung Erwähnung? Keines von beiden, wie sich der Leser leicht überzeugen kann. — Oder hält es Herr *Mädler* für unmöglich (denn für unwahrscheinlich mag er es immerhin halten), dass Cometen auch in Hyperbeln an der Sonne vorbeigehen, da doch der Comet von 1771 und der zweite von 1818 selber in sehr starkem Verdachte stehen, auf hyperbolischen Bahnen gewandelt zu sein, und *Encke* neuerlich veröffentlichte, dass die Bahn des vorjährigen Cometen weit näher einer Hyperbel wie einer Ellipse komme? — Himmelskörper aber, die in hyperbolischen Bahnen sich bewegen (oder vielmehr in Bahnen, die in der Nähe unserer Sonne als solche betrachtet werden müssen) sind bei jeder beliebigen Entfernung von der Sonne einer jeden selbst noch so grossen Geschwindigkeit fähig, ein Satz, der jedem Schüler in der Astronomie bekannt ist. Es fällt demnach auch das, was Herr *Mädler* von dem Unsichtbarwerden bei einer Sonnennähe sagt, wo die Geschwindigkeit bereits 10 Meilen beträgt, als völlig unrichtig und auf einer ganz irrigen Voraussetzung beruhend weg. — Auch liegt hierin, wie fast in allen Behauptungen des Recensenten, eine grosse Uebertreibung. Denn als ob es sich der heurige Comet ordentlich vorgenommen hätte, es in Allem Herrn *Mädler* zuwider zu thun, liess er sich, nachdem er den 27. durch's Perihelium gegangen war, schon den 28. wieder mit unbewaffnetem Auge beobachten, an welchem Tage seine Geschwindigkeit doch sicherlich noch grösser war, als 10 Meilen. Ich kann bei dieser Gelegenheit nicht unterlassen, die geehrten Leser dieser Zeilen und das astronomische Publikum insbesondere auf einen höchst merkwürdigen Umstand, bezüglich des vorjährigen grossen Cometen aufmerksam zu machen, der das, was ich pag. 478 meiner Abhandlung und am a. O. über diese Himmelskörper gesagt habe, im hohen Grade zu bestätigen scheint. Herr *Arago* theilte nämlich in der Sitzung vom 24. April der Pariser Academie folgende Nachricht über Beobachtung dieses Cometen zu Marseille mit: »An diesem Orte erschien der Kern zwei ganze Tage lang roth.« »Herr *Arago* glaubt nicht, dass diese Farbe in der Beschaffenheit des Dunstkreises ihren Grund hatte.« Alles dieses nun muss mich in der gleich Anfangs gehegten Meinung bestärken, dass Herr *Mädler* sicher darauf gerechnet haben mochte, es werde mir sein Aufsatz wohl niemals in die

Hände gerathen. Dass Herr *Mädler* durch eine weitere Erwiderung sich hierüber, so gut als dies nun angeht, zu rechtfertigen suchen wird, steht zu erwarten. In Zeitschriften, die, wie die gegenwärtige, eigens der wissenschaftlichen Diskussion gewidmet sind, wird er mich zur Antwort stets bereit finden.

Was endlich die eines Gelehrten völlig unwürdige Schlussbemerkung anbelangt, so gebe ich Herrn *Mädler* dieselbe zur eignen Nutzanwendung mit dem weitern guten Rathe zurück, dass er sich hinfüro durch derlei gedankenlose Recensionen nicht um den wohlerworbenen Ruf eines guten Beobachters und populären Schriftstellers im Fache der Astronomie bringen möchte.

[419] III.

Ueber eine bei jeder Rotation des Fortpflanzungsmittels sich einstellende Ablenkung der Licht- und Schallstrahlen.

(Abh. d. Böhmischen Ges. d. Wiss. V. Folge, Bd. 3, 1843.)

§ 1.

Allgemeine Wahrheiten haben zu jeder Zeit sich die Beachtung und Würdigung der Denker zu sichern gewusst, auch wenn es erst der späten Zukunft anheim gestellt werden musste, ob sie auch eine praktische Anwendung finden werden. Nichtsdestoweniger ist es sehr begreiflich, dass dieselben mit doppeltem Interesse aufgenommen zu werden pflegen, falls die ihnen zum Grunde liegenden Voraussetzungen in der wirklichen Erscheinungswelt ihre Repräsentanten vorfinden. War es mir also gelungen, einigen Beifall zu ernten, als ich des vorigen Jahres in meiner kleinen Schrift: »Ueber das farbige Licht der Doppelsterne etc.«*) die Aufmerksamkeit der Gelehrten auf einen bisher noch nicht beachteten Lehrsatz der allgemeinen Wellenlehre lenkte: so hoffe ich auch jetzt nicht zu missfallen, wenn ich es wage, noch eines zweiten solchen Lehrsatzes zu erwähnen, der, einem mehrfachen Dafürhalten nach, eine öffentliche Besprechung bisher noch nicht erfahren hat. Es ist der folgende:

»Wenn eine Wellenquelle Q, Fig. 1, auf ein um den Punkt O rotirendes, übrigens wie immer geformtes, und der Wellen-

---

*) Nr. I dieser Sammlung.

fortpflanzung fähiges Object AB einen Wellenstrahl PQ sendet: so erleidet dieser innerhalb der Zeit seiner Bewegung durch AB nebst der etwa bei a und b stattfindenden gewöhnlichen Brechung auch noch eine andere eigenthümliche Ablenkung von seiner ursprünglichen Richtung, die zunächst in der Rotation des die Wellen fortpflanzenden Objectes selber ihren Grund hat, und die ich eben deshalb die rotatorische mir zu nennen erlaube. — Diese Ablenkung des Strahls ist um so bedeutender:«

»α) je grösser die Winkelgeschwindigkeit des rotirenden Objectes AB ist, oder in je kürzerer Zeit sich AB um seine Axe dreht:«

[**420**] »β) je länger der Weg ist, den der Wellenstrahl im Objecte AB zu durchlaufen hat; und«

»γ) je geringer die Fortpflanzungsgeschwindigkeit des Wellenstrahles in AB ist.«

Die Richtigkeit dieser Behauptungen leuchtet beinahe schon durch den blossen Hinblick auf die Fig. 1 ein. Der Verfasser erachtet es daher für zureichend, dem Gesagten nur noch nachfolgende erläuternde Worte hinzuzufügen. — Da der Strahl PQ, um von a nach b zu gelangen, nothwendig eine gewisse, wenn auch noch so kurze Zeit braucht, während welcher das Object AB sich um den Winkel ϱ dreht, so begreift es sich leicht, dass im Augenblicke des Austrittes aus AB $a'b'$ den Weg bezeichnet, welchen der Wellenstrahl PQ während der Zeit seiner Fortpflanzung durch AB in Bezug auf dieses Object zurückgelegt hat, wobei natürlich völlig abgesehen wird von derjenigen Ablenkung des Strahls von seiner geradlinigen Bahn, die er etwa in Folge der gewöhnlichen Brechung bei seinem Ein- und Austritte oder im Innern von AB erfährt. Bezogen auf den absoluten Raum aber wird diese Bahn freilich auch selbst in diesem Falle noch eine Curve, ungefähr wie die in Fig. 2 angedeutete sein[8]. — Auch ist aus Fig. 1 ersichtlich, dass der Ablenkungswinkel ϱ', den der ausfahrende Strahl mit dem eintretenden macht, dem Drehungswinkel ϱ gleich kommt. — Man findet demnach den Ablenkungs-

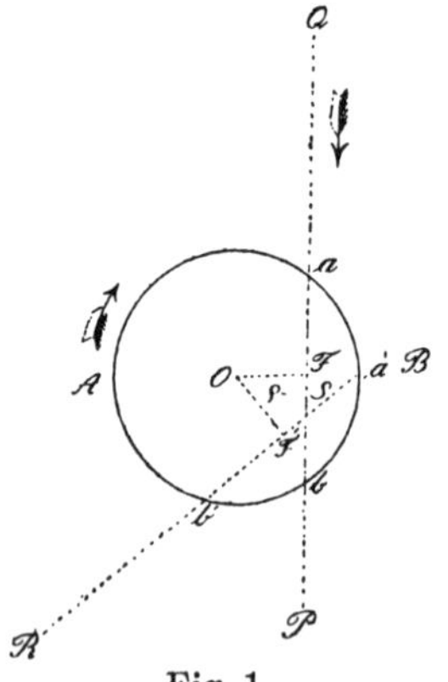

Fig. 1.

winkel ϱ oder ϱ', wenn man die Zeit berechnet, die der Strahl PQ benöthigt, um von a nach b, oder was dasselbe ist, um von a' nach b' zu gelangen. Ist dies geschehen, so lässt sich aus der bekannten Rotationszeit von AB leicht bestimmen, wie gross der Winkel ist, um den sich AB während eben dieser Zeit gedreht hat, und dieser Winkel ist dem Gesagten zu Folge jener verlangte Ablenkungswinkel. — Bezeichnet man die Fortpflanzungsgeschwindigkeit des Wellenstrahls in AB durch α, die Länge des von demselben zurückzulegenden Weges, d. i. jene von ab, durch d (beides in geographischen Meilen) und die Umdrehungszeit von AB in Secunden ausgedrückt durch t: so ist $\frac{d}{\alpha}$ offenbar die Zeit, welche der Strahl benöthigt, um von a nach b zu kommen, und man findet aus der Proportion:

$$t : \left(\frac{d}{\alpha}\right) = 360^{\circ} \cdot 60 \cdot 60 : \varrho''$$

den Werth:

$$(1) \qquad \varrho = \frac{1296000}{t} \left(\frac{d}{\alpha}\right).$$

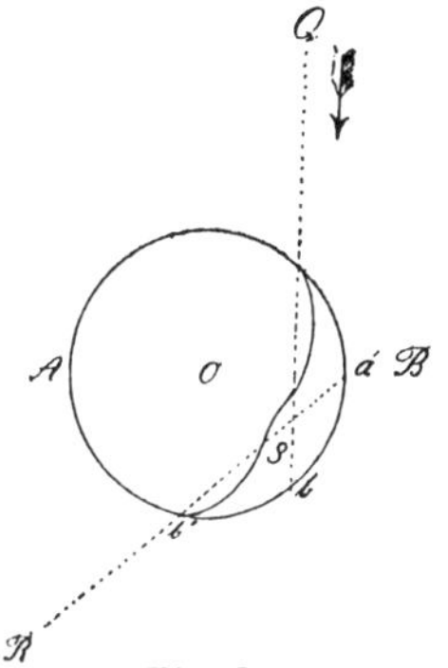

Fig. 2.

Was ich in diesem Raisonnement stillschweigend vorausgesetzt habe, dass sich nämlich der Wellenstrahl in einem sich rotirenden oder wie immer bewegten Medium, in so fern nur die wechselseitige Lage der einzelnen Theilchen desselben ungeändert bleibt, gerade eben so fortpflanze, wie wenn es sich gar nicht bewegte — ist eine Sache, die wohl Niemand bezweifeln wird, die wir auch in Hinsicht auf die Fortpflanzung des Schalles auf unserer Erde von jeher vorausgesetzt haben, indem wir diejenige Bewegung der Luft und der übrigen schallenden Körper auf Erden, die sie gemeinschaftlich mit der Erde selbst haben, gar nicht beachteten. Uebrigens lehrt uns auch die Erfahrung selbst, dass die Schallwellen in der Luft, wenn diese durch einen Wind fortgetragen wird, der die Lage ihrer Theilchen untereinander nicht merklich stört, gleichfalls mit fortgetragen werden, und die Erscheinung, dass Wellenbewegungen im Wasser bei Uebertragung des Gefässes ungestört fortbestehen, beweist die Richtigkeit unserer Voraussetzung selbst durch den Augenschein[9]).

[421] § 2.

Die im § 1 besprochene Wahrheit scheint demnach kaum einem weitern Zweifel unterworfen werden zu können, und es dürfte daher zweckdienlich sein, zu untersuchen, ob es nicht vielleicht in der Astronomie einzelne Erfahrungsdaten gebe, die unter besonders günstigen Umständen dem Einflusse der rotatorischen Ablenkung auf eine merkbare Weise ausgesetzt seien? — Von allen Planeten unseres Sonnensystems bietet unstreitig Jupiter die günstigsten Aussichten hierzu. Er ist nicht nur von allen der bei weitem grösste, sondern seine Masse übertrifft bekanntlich die aller übrigen zusammengenommen um das Dreifache, und endlich ist seine Rotationszeit ungemein kurz. — Auch zeugen unleugbare Beobachtungen von einer sehr bedeutend hohen und dichten Atmosphäre. Sein Durchmesser beträgt nämlich beiläufig 20018 geographische Meilen, und seine Masse übertrifft die unserer Erde um das 315,9fache. Es scheint der Natur der Sache ganz angemessen, und den sonstigen Erfahrungen entsprechend zu sein, die Höhen der Atmosphären der Planeten ihren Massen ungefähr proportional zu setzen. Bei Jupiter müsste man demnach dieselbe nahe zu 8529,3 geographische Meilen annehmen, wenn man mit *Schmidt* jene unserer Erde beiläufig auf 27 geographische Meilen schätzt. — Nimmt man nun an, dass ein Lichtstrahl in jene Atmosphäre nach einer solchen Richtung eintritt, dass er sich auf seinem Wege der Oberfläche desselben bis auf etwa eine geographische Meile nähert: so beträgt die Länge des Weges, wie dies eine leichte Rechnung zeigt, beiläufig 31206 geographische Meilen. Um diesen Weg zu durchlaufen, würde das Licht, vorausgesetzt, dass es sich in jener Atmosphäre mit gleicher Geschwindigkeit fortbewegte, d. h. in der Secunde 42000 geographische Meilen zurücklegte, 0,743 Secunden an Zeit brauchen. Nun dreht sich aber Jupiter innerhalb 9 Stunden 55 Minuten und 28 Secunden, d. i. in 35848″ um seine Axe, woraus sich sofort ergiebt, dass während der Lichtstrahl sich durch jene Atmosphäre fortpflanzt, Jupiter sich zugleich mit seiner Lufthülle als Fortpflanzungsmittel der Lichtwellen, um den bedeutenden Winkel von beinahe 27 Raumsecunden drehen muss. — Ein solches namhaftes Resultat ergiebt sich bei Voraussetzung einer Jupitersatmosphäre, die eben so sehr den Anforderungen der Wissenschaft als auch den an diesem Himmelskörper gemachten

Beobachtungen zu entsprechen scheint. Gesetzt aber auch, dass die Höhe seiner Atmosphäre jene unserer Erde kaum merklich überträfe, also etwa nur 30 geographische Meilen betrüge: so würde sich gleichwohl noch bei der ungemeinen Grösse dieses Himmelskörpers und bei seiner kurzen Rotationszeit eine merkliche Ablenkung herausstellen. Die Rechnung weist es nämlich nach, dass der rotatorische Brechungswinkel ϱ diesfalls noch immer 1,3309 Secunden betragen würde.

Rücksichtlich unserer Erde wird man sich schon im Vorhinein der Vermuthung hinzugeben haben, dass bei ihr die rotatorische Ablenkung der besonders ungünstigen Verhältnisse wegen jedenfalls nur ganz unbedeutend sein werde; denn der Weg, den ein Lichtstrahl, der sich der Erdoberfläche bis auf eine geographische Meile nähert, zurückzulegen hat, beträgt nicht mehr als 426 geographische Meilen von seinem Eintritte bis zum Austritte aus unserer Atmosphäre. Um ihn zurückzulegen, braucht das Licht nur eben 0,01 Secunde, während [**422**] welcher Zeit sich unsere Erde um einen Winkel von 0,15 Secunden dreht, und so gross ist demnach auch die terrestrische rotatorische Abweichung ϱ. Somit kein Wunder, dass sie noch nie beobachtet wurde. — Würde sich das Licht gleich dem Schalle mit einer Geschwindigkeit von nur 1027 Fuss in der Secunde fortpflanzen: so betrüge diese Ablenkung bezüglich unserer Erde schon bei 41 ganzer Grade.

§ 3.

Es dürfte nicht ohne einiges Interesse sein, diejenigen Fälle hier aufgezählt zu finden, in denen die rotatorische Ablenkung der Lichtstrahlen einen wenn auch sehr kleinen, immerhin doch noch merklichen Einfluss auf die Resultate der Beobachtung auszuüben vermöchte. Es sind meines Dafürhaltens zunächst die folgenden:

1. Bei den Bedeckungen der Fixsterne durch die Planeten, insbesondere durch Jupiter. Durch den Einfluss der rotatorischen Brechung kann es nämlich geschehen, dass uns z. B. Fixsterne, die schon über 26 Raumsecunden hinter den Planeten Jupiter getreten, noch vollkommen sichtbar sind. Es kommt dabei natürlich alles darauf an, in welcher Richtung gegen die Rotationsaxe der Eintritt geschieht[10]).

2. Bei Verfinsterungen der Monde durch ihre Hauptplaneten. Aus Fig. 3 ist nämlich ersichtlich, dass der Schattenconus ABK

durch die rotatorische Ablenkung zunächst zwar in *ABK'* übergeht; da aber der Theil *AMK'* von Strahlen, die nicht mehr durch die Atmosphäre gehen, erleuchtet wird: so reducirt sich der Schattenkegel auf den Theil *AMB*, und ein Mond, dessen

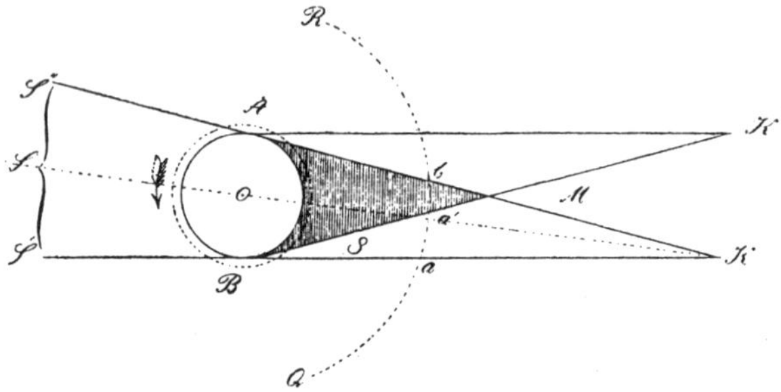

Fig. 3.

Bahn *RQ* den Kegel schneidet, hat demnach nicht mehr den Schattenraum *ab*, sondern in Folge der rotatorischen Ablenkung nur jenen von *a'b* zu durchlaufen. Aus Fig. 4 ersieht man, dass man in allen Fällen dieser Art den Winkel ϱ der rotatorischen Ablenkung annäherungsweise dem Winkel α am Centrum gleich setzen darf. Bei Jupiter ist dieser Winkel, wie wir gesehen haben, 26″,86, bei unserer Erde dagegen nur 0,15 Secunden. Nun hat der nächste oder erste Jupitermond eine Umlaufszeit von 1 Tage, 18 Stunden, 28 Minuten und 36 Secunden, der vierte oder entfernteste aber eine von 16 Tagen, 18 Stunden, 5 Minuten und 7 Secunden; der erste benöthigt demnach, um jene 26,86 Raumsecunden zu durchlaufen, 3,166 Secunden Zeit, der vierte dagegen 29″,9088 oder nahe eine halbe Minute. — Die Verfinsterungen des vierten Jupitermondes treten also alle um nahe eine halbe Minute später ein und sind auch um eben so viele Secunden von kürzerer Dauer als dieses ohne die Rotation des Hauptplaneten unter übrigens völlig gleichen Umständen der Fall sein würde. In Beziehung auf die Verfinsterungen unseres Mondes zeigt die Rechnung, dass diese Verspätung nur 0,31 Zeitsecunden beträgt. — Wohl ist es wahr, dass die Unsicherheit

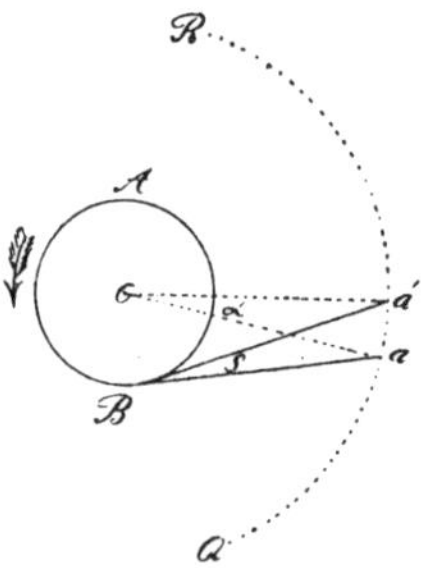

Fig. 4.

in der Zeitbestimmung des Eintrittes eines Mondes in den Kernschatten gross ist, und somit wenig Hoffnung vorhanden zu sein scheint, auf dem Wege der Erfahrung alles hier Gesagte zu erproben. Dennoch darf man in ähnlichen Fällen niemals vergessen, dass eine oft nicht sehr ferne Zukunft das möglich zu machen wusste, was die Vorzeit für geradezu unerreichbar gehalten hat.

3. Die erwähnte Ablenkung der Lichtstrahlen in Folge einer statthabenden Rotation des Fortpflanzungsmediums dürfte ferner ein sehr erwünschtes Mittel darbieten, die folgende [**423**] bisher noch völlig unerledigte Frage einer sichern Entscheidung entgegenzuführen, nämlich ob das Zodiacallicht in der That nur ein Theil der selbstleuchtenden oder beleuchteten Sonnenatmosphäre sei, oder aber ob es nicht vielmehr, wie Andere meinen, einer eigenthümlich modificirten Brechung oder Beugung der Lichtstrahlen in und durch unsere Lufthülle zugeschrieben werden müsse. Denn während bekanntlich *Laplace* die Unmöglichkeit einer so weit ausgedehnten Sonnenatmosphäre durch Rechnung nachgewiesen zu haben vermeinte, haben nichtsdestoweniger die Meisten der Astronomen jene ursprüngliche Ansicht *Cassini*'s, der Gesammtheit der dabei obwaltenden Umstände wegen, wie es scheint, beibehalten. — Ist das Zodiacallicht nur ein Theil der selbstleuchtenden oder beleuchteten Sonnenatmosphäre, und nimmt letztere, wie dies schon der Begriff einer Atmosphäre und die vorausgesetzte stark abgeplattete, fast linsenförmige Form jener Hülle anzunehmen erheischt, an der Rotationsbewegung der Sonne mehr oder weniger Theil: so unterliegen Lichtstrahlen, die sie durchdringen, nicht minder einer rotatorischen Ablenkung von ihrer Richtung, wie diese in allen übrigen bisher erwähnten und noch weiters zu erwähnenden Fällen Statt hat. Da nun das Zodiacallicht, wie bekannt, nicht zu allen Zeiten unter denselben Sternen sichtbar ist: so muss der geänderte Distanzunterschied zweier Sterne, von denen das eine Mal nur einer, ein zweites Mal dagegen beide ausserhalb des Zodiacallichtes erscheinen, einen eben so sicheren als leichten Schluss auf die Rotationsgeschwindigkeit jener Atmosphäre gestatten, — eine völlige Abwesenheit einer solchen dagegen zu der gleich unangreifbaren Folgerung führen, dass man den physischen Grund jenes höchst merkwürdigen Phänomens überall eher als in der vorausgesetzten Atmosphäre unserer Sonne suchen dürfe. Gegen dieses Raisonnement kann um so weniger ein Zweifel erhoben werden, als eine beiläufig geführte Rechnung, vorausgesetzt, die

Sonnenatmosphäre habe mit dem Sonnenkörper selbst gleiche Winkelgeschwindigkeit, uns zu dem Resultate führt, dass jene Winkeldifferenz in der That mehr wie 8 Minuten betragen müsse. — Indess darf man dabei nicht ganz unbeachtet lassen, dass es keineswegs eine nothwendige oder selbst auch nur wahrscheinliche Voraussetzung ist, eine durchaus gleiche Winkelgeschwindigkeit bei allen Schichten dieser Atmosphäre anzunehmen.

4. Die rotatorische Ablenkung des Lichtstrahls könnte, vorausgesetzt, dass sie bedeutend genug sich zeigt, um durch genaue Beobachtungen ermittelt zu werden, auch noch dazu benützt werden, die Höhen der Atmosphären der Planeten zu bestimmen, wenigstens desjenigen Antheils derselben, der mit dem Planeten selber noch rotirt. Aus dem mittels Beobachtung gefundenen rotatorischen Winkel ϱ würde man nämlich bei bekannter Rotationszeit des Planeten leicht die Zeit finden, während welcher sich der Lichtstrahl in der Atmosphäre jenes Planeten bewegte. Aus der bekannten Fortpflanzungsgeschwindigkeit des Lichtes in dieser würde sich dann die absolute Länge des Weges in jener Lufthülle, d. i. d, bestimmen lassen, wodurch man, wenn r den Radius des Planeten bedeutet, mittels Auflösung der Gleichung $d^2 = x\ (2r + x)$ den Werth von x, d. i. die Höhe der Atmosphäre des Planeten fände.[11])

5. Von einem erheblichen Einfluss kann sich ferner die rotatorische Ablenkung noch zeigen bei den Beobachtungen der Fixsterne und Planeten durch den Schweif eines Kometen, [**424**] zumal um die Zeit seines Periheliums. Es sei Fig. 5, W irgend ein Gestirn und ε der Ort eines Beobachters auf unserer Erde. Ohne das Dazwischentreten eines Kometenschweifes AB würde W dem Beobachter in ε seine Strahlen in der geraden Linie $W\varepsilon$ zusenden und von ihm auch in dieser Richtung gesehen werden. Dasselbe würde auch noch geschehen, wenn zwar AB zwischen W und ε vorhanden, aber in vollkommener Ruhe, d. i. ohne alle Bewegung angenommen würde, und man zugleich auf die etwaige gewöhnliche Brechung keine Rücksicht zu nehmen hätte. Auch hier würde $W\varepsilon$ den Lichtstrahl bezeichnen, durch welchen W dem Beobachter in ε erscheint. — Ganz etwas Anderes aber wird geschehen, wenn sich Komet und Schweif mit beträchtlicher Geschwindigkeit fortbewegen. Es sei PQ die Bahn des Cometen, und AB bezeichne die Lage des Schweifes in dem Augenblicke, in welchem der Lichtstrahl bei a anlangt. $A'B'$ sei ferner die Lage desselben in dem Augenblicke, in welchem der Licht-

strahl bis b vorgedrungen, bei b oder vielmehr bei b' eben auszutreten im Begriffe steht. Es ist klar, dass der so ausgetretene Strahl nicht mehr nach ε, sondern nach O gelangen werde, wo ihn dann ein etwa dort befindlicher Beobachter nicht in S, sondern in S' erblicken würde. Ein anderer Strahl dagegen, wie etwa $\sigma\alpha$, der in die Dunsthülle eines Cometen bei α eintritt, bei β oder vielmehr bei β' aus ihr austritt, gelangt in das Auge des Beobachters in ε und lässt ihn das Gestirn W[12]) in σ' erblicken. Wird daher irgend ein Gestirn W

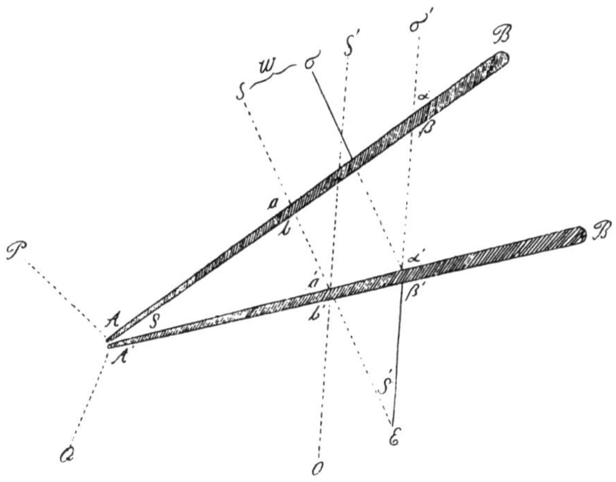

Fig. 5.

durch die Dunsthülle eines Cometen beobachtet, und dessen Entfernung von einem andern Gestirne U ausserhalb derselben gemessen, so muss diese um den rotatorischen Winkel ϱ kleiner sich zeigen, als dies ohne das Dazwischentreten jenes Schweifes der Fall gewesen wäre. — Der im vorigen Jahre (1843) erschienene grosse Comet eignete sich recht gut dazu, die Grösse der rotatorischen Ablenkung unter besonders günstigen Umständen vor Augen zu legen. Nach den Beobachtungen und den darauf sich gründenden Berechnungen der hiesigen Sternwarte*) und nach den anderwärts hierüber ausgesprochenen

*) Beobachtungen über den grossen Cometen von 1843 von *Karl Kreil*, Abhandlungen der Böhmischen Gesellschaft der Wissenschaften. V. Folge, Band 3, S. 217.

Vermuthungen und bekannt gemachten Ergebnissen des Calcüls war die Geschwindigkeit des Kernes dieses Kometen zur Zeit seines Periheliums 80 geographische Meilen die Secunde, die scheinbare Länge seines Schweifes 60°, seine grösste Breite ungefähr 1°, die absolute Länge desselben 20 Millionen geographische Meilen, und demnach seine Breite ungefähr 333 000 geographische Meilen; die absolute Geschwindigkeit seiner entferntesten Schweiftheile aber betrug nicht weniger als 15000 geographische Meilen die Secunde. — Aus diesen Daten ergiebt sich nun durch eine einfache Rechnung, dass sich jener Cometenschweif zur Zeit seiner Sonnennähe in jeder Secunde um einen Winkel von nicht weniger als 2,6 Minuten gedreht haben müsse, und dass das Licht, um jenen 333 000 Meilen breiten Schweif zu durchlaufen, ungefähr 7,9 Secunden Zeit bedurfte. Hieraus ergiebt sich denn ein rotatorischer Ablenkungswinkel von nahe 20 Minuten oder $\frac{1}{3}$ Grad, und um so viel mussten daher auch alle durch diese Dunsthülle um diese Zeit etwa beobachteten Gestirne von dem Kerne weg gegen das Ende des Schweifes hinausgerückt erscheinen. — Die rotatorische Abweichung erscheint natürlich im vorliegenden Falle [**425**] nur unmittelbar um die Zeit des Periheliums so bedeutend, denn am 25. März betrug dieselbe kaum mehr $\frac{1}{42}$ einer Raumsecunde.

6. Zu den feinsten und schwierigsten Gegenständen der beobachtenden Astronomie wird man unstreitig die Bestimmung der Rotationszeit der verschiedenen Nebelsterne, der planetarischen Nebelflecken und der kosmischen Verdichtungen des Aethers zählen dürfen. Dass ihnen sowohl eine fortschreitende als auch rotirende Bewegung im Weltraume zukomme, kann nicht im Mindesten bezweifelt werden, da nicht nur physikalische Gründe auf das Entschiedenste dafür sprechen, sondern selbst abgesehen von jeder zu Grunde liegenden Bewegungsursache der Fall des Nichtbewegtseins als nur ein einziger unter unendlich vielen andern gleich möglichen Fällen, in denen sich Himmelskörper befinden können, auch nur eine unendlich kleine Wahrscheinlichkeit für sich hat. Dass eine fortschreitende Bewegung an diesen Nebelflecken von den Astronomen bisher noch nicht wahrgenommen wurde, hat offenbar theils in der ungeheuern Entfernung derselben, bei der nur wieder eine ungeheuer grosse Geschwindigkeit bemerklich wird, theils aber darin seinen Grund, dass solche genaue Durchmusterungen des gestirnten Himmels, wie sie hier

verlangt werden, erst seit wenig Jahren gepflogen werden. Von der rotatorischen Bewegung aber dieser Gebilde lässt sich fast mit Bestimmtheit behaupten, dass sie wohl niemals durch unmittelbare Beobachtung erkannt werden dürfte. — In Ermanglung anderwärtiger Hilfsmittel bietet nun die rotatorische Ablenkung der Lichtstrahlen einen, wie mir däucht, sichern Anhaltspunkt zur Bestimmung der Rotationszeit dar, vorausgesetzt, dass bezüglich eines fraglichen Nebelfleckens eine durch eine hinreichende Anzahl von Jahren mit Genauigkeit fortgeführte Beobachtungsreihe vorliegt. — Es sei in Fig. 6, Fig. 7 und Fig. 8, σ ein Stern, dessen scheinbarer oder Winkelabstand von einem andern Sterne S, den man zum Vergleichssterne wählt, durch genaue mikrometrische Messungen bekannt ist. Desgleichen seien α, β, γ ... teleskopische Sterne,

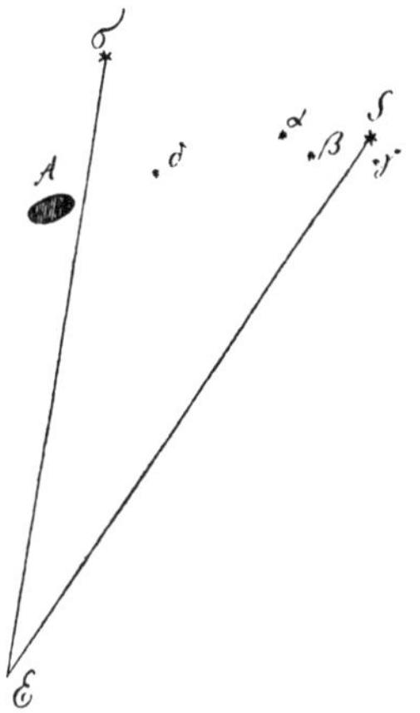

Fig. 6.

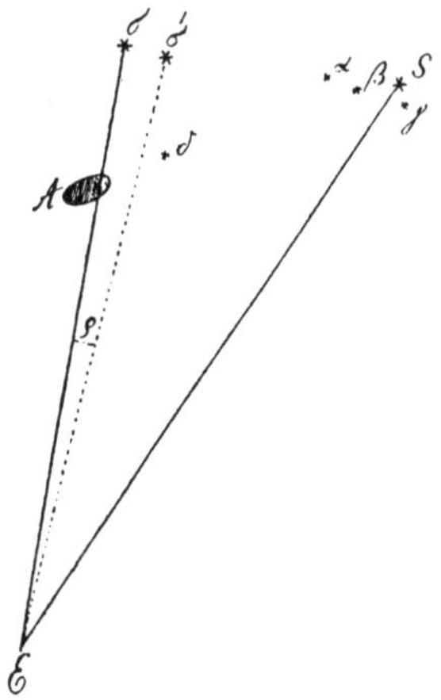

Fig. 7.

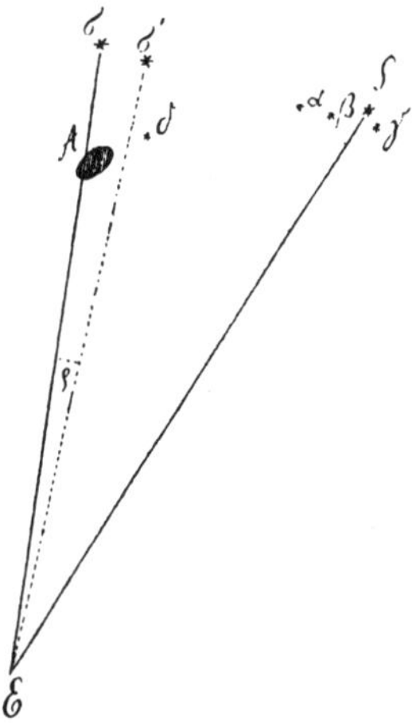

Fig. 8.

die sich in unmittelbarer Nachbarschaft von S befinden, und deren beziehungsweise Lage untereinander und zu S gleichfalls als genau ermittelt vorausgesetzt wird. ε sei der

Ort eines Beobachters auf unserer Erde, A endlich bedeute einen Nebelflecken, der sowohl in einer fortschreitenden als rotirenden Bewegung begriffen angenommen wird, und dessen durch lange Zeiträume getrennte beziehungsweise Lagen gegen σ und S durch die Fig. 6, Fig. 7 und Fig. 8 dargestellt werden. — Nimmt man nun an, dass der Nebelflecken A, Fig. 7, im Verlaufe der Zeit und als Folge seiner fortschreitenden Bewegung zwischen σ und ε tritt, und demnach die von σ ausfahrenden Strahlen verhindert, unmittelbar nach ε zu gelangen, vielmehr sie nöthigt, ihren Weg durch sein Inneres zu nehmen: so ist nach dem Früheren klar, dass bei vorausgesetzter Rotation von A, der Strahl $\sigma\varepsilon$ eine rotatorische Brechung erleidet, in Folge deren der Stern σ für einen Beobachter in ε von seinem frühern Orte verrückt und in σ' um den Winkel ϱ näher bei S gesehen werden wird. Setzt der Nebelstern seine Bewegung gegen S weiter fort, und kommt er endlich gegen σ in eine Stellung wie die in Fig. 8 angedeutete: so erleidet der Lichtstrahl gleichfalls wieder eine rotatorische Ablenkung um den Winkel ϱ, und zwar in demselben Sinne, d. i. gegen S hin, durch welchen letztern Umstand [**426**] allein schon die statthabende rotatorische Ablenkung sich von der gewöhnlichen Brechung, falls die Lichtstrahlen eine solche in A erleiden sollten, auf eine genugsam auffallende Weise unterschieden wird. Im ersten Augenblicke könnte man sich leicht überreden, dass diese rotatorische Ablenkung, wegen der fast als nothwendig vorauszusetzenden höchst langsamen rotirenden Bewegung eines solchen Nebelfleckens jedenfalls nur unmerklich sein könne. Allein es ist dabei nicht zu übersehen, dass dagegen wieder ein anderer eben bei dieser Klasse von Himmelskörpern statthabender Umstand die rotatorische Ablenkung im hohen Grade begünstigt. Noch von Niemand nämlich ist es bezweifelt worden, dass diesen wunderbaren Gebilden bei ihrer ungeheuern Entfernung von uns eine absolute Grösse zukommen müsse, die unser Erstaunen in hohem Grade erregen muss. Haben doch viele Astronomen bezüglich der gleichfalls hierher gehörigen teleskopischen Sternhaufen die Meinung ausgesprochen, dass man sie ihrer absoluten Ausdehnung nach nicht sowohl mit unserem Planetensysteme als vielmehr mit unserem Milchstrassensysteme vergleichen müsse? — Gesetzt nun, ein solcher Nebelstern sei nur von der Grösse der Pallasbahn, in welchem Falle also das Licht etwa 40 Minuten brauchte, um diesen Raum zu durchlaufen: so betrüge doch die rotatorische Ablenkung selbst bei einer Umdrehungsdauer von vollen 1000 Jahren schon $\frac{1}{10}$ Secunde, welcher Winkel den mikrometrischen Messungen noch sehr wohl zugänglich ist. Um so viel also würde man den Stern σ näher bei S erblicken. Mit scheinbarem Rechte wird man gegen diese Bestimmungsmethode der Rotation der Nebelflecken einwenden, dass ja, da den Fixsternen σ und S nicht weniger wie dem Nebelflecken A selber eine eigene Bewegung zugesprochen werden muss, Messungen, die in so langen Zeitintervallen anzustellen wären, jeder sichere Anhalts- und Ausgangspunkt gleichsam unter den Füssen entschwinden würde? Ohne die Gewichtigkeit dieses Einwurfes geradezu zu leugnen, oder es auf mich nehmen zu wollen, letztern völlig zu entkräften, erlaube ich mir doch darauf hinzudeuten, dass sich vielleicht durch genaue Beobachtungen und Vergleichungen von A, σ und S mit den teleskopischen Sternen α, β, γ, δ, . . ., von denen einige eine verhältnissmässig nur höchst geringe scheinbare Ortsveränderung während jener Zeit erleiden mögen, sich die eigene Bewegung von σ und S aus den unmittelbaren Ergebnissen der Beobachtung vielleicht unschwer eliminiren lassen dürfte, ganz so wie bei *Bessel*'s neuester Methode der Parallaxen der Fixsterne.

7. Die rotatorische Ablenkung könnte ferner auch zur definitiven Beilegung des lange geführten wissenschaftlichen Streites über die Rotationszeit des Saturnusringes benützt werden, falls man die neuerlich von *Herschel* d. J. hierüber gemachten Beobachtungen für nicht vollkommen entscheidend und noch einer weitern Bestätigung auf anderem Wege bedürftig halten sollte. Denn da sich in dem Raume sowohl zwischen Saturn und dessen Ringe als auch darüber hinaus nothwendig eine Atmosphäre vorfinden muss, oder vielmehr höchst wahrscheinlich eine solche sich vorfinden wird, die wenigstens theilweise an der Bewegung des Ringes participirt: so wird sich diese auch eben so unfehlbar durch jene rotatorische Ablenkung eines Lichtstrahls verrathen, und uns dadurch ein Mittel an die Hand geben, durch einen Rückschluss die Bewegung des Ringes selber sofort zu ermitteln.

[**427**] 8. Man sieht von selbst, dass die rotatorische Ablenkung weiters noch zur Entscheidung der Frage benützt werden könnte, ob die Geschwindigkeit, mit der das Licht in den verschiedenen Dunst- und Lufthüllen der Planeten und

Cometen fortgeflanzt wird, jener, mit der dies im ungebundenen Aether des Universums vor sich geht, gleich komme?

9. Endlich würde die wirklich beobachtete rotatorische Ablenkung der Lichtstrahlen einen ganz augenscheinlichen Beweis für die Richtigkeit der Ansicht darbieten, dass derjenige in den Atmosphären der Planeten und Cometen enthaltene Aether, durch welchen die Fortpflanzung der Lichtwellen bedingt ist, an ihrer rotatorischen wie auch fortschreitenden Bewegung, gleichwie ihre Lufthüllen selber theilnimmt. Denn wäre dies nicht der Fall, so könnte sich überall keine rotatorische Ablenkung zeigen, da ja die ganze obige Deduction von dieser Voraussetzung ausgeht und auch nur unter dieser Voraussetzung gilt. — Es fällt in der That schwer, an die Möglichkeit zu glauben, eine solche Voraussetzung noch zu bezweifeln. Gleichwohl hat *Fresnel* (siehe Annal. de Chim. et de Physique, t. IX, p. 57) von zwei Seiten her hart gedrängt, mit sichtlichem Widerwillen zwar, aber doch sich diesem Gedanken hingegeben. Die Wissenschaft aber, so däucht es mir, darf es sich niemals erlauben, oder es auch nur zulassen, dass dem gesunden Verstande des Menschen solch ein unnatürlicher Zwang einer vorgeblichen Erklärung zu Liebe angethan werde. Doch über diesen Punkt bietet sich vielleicht bald eine Gelegenheit Mehres zu sagen dar.

§ 4.

Die hier besprochene rotatorische Ablenkung eines Wellenstrahls findet nicht nur für einen ausserhalb des rotirenden Objectes AB, Fig. 1, befindlichen Beobachter, sondern auch in sehr nahe verwandter Weise für einen solchen statt, der sich innerhalb desselben, etwa auf der Oberfläche eines der oben erwähnten Planeten befände. Ja genau erwogen erscheint dieser Fall, wiewohl der Beobachter an der rotatorischen Bewegung von AB selbst Theil nimmt, dennoch nur als ein specieller Fall des obigen allgemeinen, weshalb die oben aufgestellte Formel (1.) auch hier ihre volle Anwendung findet, nur mit Beachtung des besonderen Werthes von d. Auch begreift man leicht, dass in diesem eigenthümlichen Falle die rotatorische Ablenkung meistentheils nur der Hälfte derjenigen gleichkommt, die unter sonst gleichen Umständen für einen Beobachter ausserhalb AB resultiren würde. Denn gesetzt, es befände sich, Fig. 9, ein Beobachter in demselben Augenblicke in M, wo ein Strahl Sz einer entfernten Wellenquelle Q bei z anlangt und in AB eintritt, d. h. bei z die Veranlassung wird zur Wellenbildung in AB. Auch werde noch weiter angenommen, dass während der Zeit, als dieser Strahl von z nach M sich fortpflanzt, AB eine Drehung um den Winkel ϱ erleide, in Folge welcher M nach M' kommt. Hier angelangt, empfängt der Beobachter den Eindruck des ankommenden Strahls, der ihm jedoch nicht von S', als dem wahren Orte der Wellenquelle Q, sondern von z' oder Q' zu kommen scheinen muss. Die Grösse des Ablenkungswinkels ϱ bestimmt sich auch hier nach obiger Formel, nur muss beachtet werden, dass derselbe [428] insbesondere von dem Umstande abhängt, unter welcher Zenithdistanz z der Wellenstrahl einfällt, weil davon und von der Höhe h der Atmosphäre nebst noch vom Radius r des Planeten d selbst abhängt. Mit Beachtung dieses Umstandes findet sich[13]):

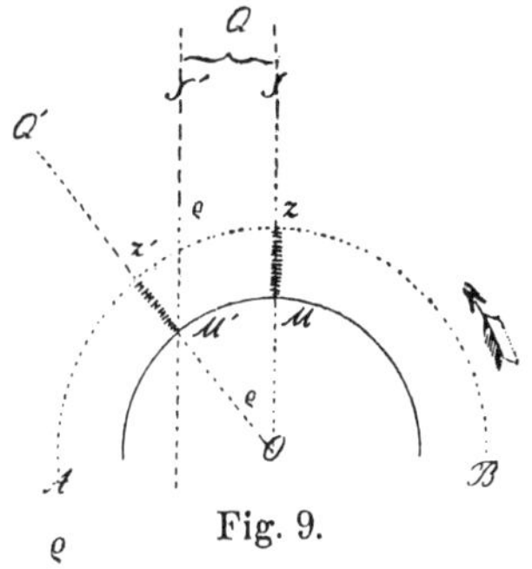

Fig. 9.

$$(2) \qquad \varrho = \frac{1296000}{\alpha \cdot t} \cdot \left(- r \cos z + \sqrt{r^2 \cos^2 z + 2hr + h^2}\right).$$

§ 5.

Bei unserer Erde ergiebt sich nach der am Ende des vorigen Paragraphs aufgestellten Formel die rotatorische Ablenkung im Horizonte $= 0,''075$, im Zenithe aber nur $= 0,''0073$, also nahezu zehnmal kleiner[14]). Sollte es durch Vervollkommnung unserer Messinstrumente oder auf sonst eine andere Weise einmal dahin kommen, dass selbst so kleine Grössen bei unsern Beobachtungen nicht ganz zu vernachlässigen wären, so versteht es sich von selbst, dass wir jede Beobachtung nach der betreffenden Formel (2.) corrigiren müssten.[15]) — Der Umstand, dass der Unterschied zwischen der horizontalen und der im Zenithe stattfindenden Ablenkung so bedeutend sich herausstellt, könnte uns noch zu einer zweiten Methode verhelfen, die Höhe desjenigen Theils unserer Atmosphäre, welcher mit der Erde noch mitrotirt, zu bestimmen. Es hätte zu diesem Zwecke ein Beobachter etwa unter dem Aequator die Zenithdistanz eines beliebigen Gestirnes nach Verlauf einer Viertelrotationszeit, von dem Augenblicke an gerechnet, wo eben dieses Gestirn durch das Zenith ging, zu messen. Nach Befreiung von dem Einflusse der Refraction würde sich noch eine Differenz zwischen dem so beobachteten Winkel und jenem von 90° zeigen, und diese Winkeldifferenz wäre die Differenz zwischen der rotatorischen Ablenkung im Horizonte und im Zenithe. Da nun letztere verhältnissmässig unbedeutend ist, so könnte man sie bei der ersten näherungsweisen Berechnung vorläufig vernachlässigen und jene Differenz als den Winkel ϱ selbst betrachten. Hieraus liesse sich dann ganz wie im § 3 bei 4. *d* und sofort x oder die Höhe der Atmosphäre bestimmen. Aus diesem angenäherten Werthe für die Höhe der Atmosphäre liesse sich die Grösse der rotatorischen Ablenkung im Zenithe berechnen, und wenn man diese von obiger Winkeldifferenz in Abzug brächte, mit denselben Beobachtungsdaten sofort schon ein genauerer Werth für x finden.

Eine weitere Folge der terrestrisch-rotatorischen Ablenkung ist die, dass uns alle Gestirne am westlichen Horizonte um 0,″075 zu hoch, am östlichen dagegen um eben so viel zu niedrig erscheinen [16]).

§ 6.

Durch das Phänomen des Zodiacallichtes und einige andere bei Gelegenheit totaler Sonnenfinsternisse beobachtete Erscheinungen bewogen, hält es die Mehrzahl der jetzigen Astronomen, *Laplace*'s diesfallsiger Einwendungen ungeachtet, für nichts weniger als unwahrscheinlich, dass unsere Sonne von einer Atmosphäre verdichteten Aethers umgeben sei, die [**429**] mit allmählich abnehmender Verdichtung wenigstens bis zu unserer Erdbahn, vielleicht aber bis zu jener des entferntesten unserer Planeten, Uranus, ja wohl noch darüber hinaus reichen mag. Eine solche Annahme kann um so weniger für eine gewagte gelten, da uns eine genauere Durchmusterung des gestirnten Himmels heut zu Tage eine fast zahllose Menge analoger Gebilde kennen gelehrt hat. Man mag sich nun aber die Entstehung der Sonne auf welche Weise immer erklären, so ist doch jedenfalls gewiss, dass sich diese Atmosphäre mit der Sonne als Centralkörper zugleich drehe, und zwar entweder in Bezug auf die einzelnen concentrischen Schichten mit gegen die Oberfläche der Sonne zu zunehmender oder mit durchaus gleicher Winkelgeschwindigkeit. Nimmt man nämlich an, dass die Sonne durch eine Art von Niederschlag oder Verdichtung überhaupt gebildet worden sei, und dass das Medium, aus welchem sie sich bildete, schon vordem eine rotirende Bewegung hatte, so musste die Sonne schon bei ihrer Entstehung eine bedeutend grosse Rotationsgeschwindigkeit annehmen, und es scheint nicht bezweifelt werden zu können, dass eine Rotation der verschiedenen concentrischen Aetherschichten mit ungleicher Winkelgeschwindigkeit davon die unausbleibliche Folge war. Nimmt man dagegen, wie Andere wollen, an, dass die Sonne durch einen Stoss oder eine andere äussere Einwirkung ihre rotirende Bewegung erhalten habe, so wird man auch in diesem Falle einräumen müssen, dass sie allmählich, sei es kraft der Adhäsion oder Friction, an den sie umgebenden Aether einen Theil ihrer eigenen Bewegung abgeben, und ihn veranlassen musste, mit ihr nach derselben Richtung zu rotiren. Mögen doch selbst auch die mit so verschiedener Geschwindigkeit um die Sonne kreisenden Planeten zu einer Bewegung dieses Aethers in der genannten Richtung und Weise das ihrige beigetragen haben? Dabei kann man immer zugeben, dass wenigstens dermal noch die Winkelgeschwindigkeit des letztern in jedem beliebigen Verhältnisse kleiner sei wie die beobachtete Rotationsgeschwindigkeit der Sonne. Endlich liesse sich noch annehmen, dass von allem Anfange her der Sonne und ihrer Atmosphäre durch eine gemeinsame Ursache eine derlei rotatorische Bewegung zu Theil ward, und nur in diesem Falle könnte man füglich voraussetzen, die Winkelgeschwindigkeit sei für alle Schichten dieselbe, nämlich die der Sonnenoberfläche selber. Um gegenwärtige Betrachtungen auf eine anschauliche Weise weiter fortzuführen, werde angenommen, dass z. B. die mittlere Geschwindigkeit der concentrischen Aetherschicht, die sich von der Oberfläche der Sonne bis zum Planeten Mercur erstreckt, die mittlere Geschwindigkeit von 6,53 Meilen die Secunde, jene zwischen Mercur und Venus liegende Schicht die von 4,85 Meilen betrüge, und die Schicht zwischen dieser und der Erde sich mit einer Geschwindigkeit von 4,12 Meilen die Secunde bewege u. s. w.; so also, dass sämmtliche Planeten gleichsam von diesen rotirenden Aetherschichten um die Sonne herumgeführt würden. Eine solche Annahme, falls sie sonst für wahrscheinlich zu halten wäre, würde recht gut den Umstand erklären, warum die fortschreitende Bewegung der Planeten, des vorhandenen Aethers ungeachtet, durch so viele Jahrhunderte so gar keinen Widerstand erfahren zu haben scheint, wohingegen die Cometen, zumal die gegenläufigen einer solchen Gunst sich kaum zu erfreuen haben dürften? — Unter dieser Voraussetzung betrüge, wie dies eine einfache Rechnung zeigt, die rotatorische Ablenkung schon 98 Raumsecunden, und um so viel auch würde man einen Fixstern von seinem eigentlichen [**430**] Orte weggerückt erblicken, je nachdem man ihn zur Zeit seiner Opposition der Conjunction beobachtete. — Bei Annahme gleicher Winkelgeschwindigkeit wird diese Ablenkung noch ungleich bedeutender, nämlich sie steigt selbst auf 9,6 Raumminuten.

§ 7.

Die Annahme ungleich schnell rotirender Aetherschichten führt ferner noch unausweichlich zu Consequenzen, die in ihrer Art zu frappant sind, um ihrer hier schliesslich nicht ausdrücklich zu erwähnen.

Die gedachte Voraussetzung bringt es nämlich mit Nothwendigkeit mit sich, dass alle von unserem Centralkörper, der Sonne, ausfahrenden Licht- und Wärmestrahlen nicht, wie dieses bei ruhender oder auch mit der Sonne gleichschnell bewegter Atmosphäre der Fall wäre, in geraden Linien, sondern auf krummlinigen und zwar spiralförmigen Bahnen zu dem Beobachter auf unserer Erde gelangen, und da wir nun gewohnt sind, die Licht- und Schallquelle an jenem Orte vorauszusetzen, der uns durch die Richtung der Tangente des letzten an den Beobachter grenzenden Curventheils des Strahls angedeutet wird: so werden wir ganz unleugbar die Sonne an einem Orte zu sehen vermeinen, wo sie nicht ist, oder vielmehr ihr Bild wird ihr selber immer um den Winkel von 49 Raumsecunden vorauszueilen scheinen. — Nicht minder überraschend ist die weitere sich hieraus ergebende Folgerung, dass wir nämlich von der Sonne nicht die uns zugekehrte Hälfte ihrer Oberfläche, sondern theilweise die sich schon von uns abkehrende jedesmal sehen müssen, falls überhaupt die obige Voraussetzung als zulässig anerkannt werden sollte.

[749] IV.

Ueber die bisherigen Erklärungsversuche des Aberrations-Phänomens.

(Abh. d. Böhmischen Ges. d. Wiss. V. Folge, Bd. 3, 1844.)

§ 1.

Das Aberrations-Phänomen ist bekanntlich seit dem Tage seiner Entdeckung fortwährend ein Gegenstand der eifrigsten Beobachtung und Forschung der Astronomen geblieben, und was dies anbelangt, so dürfte eine nahe und auch ferne Zukunft viel des Wichtigen und Neuen hierüber kaum mehr zu bieten vermögen. Nicht dasselbe dagegen scheint von der Erklärung dieser Erscheinung zu gelten. Denn schon der Umstand, dass mehre wesentlich von einander verschiedene Erklärungsversuche nebeneinander in gleichem Ansehen sich erhalten können, beweist zur Genüge, dass ein Theil der stimmberechtigten Gelehrten gerade jene Ansicht hierüber für die richtige hält, die von andern nicht minder beachtenswerthen Schriftstellern als eine unpassende und falsche zurückgewiesen wird. Was heisst dies aber bei der absoluten Disparität dieser vorgeblichen Erklärungen wohl anders als: die Erklärung des Aberrations-Phänomens ist bis zu gegenwärtigem Augenblicke überhaupt noch in Frage gestellt! Eine kritische Beleuchtung aller bisherigen Erklärungsversuche wird indess diesen Gegenstand in einem noch hellern Lichte erscheinen lassen, und mich, wie ich hoffe, hinreichend entschuldigen, eine Untersuchung, die von den Meisten als eine bereits geschlossene betrachtet wird, neuerlich wieder aufzunehmen. — Alle Versuche aber, das Aberrations-Phänomen zu erklären, die mir bekannt geworden sind, können füglich unter nachfolgende fünf subsumirt werden, da sie sich von andern höchstens im Wortlaute unterscheiden.

§ 2.

Erster Erklärungs-Versuch. Vorerst möge des ursprünglichen und somit ältesten Erklärungs-Versuches erwähnt werden. — *Bradley* und seine Zeitgenossen, nach dem damaligen Zustande der optischen Wissenschaften noch der von dem unsterblichen *Newton* aufgestellten Corpuscular- oder Emissions-Theorie eifrigst zugethan, erklärten ganz consequent das Aberrations-Phänomen aus der resultirenden Wirkung des Zusammenstosses der mit einer gewissen Geschwindigkeit ankommenden Lichttheilchen mit dem in Bewegung begriffenen Auge des Beobachters. Zu dieser Ansicht bekennt sich selbst *Biot* noch in seiner *Astronomie physique*, so wie die sich immer mehr verringernde Zahl derjenigen Physiker, welche noch jene Lehre in Schutz nehmen zu müssen glauben. Setzt man die Emanationshypothese als die richtige voraus, so ergiebt sich diese Erklärungsweise aus ihr als eine nothwendige Consequenz, da die resultirende Wirkung zweier wirklich bewegten Körper (unsers [**750**] Auges nämlich und des Lichtmolekels) jedenfalls nach dem Principe des Kräfteparallelogramms zu bestimmen ist. Allein eben weil sich dieser Erklärungsversuch auf eine Hypothese stützt, die bereits ein im hohen Grade unwahrscheinlicher, wo nicht gar unmöglicher Gedanke geworden ist, muss er als ein ganz misslungener und antiquirter zurückgewiesen werden.

§ 3.

Zweiter Erklärungs-Versuch. Einer andern, jedoch schon minder häufig vorkommenden Erklärungsweise zu Folge, welcher Viele wegen ihrer fast handgreiflichen Evidenz beim Unterrichte den Vorzug einräumen, wird das Aberrations-Phänomen für eine rein optische Sinnestäuschung erklärt. — Wer zur Winterszeit (so pflegt man zu sagen) bei vollkommen ruhiger Luft sich im Freien ergeht, hat gewiss, wenn er sich nicht zu den ganz Unaufmerksamen zählen muss, schon häufig die Bemerkung gemacht, dass die herabfallenden Schneeflocken, die ihm, so lange er ruhig steht, senkrecht auf die Erde zu fallen scheinen, alsogleich in einer schiefen Richtung gegen ihn anzukommen scheinen, sobald er ziemlich schnellen Schrittes nach irgend einer Seite zu sich in Bewegung setzt. Ja ist seine Bewegung schnell genug, so fahren ihm dieselben zur mehren Befestigung dieser Ueberzeugung allenfalls noch ins

Antlitz. Wer sich gut genug auf das Rückwärtsgehen versteht, kann auch noch das Vergnügen sich verschaffen, dieselben ganz augenscheinlich in geradlinig schiefer Richtung zurückweichen zu sehen. Bleibt man plötzlich stehen, so sieht man dieselben wieder wie früher senkrecht zur Erde fallen. Ein Analogon hierzu nun soll die Aberration sein? — Die Ursache jener Erscheinung liegt ganz offenbar in dem Umstande, dass der Vorwärtsgehende sich jenen Flocken, die er eben ins Auge gefasst, wirklich nähert, und diese Annäherung mit seinen Augen sogar sieht, seiner eigenen Bewegung, wenn dieses anders nicht absichtlich geschieht, sich aber nicht erinnert, ja sie vielmehr unbewusst auf die herabfallenden und demnach ohnedies schon in Bewegung begriffenen Schneeflocken überträgt. Dies ist nun allerdings die richtige Erklärung des scheinbar schiefen Schneeflockenfalls, aber sie ist durchaus nicht die richtige Erklärung des Aberrations-Phänomens, für die man sie doch ausgiebt. — Auf die Aberration hat sie einfach deshalb keine Anwendung, weil man ja weder nach der Undulationstheorie, noch auch selbst nach der bereits zur Seite gelegten Emissions-Hypothese die Lichtmolekel oder die schwingenden Aethertheilchen selbst sieht, sondern nur im Innern des Auges erst empfindet.

Bevor ich sofort auf die beiden nächstfolgenden Erklärungsversuche übergehe, glaube ich die Aufmerksamkeit des Lesers zum Vorhinein auf den Umstand lenken zu müssen, dass sich beide auf der geradlinigen Fortpflanzung des Lichtes und auf der Geschwindigkeit, mit der diese vor sich geht, gründen, und somit auf einer Basis stehen, die eine gute Bürgschaft für deren Richtigkeit abgeben zu können scheint. — Allein eine etwas genauere, auf das Wesen selbst eingehende Untersuchung dieser Ansichten thut ganz augenscheinlich dar, dass auch sie unter der Wucht gegründeter Einwürfe erliegen und als wahre Sach-Erklärungen nicht zugelassen werden können. —

[751] § 4.

Dritter Erklärungs-Versuch. Eine sehr häufig vorkommende, dem Principe nach rein phoronomische Erklärungsweise ist folgende. — Es sei Fig. 1. AB ein Stück unserer Erdbahn, S ein Stern, der seine Strahlen gegen dieselbe zu einer Zeit sendet, wo sich die Erde in E und der Stern mit ihr in Conjunction oder Opposition befindet. In diesem Falle kann AB zugleich die Tangente der Erdbahn in dem Punkte E vorstellen, so dass also der Strahl SE senkrecht auf AB steht. Wäre die Erde in E in Ruhe, und wollte man auf derselben ein Fernrohr so aufstellen, dass es die von S kommenden Strahlen in sich aufzunehmen und ungehindert ins Auge des Beobachters zu leiten vermöchte: so hätte man ihm begreiflicher Weise nur eine solche Lage zu geben, dass es senkrecht auf dieser Tangente stünde. Anders dagegen verhielte es sich, wenn angenommen wird, dass die Erde und mit ihr das auf den Stern S gerichtete Fernrohr sich z. B. gegen B hin bewegt. Hier würden die bei senkrecht stehendem Fernrohre durch das Objectiv b in dasselbe eintretenden Wellen (gleichviel welcher Ansicht der Undulationslehre man auch bei diesem Erklärungsversuche zugethan sei), bevor sie noch zum Oculare a gelangten, da hierzu doch einige, wenn auch noch so wenig Zeit erforderlich ist, an den Seitenwänden des Fernrohrs vernichtet. Will man diesem vorbeugen, und dem Fernrohre eine solche Lage geben, dass jene Wellen ungeachtet der Bewegung von ab dennoch in der Axe des Fernrohrs sich fortpflanzen, und durch a in das Auge des Beobachters gelangen: so sieht man leicht ein, dass man dem Fernrohre ab eine der Richtung der fortschreitenden Bewegung zugekehrte Stellung ab' zu geben habe, vermöge welcher das Ocular a in demselben Augenblicke bei c anlangt, in welchem die bei b eingetretene Welle daselbst eintrifft. Dies geschieht nun offenbar, wenn die Linien cb und ac in dem Verhältnisse zu einander stehen, wie die Fortpflanzungsgeschwindigkeit des Lichtes zur fortschreitenden Bewegung der Erde. Fig. 1 zeigt auch noch das Fernrohr in seinen Zwischenlagen, und die Durchschnitte mit der Linie cb' geben zugleich jene Punkte der Axe d. i. d, d', d'', d''' … an, in denen sich bei diesen Stellungen des Fernrohrs die in Rede stehende Welle eben befindet. Die Tangente des Aberrations-Winkels ist demnach dem Quotienten $ac : b'c$ gleich. In diesem

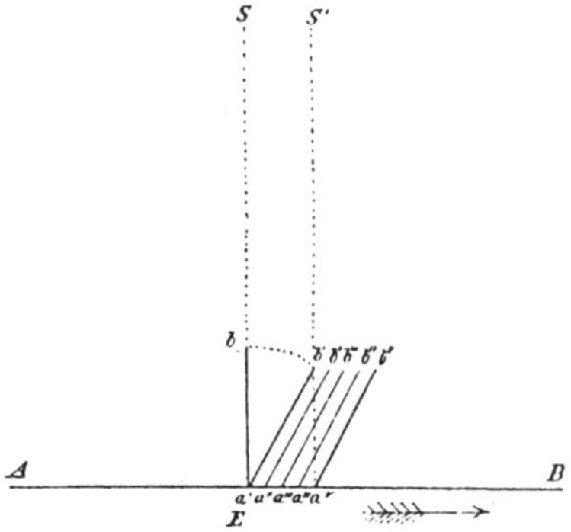

Fig. 1.

Falle ist die Aberration zugleich auch am grössten. Für andere Punkte der Erdbahn und für Sterne, die nicht in der Ekliptik liegen, gilt zwar dasselbe Raisonnement, nur hat man es daselbst mit der Auflösung schiefwinkliger Dreiecke zu thun, die jedenfalls einen kleinern Aberrations-Winkel geben. In den beiden Quadraturen endlich fällt die Richtung [der Bewegung] des Fernrohrs mit jener der ankommenden Strahlen genau zusammen, weshalb kein Grund vorhanden ist, das Fernrohr in eine andere Lage zu bringen.

Als völlig zusammenfallend mit vorstehender Darstellungsweise müssen auch noch jene angesehen werden, wo man auf die Aehnlichkeit des Vorgangs rücksichtlich eines in Bewegung begriffenen mit parallelen Seitenwänden versehenen und von einer Kugel durchschossenen Schiffes hindeutet, oder aber, wie *Herschel* d. J. bemerklich macht, dass ein durch eine feine Oeffnung in einen dunklen Kasten fallender Sonnenstrahl einen andern [**752**] Punkt der gegenüberstehenden Wand treffen muss, wenn dieser Kasten in Bewegung, als wenn er sich in Ruhe befindet. »Ein solcher Apparat«, sagt *Herschel* in seinem Werke über das Licht, »ist nun unser Auge. Seine Netzhaut ist die Tafel, auf welche das Licht fällt, und wir urtheilen über die Lage desselben nur nach dem Punkte in dieser Tafel, auf welcher wirklich der Eindruck gemacht worden ist. Die Pupille aber ist die Oeffnung«. — Wir werden auf diese Form der Darstellung obigen Gedankens ohnedies noch einmal beim fünften Erklärungsversuche zurückkommen, und bemerken nur noch, dass *Herschel* auch in seiner später erschienenen populären Astronomie dieser Ansicht im Wesentlichen getreu geblieben ist.

§ 5.

Eine etwas genauere Betrachtung und Erwägung des im vorigen Paragraphen auseinandergesetzten Erklärungsversuches lässt ohne Mühe erkennen, dass dieser nicht einmal unter der Voraussetzung zugelassen werden kann, wenn angenommen wird, dass während der Bewegung der Erde, der Aether als Fortpflanzungsmittel der Lichtwellen unverändert seine Stelle in unserem Sonnensysteme beibehalte, und die Wellenfortpflanzung selbst keinerlei Störung hierdurch erleide. Dies ist aber begreiflicher Weise nur denkbar, wenn die sich bewegende Erde den Aether in jeder Richtung ganz ungehindert durchlässt, oder ihm wenigstens keinen grösseren Widerstand dar bietet, als etwa ein grobes Drahtgeflechte dem leisen Hauche eines Zephyrs. Denn im entgegengesetzten Falle, wo der Aether an der Bewegung der Erde theilnimmt, diese ihn also vor sich her und zur Seite drängt, kurz, wenn man den innerhalb unserer Erde und unserer Atmosphäre befindlichen Aether gleichsam für latent oder gebunden ansieht, der als solcher demnach an der doppelten Bewegung der Erde theilnimmt: so entfällt auch jeder Grund für eine Schiefstellung des Fernrohrs, da sich ja die bewegte Erde zu dem zugleich mit ihr bewegten Aether genau in demselben Verhältniss befindet, wie die ruhende Erde zu dem gleichfalls in Ruhe befindlichen Medium. — Die beim Objective oder bei der Pupille eindringende Welle verfolgt daher genau denselben relativen Weg und trifft genau auf dieselbe Stelle des Focalraums oder der Retina, mag sich das Fortpflanzungsmittel der Wellen zugleich mit letztern in gleichmässiger Bewegung befinden oder aber in vollkommener Ruhe. —

Fresnel selbst gesteht (in einem Briefe an *Arago* in den *Annales de Chimie et de Physique*, t. IX. pag. 57 u. 286), dass die Aberration sich nur dann (nach der neuern Undulationslehre nämlich) gut erklären lasse, wenn man annimmt, dass der Aether frei und völlig ungehindert durch die Erde durchströme, ohne an ihrer fortschreitenden und rotatorischen Bewegung einen mehr als kaum merklichen Antheil zu nehmen. Jener ausgezeichnete Gelehrte mochte aber es wohl selber gefühlt haben, wie widernatürlich und gewagt eine solche Voraussetzung schon zu seiner Zeit jedem Unbefangenen scheinen musste, da er sich gleichsam selber den Einwurf macht, »dass ja die opake Erde durchsichtig sein müsste, wenn der [753] Aether in jeder Richtung so frei, so ganz ungehindert hindurchströmen könnte«? Von zwei entgegengesetzten Seiten aber gedrängt, neigt er sich endlich dennoch, wiewohl mit sichtlichem Widerwillen dieser Annahme zu und glaubt den sich selber gemachten gewichtigen Einwurf durch die weitere hypothetische Annahme zu entkräften, dass nämlich Körper, wie z. B. unsere Erde, wiewohl an und für sich für den Aether vollkommen durchdringlich, uns nur deshalb opak erscheinen, weil die Wellen bei ihrem Durchgange in eine gewisse (durchaus nicht näher bestimmte) Discordanz gerathen. Da nun ferner *Fresnel* mit dieser neuerlichen Voraussetzung wohl zwar zur Erklärung der Aberration, nicht aber zu der einer andern eben so merkwürdigen Erscheinung ausreicht, so nimmt derselbe im weitern Verlaufe seiner Betrachtungen noch an, dass es ausser demjenigen Aether, der durch die Erde ganz ungehindert hindurchgeht, auch noch einen namhaften Theil desselben giebt, der von ihr festgehalten und genöthigt wird, an ihrer doppelten Bewegung Theil zu nehmen. Dies heisst denn doch in der That, sich eine Hypothese für jeden möglichen Gebrauch bequem zurichten, und man könnte versucht werden, diese Voraussetzungen noch durch die weitere Annahme zu vervollständigen, dass es auch noch einen Theil des Aethers geben mag, der zwar an der fortschreitenden, nicht aber zugleich auch an ihrer rotatorischen Bewegung theilnimmt. Wer weiss, ob sich hieraus nicht irgend eine andere dritte bisher unerklärte Naturerscheinung erklären liesse? — Dass indess durch alle diese Annahmen *Fresnel's* die folgenden Einwendungen und Widersprüche weder geschwächt noch gehoben werden, wird man von selbst einsehen.

Von welchem Gehalte nun aber diese Ansicht überhaupt sei, zeigt Folgendes. Vorerst ist es bekannt, dass seit jener Zeit die Existenz eines widerstehenden Aethers im Weltraume so zu sagen eine stehende Ueberzeugung der Astronomie geworden ist, die auch durch die Retardation der Cometen in jeder Weise als gerechtfertigt erscheint. Wie ist es aber auch nur denkbar, dass der Aether wohl zwar durch die meistentheils dunst- oder luftförmigen, jedenfalls aber sehr kleinen Cometenkerne einen so merklichen Widerstand erfahren solle, die an 1728 geographische Meilen dicke, in doppelter Bewegung begriffene Erde dagegen ihn ohne alle Beirrung durch sich durchlasse? Beide Annahmen können nebeneinander durchaus nicht bestehen, denn sie schliessen einen directen Widerspruch in sich, da sich kein Grund angeben lässt, warum die Erde allein ausgenommen sein soll? Die Astronomen aber dürften wohl Bedenken tragen, ihre auf gute Beobachtungen sich gründenden Ueberzeugungen einer willkürlichen Aushilfs-Hypothese aufzuopfern. Ja noch mehr! Auch auf unserer Erde müssten wieder die Retinen sämmtlicher Augen der Menschen und Thiere davon ausgenommen sein, da, wenn diese dem Durchgange des Aethers durchaus kein Hinderniss darbieten, dieser auch umgekehrt auf sie keine Wirkung auszuüben vermögen wird, und demnach jede Lichtempfindung überhaupt unmöglich wäre? Auch wird es noch erinnerlich sein, wie hoch man es vor noch nicht gar langer Zeit der Emissionstheorie anrechnete, und wie übel man auf sie zu sprechen war, wenn sie anzunehmen verlangte, dass die Lichtpartikel in jeder Richtung durch ein dünnes Glas oder durch irgend sonst einen, immer aber doch durchsichtigen Körper dringen sollen, — während man hier durchaus kein Bedenken trägt, die nämliche Eigenschaft auf guten Glauben unserer undurchsichtigen colossalen Erde beizulegen?

[754] § 6.

Um unserer kritischen Untersuchung den nöthigen Grad von Vollständigkeit und Gründlichkeit zu geben, müssen wir nochmals zu oben erwähnter Aushilfshypothese *Fresnel's* zurückkehren, zumal sie einer Autorität angehört, bezüglich welcher selbst anscheinend offen zu Tage liegende Widersprüche auf eine um so sorgfältigere Erwägung und Würdigung den berechtesten Anspruch haben. — Nichtsdestoweniger muss auch die hier gemeinte Annahme *Fresnel's*, dass nämlich die Undurchsichtigkeit der Körper durch eine statthabende Discordanz bedingt werde, während doch der Aether durch die Erde ungehindert durchströmen soll, unbedingt abgelehnt werden. Soll dies nämlich bloss so viel heissen, als dass die Wellenbewegung überhaupt in eine gewisse Unordnung gerathe: so muss darauf erwidert werden, dass diese einen Körper nicht undurchsichtig, sondern nur durchscheinend machen würde. Wollte aber *Fresnel* damit bemerklich machen, dass er sich sämmtliche Wellen durch Interferenz vernichtet denke: so dünkt mich dieses denn doch etwas zu viel angenommen, da das Gegentheil davon unendlich wahrscheinlicher ist, ja ersteres eine so regelmässige innere Beschaffenheit eines Körpers voraussetzte, wie sie im Allgemeinen bei unserer Erde wohl kaum angenommen werden kann. Wenigstens würde man mit ganz gleichem Rechte behaupten können, dass auch die Wellen, die auf der ruhigen Oberfläche eines Wassers durch das Hineinfallen von Regentropfen entstehen, sich alsogleich ihrer Discordanz oder Unregelmässigkeit wegen durch Interferenz vernichten und die Wasserfläche in vollkommen unbewegtem Zustande erscheinen lassen könnten. Ein solcher Erfolg aber steht, so weit nämlich unsere Erfahrung hierin reicht, nicht zu erwarten. — Uebrigens würde hiermit höchstens nur die sogenannte Absorption des Lichtes, nicht aber die eigentliche Undurchsichtigkeit opaker Körper erklärt werden, als deren alleinige Ursache, selbst die gegenwärtige Undulationslehre geradezu die Unfähigkeit angesehen wissen will, die Wellenerregung in ihr Inneres fortzupflanzen. Die *Fresnel*'sche Ansicht rücksichtlich der Discordanz der Wellen scheint überdies im vorliegenden Falle einen offenbaren weitern Widerspruch in sich zu schliessen, da die Discordanz der Wellen doch nur durch die Einwirkung der Molekel, aus welchen die Erde besteht, erzeugt werden könnte, was den geraden Gegensatz zu dem vorausgesetzten ungehinderten Durchgange bildet. Die bewegte Erde und so auch alle übrigen opaken Körper würden demnach den Aether, nachdem er durch sie durchgegangen, in einem mannigfach bewegten Zustande zurücklassen, oder mit andern Worten, sie müssten ausnahmslos mehr oder weniger durchscheinend sich zeigen. Endlich verdient auch noch der nachfolgende Umstand einige Beachtung. Vermöchte der Aether die Erde so ganz ungehindert zu durchdringen, so würde er um so mehr noch die dünnen Seitenwände des Fernrohres durchdringen, und demnach abermals aller Grund entfallen zu einer Schiefstellung des Fernrohrs. Ueberhaupt ist ja die Aberration auch schon für das unbewaffnete Auge da, und Fernröhre, Diopter,e und andere optische Behelfe dienen jedenfalls bloss dazu, den Stellungswinkel des Auges genauer, als dieses sonst wohl geschehen könnte, zu ermitteln. Man begegnet also bei der weitern Wellenfortpflanzung im Auge selber, wenigstens allen [**755**] jenen (und vielleicht noch neuen) Schwierigkeiten und Widersprüchen wieder, die man so eben zur Genüge kennen gelernt hat. — Die nur im Wortlaute abweichende *Herschel*'sche und andere Erklärungsweisen verdienen demnach, in so fern es sich um deren Rechtfertigung handelt, vor der im vorigen Paragraphen aufgeführten in keiner Weise einen Vorzug.

§ 7.

Gesetzt aber, man gäbe, allen nachgewiesenen Unwahrscheinlichkeiten und Widersprüchen zum Trotze, die Annahme des ungehinderten Durchganges durch die Erde zu: so lässt sich leicht zeigen, dass man selbst um diesen theuern Preis eine Erklärung des Aberrations-Phänomens nicht im Geringsten gewonnen hat. Welcher Ansicht man nämlich auch zugethan sein mag, ob der ursprünglichen, longitudinaler Aetherschwingungen, ob der neuern, lateraler, so ist doch so viel gewiss, dass das, was man die Richtung eines Wellenstrahles nennt, nicht durch die Bewegung der entfernten Theile desselben, sondern durch die Bewegung des letzten die Retina berührenden Aethertheilchens bedingt wird. Wäre es ja möglich, hierüber noch einen Zweifel zu hegen, so müsste dieser durch die blosse Hindeutung auf den Vorgang bei der irdischen und astronomischen Strahlenbrechung schwinden, bei welcher unser Urtheil in Bezug auf Richtung lediglich durch die Bewegung des letzten Aethertheilchens bestimmt wird, und wir eben dadurch veranlasst werden, die Lichtquelle irriger Weise an einen andern Ort hin zu versetzen, wo sie sich nicht befindet. Nach der frühern Ansicht ist die Richtung des Lichtstrahls an dieser Stelle[17]); nach der neuern dagegen ist sie die Normale auf die Ebene, in welcher jenes Aether-Molekel schwingt. Das Auge aber, so muss man nothwendig annehmen, stellt sich gegen jenes schwingende Theilchen stets so, dass dessen Axe mit jener Richtung zusammenfällt. Nur also wenn sich die Schwingungsrichtung des letzten Aethertheilchens ändert, nimmt auch das Auge eine andere Lage an, und wo jenes nicht geschieht, bleibt auch dieses unverändert. Nimmt man also auch an, dass der Aether die Erde ohne einen Widerstand zu erfahren durchdringe, so wird sowohl die Richtung, nach der die Wellen fortschreiten, als auch jene, nach welcher die Aether-Molekel schwingen, ganz dieselbe sein für ein Auge, das sich bewegt, wie für eines, das in Ruhe ist, da ja eine Aenderung in der Schwingungsrichtung der Aethermolekel nur wieder durch Theilchen herbeigeführt werden könnte, die auf sie einzuwirken vermöchten, was eben bei jenen unserer Erde in Abrede gestellt wird. — Aus dem Gesagten ergiebt sich demnach, dass, man mag die leichte Durchdringlichkeit der Erde für den Aether zugestehen oder verneinen, keinerlei Aberration sich zeigen müsste, während man doch eben dieses unleugbare Phänomen hierdurch erklären will.

§ 8.

Vierter Erklärungs-Versuch. Eine andere beinahe eben so häufig vorkommende Erklärungsweise beruht auf einer ganz mechanischen Basis und besteht in der Uebertragung und Zusammensetzung der Bewegung unserer Erde auf die Fortpflanzungs-Richtung [**756**] und Geschwindigkeit des Lichtes. Wenn ein Stern S (so pflegt man zu sagen) einem Beobachter O Fig. 2. einen Strahl zusendet, so kommt dieser in O mit dem Bestreben an, in einer gewissen Zeit nach der

Verlängerung SM den Weg OM zurückzulegen. Bewegt sich nun auch der Beobachter, und legt er in derselben Zeit den Weg OB zurück, so wirkt das Licht auf dessen Auge gerade so, als ob es nebst seiner eigenen Bewegung auch noch eine der Bewegung des Beobachters gleiche aber entgegengesetzte besässe, dieser aber in Ruhe wäre. Nimmt man demnach $AO = OB$, so giebt die Diagonale OQ die Richtung an, in welcher der Beobachter den Stern S zu sehen vermeint. Der Winkel SOS', um den der Stern vorauszueilen scheint, ist

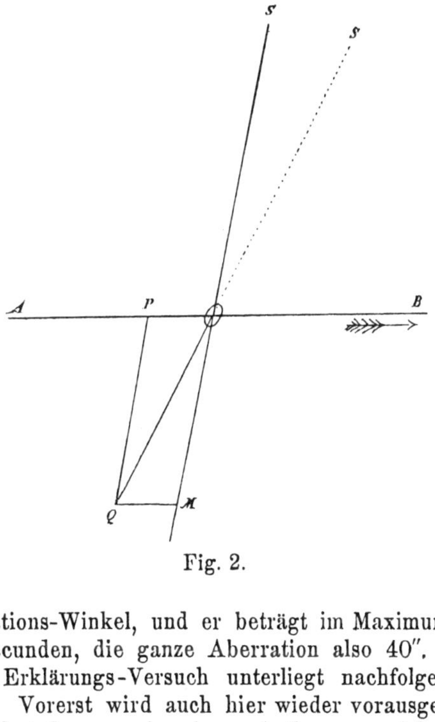

Fig. 2.

der Aberrations-Winkel, und er beträgt im Maximum beiläufig 20 Raumsecunden, die ganze Aberration also 40″.

Dieser Erklärungs-Versuch unterliegt nachfolgenden zwei Gebrechen. Vorerst wird auch hier wieder vorausgesetzt, dass die Wellenfortpflanzung in einem Aether vor sich gehe, der an der fortschreitenden und der rotirenden Bewegung der Erde nicht im Geringsten participirt und durch sie keinerlei Störung erfährt, da ja bei Annahme des Gegentheils von einer Zusammensetzung zweier Bewegungen, die sich in relativer Ruhe zu einander befinden, gar keine Rede sein kann. Ersteres aber anzunehmen, erheischt, der oben auseinandergesetzten Gründe wegen, eine ganz unnatürliche Anstrengung im Glauben, was die Wissenschaft niemals auferlegen oder selbst auch nur zugeben darf. Sodann aber postulirt diese vorgebliche Erklärung die völlig ungerechtfertigte und im Sinne der neueren Undulationslehre sogar völlig unerlaubte Uebertragung und Zusammensetzung der Bewegung unserer Erde mit der Fortpflanzungsgeschwindigkeit und Richtung des Lichtstrahls. Entspricht man aber dieser Anforderung in der allein erlaubten, den Vorschriften der neuern Undulationslehre selbst entnommenen Weise, so gelangt man wieder, wie in der Folge gezeigt werden soll, zu dem überraschenden Resultate, dass die Erscheinung der Aberration, die man doch eben erklären soll, aller Erfahrung zum Trotze gar nicht vorhanden sein könne! — Die Uebertragung der Fortpflanzungsgeschwindigkeit und Richtung des Lichtstrahls auf jene der Bewegung unserer Erde sowohl wie auch die Zusammensetzung beider zu einer Resultanten muss nämlich wenigstens in so lange für völlig unzulässig und unerlaubt gehalten werden, bis dargethan wird, worin denn eben das Wesen dieser Wellenfortpflanzung bestehe. Ueberhebt man sich dagegen ein für allemal der Verpflichtung, genaue Auskunft darüber zu geben, was denn eigentlich bei der Fortpflanzung der Wellen das in Bewegung Begriffene oder Bewegte sei, und ob auch die Richtung, nach der diese Bewegung geschieht, mit der Fortpflanzungsrichtung der Wellen zusammenfalle oder nicht: so erscheinen Fortpflanzungs-Geschwindigkeit und Richtung dieser und die gleichlautenden Bestimmungen rücksichtlich unserer in wirklicher Bewegung begriffenen Erde, eben weil die erstere keine wirkliche Bewegung ist, als völlig disparate Begriffe, die sich wenigstens eben so gegenüberstehen, wie Druck und Stoss und vieles Andere. — Ja wie sonderbar es sich auch anhören mag, so steht es doch von der Wahrheit nicht gar weit ab, wenn man behauptet, dass man mit fast gleichem Rechte auch verlangen könnte, man solle die Richtung, welche die Naturwissenschaften seit *Descartes* oder *Newton* eingeschlagen haben, oder die Geschwindigkeit, mit der sich in unserem Jahrhunderte [**757**] gemeinnützige Erfindungen selbst unter dem Mittelstande zu verbreiten pflegen, mit der Bewegung unserer Erde zu einer Resultanten zusammensetzen.

Man muss sich demnach entweder aller Uebertragung und Zusammensetzung von Bewegungs-Richtungen und Geschwindigkeiten im vorliegenden Falle enthalten oder aber sich rücksichtlich der Fortpflanzungsgeschwindigkeit der Wellen zu den nöthigen Erklärungen herbeilassen. Dies ist es aber eben, was man, meines Wissens, überall vermisst. Geht man aber auf den erwähnten Umstand ein, so gelangt man, wie bereits bemerkt und schliesslich gezeigt werden soll, zu dem geraden Gegentheile dessen, was in obiger Erklärung behauptet wird.

§ 9.

Fünfter Erklärungs-Versuch. Die bei Gelegenheit des dritten Erklärungsversuches besprochene *Herschel*'sche Ansicht des Aberrations-Phänomens kann noch einem physiologischen Erklärungs-Principe zur Grundlage dienen, dessen Aufführung und Widerlegung um so weniger überflüssig erscheint, als dasselbe im ersten Augenblicke sogar Einiges für sich zu haben scheint. Man kann nämlich sagen, auf der Retina eines jeden Auges Fig. 3 befinde sich ein gewisser Punkt *a*, der für die Einwirkung des Lichtes die grösste Sensibilität besitzt, während die ihn umgebenden Partien der Nervenhaut, je entfernter, eine um so geringere Empfindlichkeit für dasselbe zeigen. Dies ist in der That auch völlig erfahrungsgemäss, denn wem wohl sollte es unbekannt sein, dass wir das auf der Retina sich entwerfende Bild eines Gegenstandes, den wir genau zu sehen uns bemühen, stets durch Drehung des Auges auf diejenige Stelle der Retina zu bringen suchen, die ungefähr in der Mitte derselben liegt? Ist demnach Fig. 3 *a* jener Punkt, *b* der Mittelpunkt der Pupille, und *S* der anfängliche Ort einer Lichtquelle, so wird sich das Auge stets so einstellen, dass die Punkte *a*, *b* und *S* in einer geraden Linie liegen. Bewegt sich hierauf die Lichtquelle von *S* nach *S'*, so muss, damit das eben Gesagte in Erfüllung gehe, sich das Auge so drehen, dass *a* nach *a'* kommt, wo eben die Einwirkung des Lichtstrahls vor sich geht. Nimmt man nun aber an, dass *S* in Ruhe bleibt, während sich dagegen das Auge selbst mit einer gewissen Geschwindigkeit (jener unserer Erde z. B.) bewegt: so geschieht im Auge das, was in *Herschel*'s finsterem Kasten vor sich geht, nämlich der

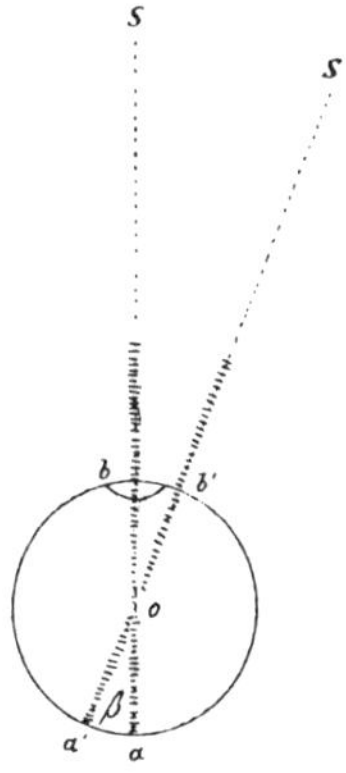

Fig. 3.

Lichtstrahl wird in a' Fig. 4 anlangen, und da das Auge sich stets so einstellt, dass der Punkt a an die getroffene Stelle a' kommt, so wird dasselbe eine Drehung um den Winkel β zu machen haben, während α, was wohl zu bemerken ist, den Aberrations-Winkel vorstellt. — Aber auch diese Erklärung kann, so natürlich sie auch auf den ersten Anschein sich darstellt, eben so wenig wie eine der früheren für die richtige und wahre anerkannt werden. — Denn erstlich wird auch hier wieder vorausgesetzt, dass der Aether das Innere des Auges, also die sogenannten Feuchtigkeiten und die Krystalllinse ganz ungehindert durchdringe und in seiner Wellenbewegung nicht im Geringsten gestört werde. Das höchst Unwahrscheinliche, ja Unmögliche dieses Gedankens ist aber schon oben dargethan worden. Andererseits soll er dennoch wieder die [**758**] Retina im Punkte a' nicht ungehindert durchströmen; denn wäre dieses der Fall, wie könnte er auf sie einwirken und eine Lichtempfindung hervorrufen? — Ferner müsste die Aberration genau doppelt so gross sein, als sie wirklich gefunden wird, d. h. die halbe 40″, die ganze dagegen 80″. — Es ist nämlich, das Auge kugelförmig vorausgesetzt, $\beta = 2\alpha$, d. h. der Richtungswinkel des Auges ist doppelt so gross wie die Aberration α; und endlich stellte sich die unabweisbare Nothwendigkeit heraus, sich die neue Hilfshypothese gefallen zu lassen, dass nämlich die Richtung, nach der die Aethertheilchen schwingen, durchaus in keinerlei Zusammenhange steht mit der Richtung des Lichtstrahls selber. Denn die Richtungswinkel β in Fig. 3 und Fig. 4 können vollkommen gleich sein, während die Schwingungsrichtungen der die Retina berührenden Aethertheilchen a' nothwendig verschieden sein müssen. Dies steht aber in directem Widerspruche mit der ursprünglichen sowohl, wie mit der neueren Undulationslehre, wie hinreichend bekannt ist.

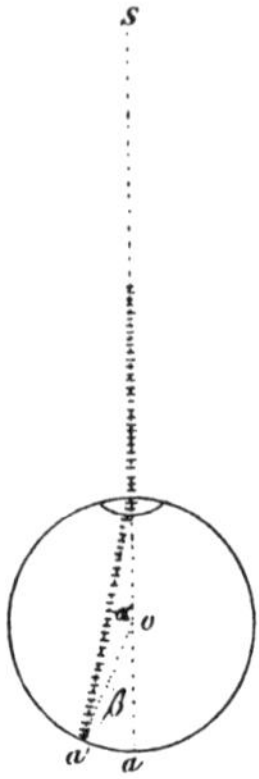

Fig. 4.

Der gegenwärtige Erklärungsversuch unterscheidet sich demnach wesentlich von dem im § 4 subsumirten *Herschel*'schen, indem dort durchwegs stillschweigend vorausgesetzt wurde, dass die Stellung des Auges von der jedesmaligen Schwingungsrichtung der benachbarten Aethertheilchen abhänge, während sie nach dieser Hypothese als davon unabhängig vorausgesetzt wird.

§ 10.

Bevor ich es unternehme, die Aufmerksamkeit des Lesers auf einige speciellere Betrachtungen zu lenken, dürfte es vielleicht nicht unpassend erscheinen, eine übersichtliche Zusammenstellung der bis jetzt gewonnenen wesentlichen Resultate der Untersuchung voranzuschicken. Es hat sich nämlich als völlig unzulässig erwiesen:

1. Die erste oder Bradley'sche Erklärungsweise des Aberrations-Phänomens, und zwar: weil sich diese auf die heut zu Tage nicht mehr haltbare Emissionstheorie des Lichtes stützt.

2. Die zweite oder optische Erklärungsweise, und zwar: weil man weder nach der Undulations-, noch nach der Emissions-Theorie die Licht- oder Aethertheilchen selber sieht, sondern nur ihre Wirkung im Inneren des Auges erst verspürt.

3. Die dritte oder phoronomische Erklärungsweise scheint ganz unhaltbar, und zwar:

α) weil sie voraussetzt, dass der Aether die Erde ganz ungehindert durchdringe, ohne dass durch sie die Wellenfortpflanzung im Mindesten beirrt würde;

β) weil dabei aber doch noch angenommen werden muss, soll überhaupt eine Erklärung darauf sich gründen können, dass die Retinen sämmtlicher Menschen- und Thieraugen hiervon ausgenommen seien;

γ) weil, selbst die leichte Durchdringlichkeit zugegeben, noch immer keine Erklärung jenes Phänomens zu Stande käme, da jede Aenderung in der Richtung eines Lichtstrahls in einer Aenderung der Schwingungsrichtung irgend eines oder mehrer seiner constitutiven [**759**] Aether-Molekel ihren Grund haben müsste, welches bei der vorausgesetzten ungehinderten Durchdringung geradezu unmöglich erscheint.

4. Die vierte oder rein mechanische Erklärungsweise musste abgelehnt werden, und zwar:

α) weil auch hier wieder die als unhaltbar nachgewiesene Annahme einer ungehinderten Durchdringlichkeit unserer Erde für den Aether vorausgesetzt wird;

β) weil sie noch überdies die vor jeder genaueren Angabe völlig unerlaubte Zusammensetzung der Fortpflanzungsrichtung des Lichtes mit der Bewegung unserer Erde voraussetzt.

5. Die fünfte oder physiologische Erklärungsweise erwies sich endlich als unhaltbar, weil

α) auch hier wieder die leichte Durchdringlichkeit und der völlig ungestörte Durchgang der Aether-Wellen durch unsere Erde angenommen werden muss;

β) weil die Aberration gerade doppelt so gross sein müsste, als man sie wirklich findet;

γ) müsste noch weiters angenommen werden, dass die Richtung des Lichtstrahls mit der Richtung, nach der die Molekel schwingen, durchaus in keinerlei Zusammenhang stehe, oder das eine von dem anderen nicht abhänge.

§ 11.

Die Untersuchung der vorhergehenden Paragraphen hat das unerfreuliche Ergebniss geliefert, dass keine der bisher für das Aberrations-Phänomen aufgestellten Erklärungsweisen eine auch nur etwas strengere wissenschaftliche Kritik aushalte, und es stellt sich demnach nachgerade heraus, dass diese merkwürdige in ihrer Ursache gewiss höchst einfache Naturerscheinung zu den bis jetzt noch ganz und gar unerklärten zu zählen sei. — Aber nicht nur nicht zu erklären vermag man das genannte Phänomen, sondern dasselbe scheint sogar mit den der neueren Undulationslehre zum Grunde liegenden Ansichten in einem offenbaren und, wie es mich dünkt, schwer löslichen Widerspruche zu stehen. Um so mehr Grund daher, diesem Gegenstande die vollste Aufmerksamkeit, die möglichst umsichtige Discussion zu widmen. — Kehren wir daher für einen Augenblick wieder zum § 8 zurück (es betrifft dies zugleich diejenige Erklärungsweise, welcher mehrere der ausgezeichnetsten Anhänger der neueren Undulationslehre den entschiedensten Vorzug einzuräumen scheinen), und vergessen wir zugleich, dass diesem Erklärungsversuch noch die weitere Schwierigkeit der ungehindert leichten Durchdringlichkeit der ganzen Erde für den Aether mit alleiniger Ausnahme der Retinen sämmtlicher Menschen und Thiere anklebt: so sind die Vertreter jener Erklärung noch weiters, wie dies bereits angedeutet wurde, verpflichtet, an die Stelle der von ihnen an dem bezeichneten Orte nachgewiesenen ungerechtfertigten Zusammensetzung der Bewegungen eine mit den Grundsätzen der neueren Undulationslehre im Einklang stehende zu bieten.

Das was sich aber nach dieser Lehre im Lichtstrahle eigentlich bewegt, sind Theilchen, welche im Allgemeinen in Ebenen schwingen, die senkrecht auf die Richtung jenes Lichtstrahls stehen. Alles, was demnach die Lage der Schwingungsebene des [**760**] letzten an die Retina grenzenden Aethertheilchens ändert, müsste dieser Ansicht zu Folge auch eine Aenderung in der Richtung des Lichtstrahls selber herbeiführen. Die Richtung, nach welcher die Bewegung im Strahle vor sich geht, ist demnach von jener, nach der sich der Strahl selber fortpflanzt, bei den Longitudinalschwingungen nicht, bei den Transversal- oder Lateralschwingungen dagegen um 90° verschieden. Ein bewegtes Molekel kann aber begreiflicher Weise seine eigene Bewegung auf ein anderes benachbartes, vorausgesetzt dass nicht noch andere Kräfte als mitwirkend gedacht werden, nur mit der Richtung übertragen, nach der es sich eben selber bewegt, nicht aber mit einer darauf senkrechten, und es wäre demnach meines Dafürhaltens ein gröblicher Verstoss gegen die ersten Elemente der Bewegungslehre, wenn man unter der Voraussetzung statthabender Lateralschwingungen die Zusammensetzung eines Wellenstrahls mit irgend einer anderen Bewegung nach der Richtung der Wellenfortpflanzung, und nicht vielmehr nach jener, nach der die Molekel wirklich schwingen, vornehmen würde. — Dies geschieht aber in der That bei der vierten Erklärungsweise, wenn sie im Sinne der heutigen Undulationslehre gegeben und aufgefasst werden soll. — Befindet sich nämlich die Erde und mit ihr das Auge des Beobachters bezüglich eines gewissen Sterns in der Opposition oder Conjunction, so geschehen die Bewegungen der Molekel des Lichtstrahls in Ebenen, die parallel sind zur Richtung, nach der die Erde und mit ihr das Auge sich fortbewegen. Es lässt sich auf keine Weise absehen, wie die parallele Bewegung des Auges eine Verrückung derjenigen Ebenen sollte herbeizuführen vermögen, in denen die benachbarten Aethermolekel ihre Schwingungen vollbringen, und dennoch müsste dieses stattfinden, falls eine Aenderung in der Richtung des Lichtstrahls, d. i., eine Aberration durch die Bewegung unserer Erde sollte veranlasst werden. — Man ersieht hieraus zur Genüge, dass nach dem Principe der Lateralschwingungen eine Aberration in der Opposition und Conjunction überall nicht vorhanden sein kann. Da sie nun aber ganz unleugbar doch vorhanden ist: so giebt dies, vorausgesetzt, dass unsere bisherige Argumentation fehlerfrei ist, eine Berechtigung zu vermuthen, dass die neuere Undulationslehre, wenn gleich im Uebrigen richtig, dennoch Voraussetzungen in sich schliessen müsse, die mit der Natur der Sache in einem vollkommenen Widerstreite sind, wie dies der nächste Paragraph von einer anderen Seite her, noch deutlicher zeigen wird. —

Will man indes dieses nicht zugestehen, so bleibt, wie es scheint, für die neuere Undulationslehre fast nur noch der einzige Ausweg offen, sich an die dritte Erklärungsweise zu halten, und sich selber den intellectuellen Zwang aufzuerlegen, an die leichte Durchdringlichkeit unserer Erde für den Aether, und was dieser gewagten Hypothese sonst noch anhängt, widerspruchslos zu glauben.[18])

§ 12.

Bei allen bisherigen Erklärungsversuchen der Aberration wurde durchwegs angenommen, dass eine eigentliche Ablenkung des Lichtstrahls oder eine Brechung desselben auf seinem Wege von dem Sterne bis zu unserem Auge nicht Statt habe, und wenn wir gleichwohl, wie z. B. bei der Aberration, eine solche wahrzunehmen glauben, und demnach [**761**] die Lichtquelle anderswohin verlegen, als wo sie sich in der That befindet, dieses entweder in einer optischen Täuschung oder in einem mechanischen Vorgange im Auge selbst, oder in einem rein phoronomischen Verhältniss oder endlich in physiologischen Beziehungen seinen Grund habe. Bei dem völligen Misslingen aller bisherigen Erklärungsversuche könnte man endlich auch noch auf den naheliegenden Gedanken verfallen, dass die Lichtstrahlen in der That schon bei ihrem Eintritte in unsere Atmosphäre bloss durch den Einfluss der Bewegung und völlig abgesehen von der allenfalsigen gewöhnlichen Refraction eine eigenthümliche Brechung erleiden, und unsere Atmosphäre demnach in wirklich schiefer Richtung durchdringen. Nimmt man nämlich an, dass das Fortpflanzungsmittel der Lichtstrahlen unsere Erde wie eine Atmosphäre umgiebt und sich mit ihr bewegt, so ist klar, dass alle optischen Vorgänge der Refraction, Reflexion u. s. w. auf derselben völlig unabhängig von den Bewegungen derselben vor sich gehen. Anders vielleicht ist es dagegen bei dem Uebertritte der Lichtstrahlen aus dem mit ungebundenem Aether erfüllten Himmelsraume in die mit uns fortschreitende Aetherhülle. Ich habe in der That und, wie ich glaube, auf eine unwiderlegliche Weise in einer früheren

Abhandlung*) nachgewiesen, dass wenigstens die Farbe der ankommenden Lichtstrahlen nothwendig in Folge der Bewegung unserer Erde eine wenn auch noch so geringe Aenderung erfahren müsse, und es scheint demnach verzeihlich, etwas Aehnliches in Beziehung auf deren Richtung für möglich zu halten, um so mehr als dies für einen gewissen anderen Fall**) als erwiesen angesehen werden darf. — Hat doch selbst auch *Cauchy*, freilich nur gelegenheitlich, dort nämlich, wo er den misslungenen Erfolg eines höchst merkwürdigen Versuchs***) *Arago*'s zu erklären unternimmt, sich in ganz ähnlicher Weise hierüber ausgesprochen. Er sagt nämlich diesfalls (*Comptes Rendus Tome 8. pag. 327 et sequ.*) »*Par vitesse de la lumière, on peut entendre, dans le système des ondulations, ou la vitesse absolue avec laquelle une onde lumineuse se déplace dans l'espace, ou la vitesse relative avec laquelle cette onde change de position dans la masse de fluide éthéré qu'elle traverse. Or, la seconde de ces deux vitesses sera évidemment celle qui déterminera les réfractions d'un rayon passant de l'air dans le verre, si l'on admet, comme il est naturel de le supposer, que la terre emporte avec elle dans l'espace, non-seulement son atmosphère aérienne, mais encore*[**762**]*une masse considérable de fluide éthéré. Dans cette hypothèse, tous les phénomènes de réflexion et de réfraction observés à la surface de la terre seront les mêmes que si la terre perdait son mouvement de rotation diurne, et son mouvement annuel de translation autour du soleil. Ces mouvements ne pourront faire varier que la direction des plans des ondes, par conséquent la direction du rayon lumineux, en produisant, comme l'on sait, le phénomène de l'aberration.*« Wiewohl nun auf diese nur nebenher gemachte Schlussbemerkung *Cauchy*'s ein um so ge-

*) Nr. I dieser Sammlung.

**) Nr. III dieser Sammlung.

***) *Arago* hat nämlich, angeblich auf *Laplace*'s Aufforderung, die wichtige Beobachtung angestellt, ob mit einem vor dem Fernrohre eines Wiederholungskreises angebrachten Prisma die Ablenkung stärker sei bei den Sternen, deren Lichtstrahlen die vorauseilende Erde erreichen, als bei jenen, wo die Lichtstrahlen der sich ihnen annähernden Erde begegnen. Aber er hat den Unterschied, der 50″ betragen sollte, gar nicht vorhanden gefunden. *Arago, Biot, Fresnel, Cauchy* u. A. haben sich mit Lösung und Erklärung dieses unerwarteten Resultates jenes Versuches befasst, und die im Contexte angeführte Stelle bezieht sich gleichfalls auf den hier erwähnten Gegenstand. (Siehe *Annales de Chimie et de Physique*, Tome *IX*, pag. 57. — *Comptes Rendus* 1839, Tome 8, pag. 326, 327.)

ringeres Gewicht zu legen sein dürfte, als derselbe, wie aus dem drittnächst folgenden Paragraphen sich ergeben wird, die Schwierigkeiten nichts weniger als verkannte, die sich aus der im vorstehenden Citate ausgesprochenen Ansicht für die Erklärung des Aberrations-Phänomens sofort ergeben: so glaube ich es dennoch der Vollständigkeit und Wichtigkeit der gegenwärtigen Untersuchung schuldig zu sein, gestützt auf die bisher allgemein gangbaren Principien der Undulationslehre, den Einfluss zu ermitteln, dem ein in unsere in Bewegung begriffene Atmosphäre eindringender Lichtstrahl rücksichtlich seiner Richtung möglicher Weise unterworfen sein kann.

§ 13.

Wenn von einer entfernten Wellenquelle Q Fig. 5 mehrere Strahlen SE, $S'E'$, $S''E''$ u. s. w. auf ein Object AB, welches

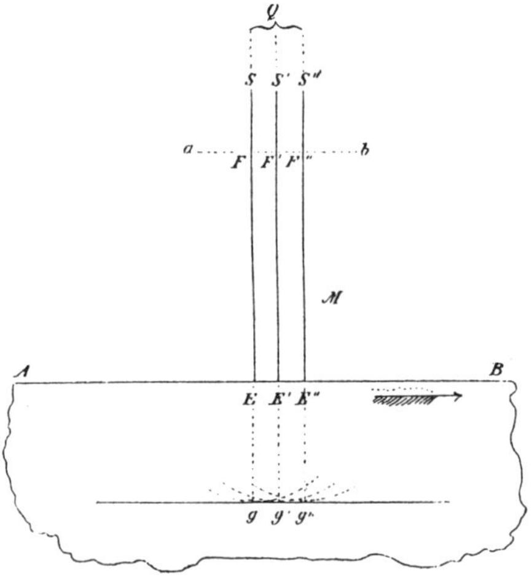

Fig. 5.

dieselben durchlässt, fallen, und es wird durch einen Punkt F eines Strahls auf die übrigen damit parallelen $S'E'$, $S''E''$ u. s. w. ein Perpendikel gefällt, so muss angenommen werden, dass zwischen Q und ab bei allen Strahlen eine gleiche Anzahl von Wellen liegt, und dass noch überdies die Punkte F, F', F'' u. s. w. entsprechende Punkte derselben Wellenphase bezeichnen. Bei E, E', E'' angelangt, erzeugen diese Wellen unmittelbar in dem Objecte AB wieder Wellen, indem sie die Veranlassung werden, dass die Punkte E, E', E'' selber zu Wellenquellen werden, von wo aus sich nach allen Richtungen sphärische Wellen verbreiten, die sich zum Theile aufheben, zum Theile dagegen zu neuen Wellen zusammensetzen. Letzteres geschieht in Beziehung auf diejenigen Punkte der Wellen, für welche, wenn n den Brechungsindex bedeutet, Fig. 5, allgemein die Gleichungen bestehen:

$$FE + \frac{EG}{n} = F'E' + \frac{E'G'}{n} = F''E'' + \frac{E''G''}{n} = \cdots$$

Sind nun die ankommenden Strahlen senkrecht auf AB (ein Fall, den wir hier allein in Betracht ziehen wollen), so ist ab nothwendig parallel zu AB, und demnach $FE = F'E' = F''E'' \cdots$ und daher auch

$$\frac{EG}{n} = \frac{E'G'}{n} = \frac{E''G''}{n} = \cdots \text{ oder } EG = E'G' = E''G'' = \cdots$$

d. h. die aus der Zusammensetzung der sphärischen Wellen in AB entstandenen Wellen sind linear und zu AB parallel laufend. — Gesetzt nun, während die Wellen bei AB anlangen, bewegte sich AB in angedeuteter Richtung, was ändert dieses wohl an dem ganzen so eben beschriebenen Vorgange? — Werden etwa hierdurch die Punkte E, E', E'' ... weniger oder in anderer Weise zu selbständigen Quellen sphärischer Wellen? — Ich gestehe, dass ich keinegswegs absehe, warum dieses der Fall sein sollte! — Oder erleidet vielleicht die Wellenfortpflanzung in den einzelnen Strahlen [**763**] FE, $F'E'$, $F''E''$ ... des Mediums M oder aber jene EG, $E'G'$, $E''G''$ ... des Körpers AB in ungleichförmiger Weise, (denn nur dies könnte eine Aenderung in der Richtung der Wellen herbeiführen) eine durch die Bewegung von AB veranlasste Aenderung, so dass z. B. das n, welches für den Strahl EG gilt, nicht auch für $E'G'$, $E''G''$ u. s. w. angenommen werden dürfte? Auch dies zu bejahen, wird sich Niemand verstehen wollen! — Es kann demnach auch in den obigen Bedingungsgleichungen in keiner Weise eine Aenderung eintreten, gleichviel ob sich AB auf erwähnte Art bewegt oder in Ruhe ist. Mit anderen Worten heisst dieses aber: Die in AB fortgepflanzten Wellen sind in dem einen wie in dem anderen Falle mit AB parallel, die Richtung der Lichtfortpflanzung steht demnach vor, wie nach auf AB senkrecht.

Da nun selbst auch von einer in der Richtung der ankommenden Strahlen vor sich gehenden Bewegung von AB ganz dasselbe gilt, indem, falls ja hierdurch eine Aenderung von n bedingt würde, diese doch bezüglich aller Strahlen, d. i. der EG, $E'G'$, $E''G''$... dieselbe sein müsste: so leuchtet hieraus ein, dass Strahlen, welche auf ein bewegtes Object fallen, nach dieser Ansicht, ohne im Mindesten eine durch die Bewegung bedingte, d. i. motorische Brechung zu erleiden, in dasselbe übergehen. — Und so könnte es dennoch im geraden Widerspruche mit obiger Aeusserung *Cauchy's* weder in der Opposition und Conjunction, noch auch in den beiden Quadraturen irgend eine Aberration geben. — Mehrere Jahre sind überdies noch, seit jene Worte gesprochen wurden, vorübergezogen, und gross ist die Zahl derjenigen Arbeiten, mit denen jener ausgezeichnete Gelehrte vorzugsweise die Undulationslehre bereicherte. Vergeblich aber sieht man sich in seinen zahlreichen Schriften nach einer weiteren Begründung dieser Behauptung oder kurz nach einer sofortigen Erklärung des oft genannten Phänomens der Aberration um. Der Verfasser dieser Zeilen wenigstens war nicht so glücklich, eine solche aufzufinden. Ebensowenig ist es ihm gelungen, in den neuesten der Lichttheorie gewidmeten Werken Aufschlüsse, diesen Gegenstand betreffend, vorzufinden, die ihn hätten veranlassen können, seine hier niedergelegten Ansichten und Zweifel im Geringsten zu modificiren. [19])

§ 14.

Noch muss hier eines Umstandes erwähnt werden, der, sollte er sich, wie es fast den Anschein gewinnt, als unzweifelhaft erweisen, sämmtliche bisherige Erklärungen der Aberration mit kaum besiegbaren neuen Schwierigkeiten anderer Art zu umgeben geeignet wäre. — Es soll sich nämlich, laut der Versicherung wissenschaftlicher Autoritäten, nachgerade herausstellen, dass die Geschwindigkeit des Lichtes, wie sie sich aus den Verfinsterungen der Jupiterstrabanten ergiebt, von jener, wie sie aus der Abirrung der Fixsterne folgt, merklich verschieden sei. — Nach *Delambre*, welcher die beobachteten Verfinsterungen des ersten Jupitermondes alle in Beziehung auf die sich daraus ergebende Geschwindigkeit des Lichtes berechnet hat, folgt die Aberration von 20,"255. (*Pauker's* Resultate der Aberrations-Theorie *Bode's* Jahrbuch 1825. S. 112.) — *Bessel* aber zeigt, dass sich aus *Bradley's* Beobachtungen mehrerer Fixsterne die Abirrung grösser ergebe, so dass man sie zu 20,″7 setzen müsste, [**764**] wenn man alle dort betrachteten Beobachtungen zum Grunde legen wollte. (Fundam. pag. 123.) — *Von Lindenau* findet endlich aus einer sehr grossen Menge vorzüglich guter eigener und fremder Beobachtungen des Polarsterns die Abirrungs-Constante 20,″449 gross. Es scheint also beinahe, als ob die Beobachtungen der Sterne die Geschwindigkeit des Lichtes etwas kleiner gäben, als die Beobachtungen der Verfinsterungen der Jupitermonde (Siehe *Bode*'s Jahrb. 1818. S. 251, und 1820. S. 211.)[20])

§ 15.

Es ist dem Verfasser der Abhandlung: »Ueber das farbige Licht der Doppelsterne etc.«, bei einer mehrfach billigenden Anerkennung gleichwohl zu einer Art von Vorwurf gemacht, jedenfalls aber mit einigem Befremden aufgenommen worden, dass er in einer Anmerkung jener Abhandlung das Aberrations-Phänomen als eine bisher noch völlig unerklärte und mit den Grundlehren der gegenwärtigen Undulationshypothese schwer in Einklang zu bringende Erscheinung aufführte. Als jene Ueberzeugungen niedergeschrieben wurden, schwebten ihm alle die Schwierigkeiten und Zweifel lebhaft vor Augen, die er nunmehr dem geehrten Leser zur Beurtheilung vorlegt, und es möge derselbe nunmehr selbst erwägen, in wie fern jene Aeusserungen als gerechtfertigt erscheinen. Auch hatte er sich schon damals vorgenommen, die sämmtlichen ihm bekannt gewordenen Erklärungsversuche des Aberrations-Phänomens einer ausführlichen Kritik zu unterziehen, und das Ergebnis derselben in einer eigenen Abhandlung zu veröffentlichen; — ein Vorhaben, dem er nunmehr hiermit entsprochen zu haben glaubt. — Was übrigens seine Bedenken rücksichtlich der Schwierigkeit anbelangt, das Aberrations-Phänomen mit der neueren Undulationslehre in widerspruchslosen Einklang zu bringen; so hat er nichts weiter gethan, als die Zweifel, von denen schon *Fresnel* und *Cauchy* zeitweilig heimgesucht wurden, ohne jedoch zu der Zeit um diese zu wissen, mitgezweifelt und es versucht zu haben, sich die Gründe hiervon, so gut als er es vermochte, deutlich zu machen. *Fresnel* sagt ja ausdrücklich (*Annales de Chimie et de Physique*, *Tome 9*, *pag. 58*), nachdem er bemerklich gemacht, wie eine gewisse andere wichtige und merkwürdige Erscheinung (siehe: Anmerkung zum § 12) sich so gut aus der Annahme erklären liesse, dass der Aether an der Bewegung der Erde theilnimmt: »*Mais il paraît impossible d'expliquer l'aberration des étoiles dans cette hypothèse: je n'ai pu, jusqu'à présent du moins, concevoir nettement ce phénomène qu'en supposant que l'éther passe librement au travers du globe, et que la vitesse communiquée à ce fluide subtil n'est qu'une petite partie de celle de la terre*«.

Ebenso *Cauchy* (in d. *Comptes Rendus Tome 8*, *pag. 327*) der, die Erklärung eben dieser wichtigen Erscheinung im Auge habend, sich übrigens mit dieser Ansicht *Fresnel*'s bezüglich des Aethers für nicht einverstanden erklärt, vielmehr ausdrücklich sagt: »*Il est naturel de supposer, que la terre emporte avec elle dans l'espace, non-seulement son atmosphère aérienne, mais encore une masse considérable de fluide éthéré*«, gesteht doch gleich darauf (im Postscript) selber, indem er hierin *Savary* beipflichtet, dass diese seine Annahme auf besondere Schwierigkeiten bei der Erklärung des Aberrations-Phänomens führe. Er sagt nämlich [**765**] diesfalls: »*Mais les difficultés que l'on rencontre, quand on veut en tirer l'aberration par des calculs précis, avaient détourné l'un et l'autre de l'hypothèse dont il s'agit*«. Dennoch glaubt *Cauchy* sich an diese natürlichere Voraussetzung (nämlich an die Nichtdurchdringlichkeit der Erde für den Aether) halten und sich lieber die erwähnten Schwierigkeiten bei Erklärung der Aberration gefallen lassen zu müssen; denn er fährt, sich vertröstend fort: »*Toutefois ces difficultés ne paraîtront, peut-être, pas suffisantes pour qu'on doive l'abandonner, surtout si l'on observe combien elle est conforme à toutes les analogies*«. — Was heisst dies aber in Wahrheit wohl anders, als beide gleich hochverdiente Gelehrte erkennen es selber an, dass das Aberrations-Phänomen in den nothgedrungenen Voraussetzungen oder in der Erklärung selbst ihnen grosse Verlegenheiten bereite. — Dies aber war es eben nur, was ich an jenem Orte zu behaupten unternommen habe.

§ 16.

Wenn eine Hypothese selbst eine noch so grosse Anzahl der complicirtesten Naturerscheinungen, für die sie gelten soll, ganz genügend erklärt, mit einer einzigen Erscheinung derselben Art aber in einem offenbaren Widerspruche steht, oder zum wenigsten sie überhaupt nicht erklärt: so ist dies ein ganz unleugbares Kennzeichen davon, dass diese Hypothese im Ganzen genommen nicht die wahre und richtige sein könne.

— Hieraus folgt nun freilich nicht, dass sie es in allen ihren Theilen sein müsse, sondern nur, dass jene Hypothese Theilbestimmungen in sich enthält, die mit dem wahren Erklärungsgrunde in einem directen Widerspruche stehen. Andererseits kann man es immerhin bei der überraschenden Genauigkeit, mit der die hier gemeinte Hypothese die complicirtesten Erscheinungen darstellt, für höchst wahrscheinlich halten, dass der wahre und der hypothetische Grund ein gemeinsames Element haben dürften. — Von diesen Sätzen eine weitere Anwendung zu machen, halte ich für überflüssig, und ich erlaube mir nur noch zu bemerken, dass es sich hier um eine der allereinfachsten Anwendungen der geradlinigen Fortpflanzung eines Wellenstrahls behufs der Erklärung einer unleugbaren Naturerscheinung handelt. Möchte in der Erwägung des Umstandes, dass hundert glücklich erklärte Erscheinungen einer Hypothese erst zu einiger Wahrscheinlichkeit zu verhelfen vermögen, eine einzige gegentheilige dagegen, falls sie sich auch bei einer genaueren Untersuchung als eine solche erweist, sie ganz und gar zu vernichten im Stande wäre, eine recht starke Aufforderung entdeckt werden, die Zulänglichkeit des neueren Undulationprincipes vor allem an der Erklärung der im gegenwärtigen Aufsatze besprochenen so höchst einfachen Naturerscheinung zu erproben! —

[1] V.

Bemerkungen zu meiner Theorie des farbigen Lichtes der Doppelsterne etc.,

mit vorzüglicher Rücksicht auf die von Herrn Dr. Ballot zu Utrecht dagegen erhobenen Bedenken.

(Poggendorff's Annal. Bd. 68, 1846.)

§ 1.

Wenn richtige Folgerungen in vielfach bewährten Theorien gezogen werden, so bedürfen sie zwar nicht erst der Bestätigung durch die Erfahrung; sie sind vielmehr gleich richtig und wahr, wie jene Theorien selber. Nichtsdestoweniger ist eine Bewährung derselben auf dem angedeuteten Wege stets höchst wünschenswerth, da sie ihnen jedenfalls eine allgemeinere Anerkennung und Verbreitung sichert, — abgesehen davon, dass noch überdies die Zulässigkeit der jenen Theorien zu Grunde liegenden empirischen Voraussetzungen hierdurch nochmals bestätigt wird.

Ich leugne daher nicht, dass es mir sehr angenehm war, den von mir in einer kleinen Schrift*) zuerst zur Sprache gebrachten allgemeinen Satz, betreffend den Einfluss einer statthabenden relativen Bewegung auf den Wellenschlag, auf die Tonhöhe und Farbe, mit eben so viel Umsicht wie Unparteilichkeit einer derartigen vorurtheilsfreien Prüfung unterzogen zu sehen. Es geschah dies, wie die geehrten Leser dieser Zeitschrift bereits wissen, durch Herrn Dr. *Ballot* in Utrecht**).

---

*) Nr. I dieser Sammlung.
**) *Poggendorff*'s Annal. Bd. 66, S. 321.

— Er hat sich hierdurch gewiss den aufrichtigen Dank jedes wahrhaften Freundes der Wissenschaft gesichert. Der Erfolg der zu diesem Behufe angestellten [2] Versuche war bekanntlich ein für die Richtigkeit meiner Theorie entschieden günstiger, wie dies auch Herr Dr. *Ballot* selber anerkennt. Es wird ihn gewiss freuen, aus dem Nachfolgenden zu entnehmen, dass die Resultate der von ihm unternommenen Versuche mit den Forderungen meiner Theorie noch viel genauer stimmen, als er es selber zu Folge seines Aufsatzes zu vermuthen scheint. — Nichtsdestoweniger ist Herr Dr. *Ballot* (und wahrscheinlich sind dies mit ihm noch viele Andere) der Meinung, dass diese Theorie, wenngleich an sich richtig, mehrerer Gründe wegen, auf die Erklärung der Farbe und der Farbenänderung der Doppelsterne etc. keine Anwendung finden könne. Herrn Dr. *Ballot*'s diesfallsige Bedenken sind von so unzweideutig aufrichtiger Art und zugleich fast durchweg von so grosser scheinbarer Erheblichkeit, dass ich es mir, insbesondere aber dem fraglichen Gegenstande, schuldig zu sein glaube, einige Bemerkungen und Erläuterungen (in sofern diese nicht schon in einem früheren gelegentlichen Aufsatze*) enthalten sind) den Lesern dieser Zeitschrift zur weiteren Erwägung vorzulegen.

Die freundliche Aufnahme, die jener einfache Gedanke bei Vielen gefunden, veranlasste mich überdies, seither mehrmals wieder zu demselben zurückzukehren, und so kann denn der gegenwärtige Aufsatz zugleich als eine wesentliche Ergänzung und vielleicht nicht unwillkommene Erläuterung meines früheren ursprünglichen angesehen werden.

§ 2.

Vor allem anderen glaube ich die Aufmerksamkeit des Lesers auf einen bemerkenswerthen Umstand lenken zu müssen, der mit vieler Ueberredungskraft Zeugniss abzugeben scheint von der sorgsamen Umsicht und Genauigkeit, mit denen jene Versuche von Herrn Dr. *Ballot* angestellt wurden, so wie derselbe hinwieder die Richtigkeit meiner Theorie noch mehr bestätigt.

---

*) Nr. II dieser Sammlung.

[3] Herr Dr. *Ballot* führt nämlich S. 336 seiner Abhandlung als eine ihm noch unerklärliche Anomalie an, dass nach übereinstimmender Aussage der Musiker der kommende Ton weniger erhöht, als der gehende erniedrigt gehört worden sei, im Vergleich nämlich mit dem objectiven. Allein gerade ein solcher Sachverhalt folgt mit Nothwendigkeit aus meiner Theorie, indem die von mir aufgestellte Formel es bis zur Evidenz darthut, dass bei gleicher Geschwindigkeit der gehende Ton mehr erniedrigt, wie früher der kommende Ton erhöht gehört werden müsse. — Das Verhältniss der Töne zu einander in Bezug auf ihre Höhe ist nämlich kein arithmetisches, sondern ein geometrisches, und drei Töne, die z. B. in der Sekunde 64 Schwingungen machen, und von denen der erste in Folge einer Bewegung des Beobachters 34 Schwingungen einbüsst, der letzte dagegen eben so viele für die subjective Wahrnehmung gewinnt, während der mittlere sich gleich bleibt, verhalten sich rücksichtlich ihrer Höhe wie die Zahlen 30:64:98, oder sehr nahe wie 1 : 2 : 3, mithin fast wie der Grundton zur Octave, und wie diese zum Tone *G*. Während demnach ein Beobachter den gehenden Ton um eine ganze Octave erniedrigt hört, vernimmt er bei ganz gleicher Geschwindigkeit den kommenden nur als dessen nächst höhere Quinte. — Allgemein aber verhalten sich gehender Ton, stehender und kommender Ton, bei einer Bewegung des Beobachters wie: $(v-a):v:(v+a)$; bei einer Bewegung der Quelle aber wie: $v\,(v-a):(v^2-a^2):v\,(v+a)$; — wie sich dies unmittelbar aus den Formeln selber ergiebt. Eben diese Formeln zeigen auch, dass zwar der Unterschied des Unterschiedes um so unmerklicher wird, je grösser die Schwingungszahlen werden, dass er aber doch stets vorhanden sei, und unter günstigen Umständen sogar noch wahrnehmbar werden müsse. Wie aber Tonunterschiede und deren weiterer Unterschied zu ermitteln sind, hat schon *Chladni* in seiner Akustik (S. 9, Anmerk.) genügend dargethan. — Wenn daher diese Wahrnehmung gleichwohl nicht ausnahmslos gemacht worden war, so muss [4] der wahre Grund hiervon in der ungleichen Geschwindigkeit der kommenden und gehenden Locomotive oder sonst anderswo gesucht werden. — Und so ist denn das, was im ersten Augenblicke als eine die Theorie benachtheiligende Anomalie erschien, bei genauerer Erwägung zu einer neuen schönen Bestätigung derselben geworden. [21])

§ 3.

Des Vorerwähnten ungeachtet glaubt jedoch, wie gesagt, Herr Dr. *Ballot* demjenigen Theil der Anwendung meines Fundamentalsatzes seinen Beifall versagen zu müssen, welcher sich auf die Erklärung des farbigen Lichtes der Doppelsterne etc. bezieht. Ich glaube nichts Wesentliches zu übergehen, wenn ich jene Einwendungen und Bedenken unter nachfolgenden Hauptpunkten zusammenfasse:

α. Erstlich behauptet Herr Dr. *Ballot*, dass ich dem menschlichen Auge eine viel zu grosse Empfindlichkeit für Farbenunterschiede zutraue und mich in dieser Beziehung mit Unrecht auf *Herschel*'s d. J. Meinungsäusserung berufe.

β. Sodann behauptet derselbe, dass wegen der Analogie des weissen Lichtes mit dem, was man in der Akustik ein Geräusch nennt, und da man bei letzterem einen solchen Einfluss der Bewegung bisher nicht wahrnahm, — auch ein solcher wenigstens beim weissen Lichte folgerecht geleugnet werden müsse.

γ. Ferner, dass eine Farbenänderung in Folge einer Bewegung schon deshalb nicht statthaben könne, weil man füglich über und unter den sichtbaren Strahlen noch andere unsichtbare, gleichsam *en reserve*, anzunehmen genöthigt sei, die sofort bei einem durch Bewegung veranlassten Austreten einestheils der sichbaren Lichtstrahlen stellvertretend eintreten, und sich ungeachtet ihrer Intensitätsverschiedenheiten nach *Melloni* vollkommen sollen ersetzen können.

δ. Weiteres behauptet, weniger jedoch Herr Dr. *Ballot*, als Herr Dr. *Mädler*, dass die hier nothwendig anzunehmende Geschwindigkeit bei den Gestirnen des Himmels nicht aufzubringen sei, und die, wenn auch [5] sonst richtige Theorie, deshalb auf diese Objecte keine Anwendung finden könne, und

ε. endlich widerspreche die einfache Erfahrung in den meisten Fällen den Aussagen meiner Theorie.

Fürwahr ein hübsches Register von Einwendungen und Bedenken gegen die Anwendung einer Theorie, die ich noch gegenwärtig für eine erlaubte und richtige halte, — und wer sollte da nicht sogleich eingestehen, dass, würden dieselben durchaus bewährt befunden, dies mehr als hinreichend wäre, jeden Gedanken an die Anwendbarkeit meiner Theorie auch auf diese Objecte völlig zu vernichten! — Doch so tief ist mir in dieser Sache der Muth noch nicht gesunken, dass ich von dem Versuche abstehen sollte, die vorstehenden Behauptungen einer genaueren Erwägung zu unterziehen und auf ihr richtiges Maass zurückzuführen. — Und sofort möge der geehrte Leser selber darüber urtheilen, auf welcher Seite das Mehrere zurückzunehmen ist!

§ 4.

Herr Dr. *Ballot* beschuldigt mich, dass ich dem menschlichen Auge eine viel zu grosse Empfindlichkeit für Farbenunterschiede zutraue, und dass ich mit Unrecht mich diesfalls auf *Herschel's* d. J. Ansicht hierüber, in sofern sich diese aus dessen Werk über das Licht entnehmen lässt, berufe. Was zunächst diese Berufung anbelangt, so ist es wirklich sonderbar, dass Herr Dr. *Ballot* mich durch eben jene Stelle widerlegen zu können glaubt, die ich als für meine Ansicht sprechend anzuführen mich noch immer geneigt fühle. Doch es hiesse den commentatorischen Geist des Mittelalters wieder heraufbeschwören, wollte ich bei dieser Art von Rechtfertigung länger verweilen, als dies unabweislich nöthig ist. Selbst die möglichst kurz gefasste abgedrungene Erläuterung*) sei in die beifolgende Anmerkung [6] verwiesen. — Von unendlich grösserer Wichtigkeit für die Haltbarkeit meiner Ansicht ist dagegen, ich gestehe es selber ein, die in jener Beschuldigung ausgesprochene Behauptung, dass schon die Annahme von 300000, geschweige denn erst von 1000000 noch unterscheidbarer Farbenabstufungen eine zu weit gehende sei, und ich appellire diesfalls nicht ohne grosse Zuversicht an das unbefangene Urtheil eines Jeden, indem ich Nachfolgendes der Erwägung anheimstelle:

---

*) Das Missverständniss scheint hauptsächlich sich aus dem Umstande zu erklären, dass *Herschel* in der That an der erwähnten Stelle zweierlei Annahmen macht, eine von 1000000, die andere von 300000 Farbennüancen. Erstere bezieht sich augenscheinlich auf die prismatischen, letztere auf die Farben, wie sie an den verschiedenen natürlichen Objecten vorkommen, d. i. auf das reflectirte Licht. — Ein anderer Grund dieser Meinungsdifferenz liegt in den abweichenden Uebersetzungen. Bei *Schmidt* (*Herschel's* Licht, S. 259, § 510) ist die Stelle von *Quetelet* und *Verhulst* »*ce qui est plus que suffisant*« durch das ungleich schwächere »völlig hinlänglich« gegeben. — Auch findet sich bei ersterem noch ein Beisatz, den ich im Citate des Herrn *Ballot* vermisse.

α) Noch Niemand hat es, so viel ich weiss, im Entferntesten in Abrede gestellt, dass der Sinn des Gesichtes ein höherer, feinerer und in dieser Hinsicht edlerer sei, wie jener des Gehörs, und wohl Jedermann nimmt es für ausgemacht an, dass diesem entsprechend auch die Mannigfaltigkeit der Gesichtseindrücke jene des Gehörs weithin überbiete. Könnte man ja noch daran zweifeln, so würde uns schon der blosse Hinblick auf den Umstand bekehren, dass auch das die Objectivität mit der Subjectivität vermittelnde Medium, beim Lichte nämlich der Aether, viele tausendmal feiner, zarter und edler ist, als die beim Schalle auftretende atmosphärische Luft. — Die Elemente der ersteren sind die verschiedenen Farben und ihr Nebeneinandersein im Raume, die der zweiten die Töne oder vielmehr Schalle und ihre Aufeinanderfolge in der Zeit. Es scheint mir demnach ganz folgerecht anzunehmen, dass es der einzelnen Farbenabstufungen eine ungleich grössere Zahl geben müsse, als der einfachen, noch unterscheidbaren Ton- oder Schallabstufungen. Wenn es sich also nun herausstellen sollte, dass es die unabweisbare Erfahrung erheische, der einfachen Töne (im weitesten Sinne des Wortes) mehrere als z. B. 300000 oder gar als 1000000 anzunehmen, so wäre es jedenfalls interessant zu vernehmen, auf welche Weise man sich noch weiter der Nothwendigkeit sollte entziehen können, eine gleiche, ja eine noch viel grössere Anzahl von noch [7] wahrnehmbaren Abstufungen bei den Farben anzunehmen und folglich auch mir zuzugestehen. — Nun bin ich zwar selbst kein Musiker — aber die Stadt Prag, in der ich weile, kann sich rühmen, eine nicht unbedeutende Zahl von Componisten, Tonkünstlern und Musikkennern des ersten Ranges zu besitzen, und an diese beschloss ich mich deshalb zu wenden. Ich wandte mich zuerst einzelnweise an sieben der ausgezeichnetsten derselben und stellte an diese nachfolgende vier Fragen: 1) Wie viele noch unterscheidbare Abstufungen in Bezug auf die Intensität eines gewissen Tones oder Schalles lassen sich wohl füglich annehmen zwischen dem allerschwächsten, eben nur erst hörbaren und dem allerstärksten derselben Art? — 2) Wie gross kann der Umfang der noch hörbaren Töne angenommen werden? — 3) Welche Unterschiede in der Tonhöhe lassen sich im Mittel und unter günstigen Umständen, d. i. bei der Möglichkeit einer bequemen Vergleichung, noch wahrnehmen? — und 4) wie vielfach ist die noch wahrnehmbare Qualitätsverschiedenheit bei einem Tone von einer gewissen Höhe und Intensität?

In Betreff der ersten Frage enthielten sich zwar sämmtliche sieben Musiker einer bestimmten Antwort, sich damit entschuldigend, dass es hierbei sogar viel auf die Individualität ankomme (und dasselbe war auch der Fall bei der vierten Frage). Als ich jedoch meine Frage so stellte: ob es wohl eine übertriebene Annahme sei, solcher Abstufungen etwa 90—100 anzunehmen, verneinten dieses fünf von ihnen ganz bestimmt, einer glaubte, man dürfe hierin selbst noch merklich weiter gehen, und nur der letzte wünschte die Zahl sicherheitshalber, wie er sich ausdrückte, etwas herabgesetzt. Ich setze diese Zahl daher absichtlich auf 70 herab. — In Bezug auf die zweite Frage erklärten sie einstimmig, dass, wenn man die zwar nicht mehr musikalisch brauchbaren, aber doch noch hörbaren Töne oder vielmehr Schallempfindungen mit einbegreife, man recht wohl elf Octaven und darüber annehmen könne, und diese Behauptung stimmt auch sehr gut mit den von *Savart* auf dem Wege [**8**] der Experimente mittelst der Sirene gefundenen Resultaten überein, in Folge deren alle zwischen den Schwingungszahlen 14 bis 33000 liegenden Töne noch wahrnehmbar sind, was umgefähr $11\frac{1}{2}$ Octaven beträgt*). Ich nehme demnach 11 Octaven zu 7 Tönen. — Rücksichtlich der dritten Frage wurde mir einstimmig versichert, dass, wenn die in Rede stehenden Töne mit einander verglichen werden können, auch ein minder geübtes und feines Gehör Tonunterschiede von weniger als $\frac{1}{16}$ Ton noch gar wohl zu unterscheiden vermöge (mehrere sagten geradezu $\frac{1}{32}$ Ton), bei welcher kleineren Zahl 16 ich denn auch bleibe, wiewohl es mir nichts weniger als unbekannt ist, dass *Weber***) durch unmittelbare Wahrnehmung noch $\frac{1}{40}$ Töne zu unterscheiden vermochte. — Was endlich die vierte Frage anbelangt, so fand ich sämmtliche Gefragte sehr bereitwillig, die nur nach meinem subjectiven Dafürhalten hingeworfene Zahl 20 nicht nur zu willfahren, sondern eher noch zu verdoppeln. Sie bemerkten mir ganz richtig, dass es ja wenigstens eben so viele wesentlich qualitativ verschiedene Tonscalen geben müsse, als es verschiedene Instrumente giebt, und die Anzahl dieser wohl schon die von mir genannte Zahl weit übersteige. — Auch sei es ja zur Genüge bekannt, wie selbst ein musikalisch ungeübtes Ohr die Stimme eines Bekannten oder Freundes aus Hunderten, ja

---

*) *Gehler*'s physikal. Wörterbuch, Bd. 8, S. 502.
**) *Fechner*'s Repertorium, Bd. 1, S. 260.

Tausenden Anderer sicher herauszufinden vermöge. Gleichwohl bleibe ich absichtlich vorerst noch bei der Zahl 20 stehen. — Aus den hier angeführten Daten ergiebt sich aber wegen 11 · 7 · 16 · 70 · 20 = 1724800, und davon, da sich eine gleiche Schärfe für vorzüglich hohe und tiefe Töne wohl nur selten bei einem und demselben Individuum vorfinden dürfte, noch ein volles Drittel in Abzug gebracht, giebt noch immer die enorme Anzahl von 1149867 wohl unterscheidbarer Abstufungen des Schalles. — Nimmt man aber die etwas grösseren, gleichfalls allgemein für noch zulässig anerkannten Positionszahlen, und zwar entsprechend der [9] obigen Ordnung, an, so findet man beziehungsweise wegen: 11 · 7 · 32 · 70 · 40 = 6899200 und nach Abzug von einem Drittel noch immer die ungeheure Anzahl von 4599467 Verschiedenheiten in der Perception der Töne. Da eine grosse Anzahl anderer Musiker, die ich seither mittelbar oder unmittelbar darüber befragte, diese Positionszahlen von aller Uebertreibung frei sprachen, und man es andererseits auch nicht bezweifeln wird, dass es der einfachen Gesichtsempfindungen jedenfalls eine grössere Anzahl wie der Schallempfindungen geben muss, so ist diese Betrachtungsweise, wie es mich dünkt, nicht nur ganz geeignet, meine frühere Annahme von 1000000 verschiedenen Farbennüancen vollkommen zu rechtfertigen, sondern sie scheint zugleich eine Berechtigung darzubieten, hierin noch um ein Bedeutendes weiter zu gehen.

β) Aber nicht einmal nöthig ist es, dass ich meine Annahme von 1000000 und mehreren Farbennüancen durch eine Hinweisung auf ganz analoge Verhältnisse beim Schalle rechtfertige, sondern die Farbenclassification selber bietet hierfür, meines Bedünkens, genugsam feste Anhaltspunkte dar. — Von allen mir bekannten Gelehrten, die sich mit der empirischen Classification der Farben befassten, weiss ich auch nicht einen, der nur die rein prismatischen Farben, geschweige denn erst selbstleuchtende farbige Objecte (wie die Fixsterne z. B.) in seine Farbenscala mit aufgenommen und für sie eine eigene Rangordnung geschaffen hätte. Die meisten von ihnen, oder doch viele, wie z. B. *Werner*, *Mohs* u. m. A., gehen inzwischen so weit, dass sie einen Unterschied anerkennen und diesen sogar als Eintheilungsgrund für ihre Classification benutzen, nämlich den zwischen den gewöhnlichen und metallisch glänzenden Farben. Ihre Scala ist demnach noch sehr unvollständig, denn es fehlen in ihr noch die prismatischen Farben, und endlich noch die der selbstleuchtenden Objecte. *Herschel* d. J. hat an der oben erwähnten Stelle ganz augenfällig bei seiner Annahme von 300000 Farbennüancen nicht die prismatischen mit Inbegriff jener an den uns umgebenden [**10**] Gegenständen vorkommenden Farben verstanden wissen wollen (denn solcher nimmt er beiläufig zwar aber dennoch ausdrücklich 1000000 an), sondern bloss letztere allein, d. h. die gewöhnlichen und die metallisch glänzenden. Nun lässt es sich sehr leicht darthun, dass die Anzahl der möglichen Farbenabstufungen mit der Intensität des Lichtes wächst, und dass diese Zunahme nach der dritten Potenz der letzteren zu bestimmen ist. Gäbe es bezüglich der drei Hauptfarben Gelb, Roth und Blau, das eine Mal z. B. von jeder nur 10, in einem anderen Falle dagegen 100 Intensitätsabstufungen, so würde im ersteren Falle die entsprechende Intensität im Maximo durch 30, im zweiten durch 300 Strahlen repräsentirt, welche Zahlen sich zu einander wie 1 zu 10 verhalten. Fragt man dagegen nach den diesen Annahmen entsprechenden Anzahlen der Farbennüancen, so ergeben sich hierfür wegen $10 \cdot 10 \cdot 10 = 1000$ und $100 \cdot 100 \cdot 100 = 1000000$, die Zahlenwerthe 1000 und 1000000, welche Zahlen in dem Verhältnisse von $1 : 1000$, oder von $1 : 10^3$ zu einander stehen. Es verhalten sich demnach die Anzahlen der Farbennüancen wie die Cubi der entsprechenden Intensitätszahlen. — Nun weiss man aber, dass von allen nicht metallisch glänzenden Farben Kremserweiss das meiste Licht reflectirt, nach *Lambert* 0,42 der auffallenden Strahlen. Die metallisch glänzenden aber (wenn sie keine eigentlichen Spiegel sind) jedenfalls weniger als 0,67*). — Andererseits wird von *Herschel*, und ziemlich allgemein, angenommen, dass die Anzahl der metallisch glänzenden, mit Einschluss der nicht metallisch glänzenden, d. i. gewöhnlichen Farben, auf 300000 gesetzt werden könne, welche Mannigfaltigkeit mithin der Intensität 0,67 entspricht, die Intensität der auffallenden oder prismatischen gleich der Einheit gesetzt. Bezeichnet man nun durch N, N', N'' die [**11**] Anzahlen der gewöhnlichen, der metallisch glänzenden und der prismatischen Farben, immer mit Einschluss

*) Nach *Herschel*'s (*Phil. Trans. for* 1800) und Mr. *Potter*'s (Dr. *Brewster*'s *Edinb. Journ. of scienc.*, Vol. III, 1830) genauen Versuchen ist die Menge des von einem möglichst vollkommen polirten Spiegel zurückgeworfenen Lichtes = 0,673 und 0,67 kann somit als die äusserste Grenze für nicht spiegelnde, aber doch metallisch glänzende Gegenstände gelten.

der unmittelbar vorhergenannten Farbenklassen, so findet man wegen: $N : N' : N'' = \overline{0{,}42}^3 : \overline{0{,}67}^3 : 1$; und da $N' = 300\,000$ für $N = 72\,846$ und für $N'' = 970\,898$, und somit nahe eine Million. Hieraus ersieht man, dass es nach dieser Voraussetzung nur 72 846 gewöhnliche, dagegen 227 154 bloss metallisch glänzende, und 670 898 bloss prismatische Farbennüancen gebe, zusammen, wie gesagt, nahe eine Million. 22) Bedenkt man nun aber, dass nach einem photometrischen Lehrsatze die eigene Lichtintensität eines selbstleuchtenden Körpers von der Beleuchtungskraft seiner Strahlen wohl zu unterscheiden ist, so wird man sich wohl geneigt finden lassen, um auch noch die selbstleuchtenden Objecte der Farbenscala einreihen zu können, jene Zahl von nahe einer Million von Nüancen ziemlich weit darüber hinaus auszudehnen. Die geringe Zahl 72 846 gewöhnlicher Farben, während doch die römischen Mosaikarbeiter deren allein schon 30 000 registrirt haben und benutzen, scheint darauf hinzudeuten, dass die *Herschel*'sche der obigen Berechnung zu Grunde liegende Annahme von 300 000 Farben der genannten Klasse eine zu niedrig gehaltene sei. — Wer wird nun, nach dieser umständlichen Auseinandersetzung, dem menschlichen Auge rücksichtlich der drei Grundfarben die Fähigkeit noch bestreiten wollen, zwischen ihrem an Schwarz grenzenden ersten Dunkelgrade und dem das Auge blendenden sonnenähnlichen Lichtglanze derselben noch hundert und auch noch mehr als hundert graduelle Abstufungen zu unterscheiden? Dies führt aber wieder auf eine Million und auf mehr als eine Million von Farbennüancen! 23) — Bei den Fixsternen treten überdies mehrere Umstände ein, die einer solchen Beobachtung und Unterscheidung geringer Farbenunterschiede überaus günstig sind. Denn erstlich ist das Licht derselben ein sehr intensives, und es ist genugsam bekannt, dass nur bei hellem und starkem Lichte geringe Farbennüancirungen sich entdecken lassen. Sodann gestatten es die Umstände immer, das Licht eines gewissen **[12]** Sternes mit einem benachbarten anderen gleichzeitig oder doch unmittelbar darauf und mit beliebig oftmaliger Wiederholung zu vergleichen. Nun weiss aber Jedermann, dass z. B. ein höchst schwach tingirtes Licht, welches wir für sich allein betrachtet unbedenklich für weiss halten, uns augenblicklich gefärbt erscheint, sobald wir es mit einem absolut weissen oder noch besser complementär gefärbten Lichte zusammenhalten.

Das Ergebniss dieser gegenwärtigen Untersuchungen, weit

entfernt, mich von der Unzulässigkeit meiner Annahme zu überzeugen, belehrt mich vielmehr, dass ich bei jener dem menschlichen Auge zugemutheten Empfindlichkeit für Farbenunterschiede mich noch sehr innerhalb der Grenzen einer erlaubten Annahme befand, — und dass, hätte ich damals diesen Gegenstand von dieser Seite betrachtet, ich mich wahrscheinlich veranlasst gefunden haben würde, jene nothwendig erachtete Geschwindigkeit von 33 Meilen in der Sekunde vielleicht selbst bis auf 25 Meilen und darunter herabzusetzen.

§ 5.

Ein anderes Bedenken des Herrn Dr. *Ballot* gründet sich auf die von ihm behauptete Analogie des weissen Lichtes mit dem, was man in der Akustik ein Geräusch nennt, so wie auf den weiteren Umstand, dass nach Aussage der von ihm verwendeten Musiker bei dem durch die Locomotive veranlassten Geräusche weder eine Tonerhöhung, noch eine Erniedrigung beobachtet worden sei. — Vorerst muss ich Herrn Dr. *Ballot* auf das Bestimmteste die Zulässigkeit seiner Analogie abstreiten. Weisses Licht nämlich hat keinerlei Färbung oder verhält sich absolut neutral gegen jede Farbe. Jedes gewöhnliche Geräusch hat dagegen seine bestimmte Tonhöhe, und es gehört nur einige Uebung dazu, um jenen Ton überall herauszufinden. Ein hiesiger sehr achtbarer Vorsteher einer Privat-Musiklehranstalt versicherte mich, dass er noch vor Kurzem eine Schülerin von so geübtem und scharfem Gehör hatte, dass sie mit grosser Fertigkeit und Sicherheit im Gebelle der Hunde, im Muhen der Kühe, im Geblöke der Schafe u. s. w. die [**13**] richtige darin liegende Tonhöhe zu entdecken und anzugeben vermochte. Auch kenne ich einen sehr geschätzten musikalisch gebildeten hiesigen Arzt, der durch ein blosses Beklopfen der Thüren und anderer Möbelstücke, sogleich die Tonhöhe des so entstandenen Geräusches anzugeben vermag. Tritt die darin liegende Tonhöhe ganz entschieden und vollkommen deutlich hervor, so ist jenes dem Tone noch immer beigemischte Geräusch das, was man in der Akustik die Qualität desselben nennt. — Dies sind nun freilich bekannte Dinge, doch gehören sie ganz eigentlich hierher und beweisen, wie mich dünkt, sattsam, dass das weisse Licht durchaus zu dem Geräusche kein Analogon bildet. Das wahre Analogon zum Geräusche ist in der Optik das mit vielem Weiss (Grau) vermischte farbige

Licht. Das Analogon zu weissem Lichte wäre das neutrale von aller Tonfärbung absolut freie Geräusch. Dies dürfte aber als ein Extrem wenigstens eben so selten vorkommen, wie das absolut weisse Licht.

Dass jene Musiker keine Veränderung bei den durch die Locomotive veranlassten Geräusche wahrnahmen, war vorauszusehen, und man braucht diesfalls nicht einmal anzunehmen, dass sie in dieser Art von Schätzungen vielleicht minder geübt waren, da man bei so unregelmässigen Geräuschen sich wohl wird begnügen müssen, solche Wahrnehmungen erst bei Unterschieden von mehreren ganzen Tönen anzustellen. Hierzu könnten aber die aus Kanonen und Flinten abgeschossenen Kugeln, oder vielmehr das durch sie veranlasste Geräusch, noch besser aber vielleicht jenes steigender Raketen ein treffliches Mittel darbieten, da sich wegen der grossen Geschwindigkeit derselben Differenzen bis zu einer ganzen Octave selbst herausstellen müssten. Wenn mich Reminiscenzen nicht trügen, so findet eine derlei Tonänderung wirklich dabei statt, nur weiss ich nicht mehr, ob vom höheren Ton zum tieferen, oder umgekehrt? — Es scheint mir demnach, als ob auch dieses Bedenken des Herrn Dr. *Ballot* der Anwendbarkeit meiner Theorie zur Erklärung des farbigen Lichtes der Doppelsterne etc. keinen Eintrag thun wird.

[14] § 6.

Aber auch gegen die dritte jener Einwendungen lassen sich sehr starke Bedenken und Zweifel erheben. Vorerst gebe ich zu bedenken, dass selbst die Zulässigkeit und Richtigkeit jenes Raisonnements völlig eingeräumt, daraus doch nur folgern würde, absolut weisses Licht sei einer solchen Veränderung durch die Bewegung nicht ausgesetzt, nicht aber dass dieses auch bei wie immer gefärbtem Lichte der Fall sein müsse. Denn die Annahme des Gegentheils würde erheischen, dass Wellen von den verschiedensten Längen (und somit auch von den verschiedensten Schwingungszeiten) gleichsam wie durch einen Zauberschlag plötzlich alle gleich werden, und alles dies durch die Bewegung der Lichtquelle oder durch jene des Beobachters? — Absolut weisses Licht aber kommt wahrscheinlich ungemein selten vor, und was wir weiss nennen, hat fast immer schon eine äusserst schwache Färbung. Es mag dieser schwache Ueberschuss an Farbe auch noch so gering sein, so unterliegt er gleichwohl der besagten Aenderung und steigt, während sich das weisse Licht nach Herrn *Ballot*'s selbsteigener Ansicht fortwährend durch die *en reserve* gehaltenen unsichtbaren Strahlen erhält, kraft der Bewegung im Farbenspectrum auf und nieder, — und diese Färbung muss überdies um so mehr wahrgenommen werden, wenn sie in einer Beimischung von intensiv blendend weissem Lichte besteht. Vorausgesetzt also selbst, alles von Herrn Dr. *Ballot* an dieser Stelle Vorgebrachte sei vollkommen richtig, so würde hierdurch doch nur die Unanwendbarkeit meiner Theorie sich auf den einzigen Ausnahmsfall eines absolut weissen Lichtes beziehen; für jeden anderen Fall aber bliebe sie unangefochten. — Es ist aber ferner auch nicht genug zu sagen, die austretenden Lichtstrahlen ersetzen sich der Ordnung nach durch die über und unter dem Farbenspectrum befindlichen unsichtbaren Strahlen u. s. w., sondern man ist diesfalls gehalten nachzuweisen, dass diese auch in zureichender Ausdehnung und Menge und in gehöriger Vertheilung vorhanden seien, um bei ihrem Eintritte in's Spectrum den Farb- und Intensitätsverhältnissen [**15**] desselben allerwärts vollständig zu genügen. Die meisten Physiker sind aber, meines Wissens, noch dermalen gewöhnt, sich die unsichtbaren Strahlen als ziemlich dünn und von geringer Intensität zu denken. Woher soll ihnen nun plötzlich die hier erforderliche grosse Intensität und Dichte kommen? Herr Dr. *Ballot* verweist uns auf Herrn *Melloni* (s. *Poggend.* Ann. Bd. 56, S. 574), und wir wollen nun noch sehen, ob er damit ausreiche. — Nicht erst jetzt, sondern schon als ich Herrn *Melloni*'s Abhandlung zum ersten Male las, fielen mir nachfolgende Bedenken gegen dessen Theorie ein, die ich hier bloss niederzuschreiben brauche. Herr *Melloni* ist nämlich geneigt, die ungleiche Intensität der Farben im Farbenspectrum auf Rechnung der eigenthümlichen Beschaffenheit des menschlichen Auges oder vielmehr der Retina desselben zu setzen, die für gewisse Farben, z. B. für die gelben u. s. w., nun schon einmal eine grössere Empfindlichkeit besitzen soll, wie für andere, z. B. die violetten. Dies heisst aber ganz eigentlich die Intensität eines Lichtstrahls von seiner Farbe abhängig machen, und da nach der neueren Undulationslehre jene von der Grösse der Excursion der Schwingungen, diese dagegen von ihrer Schwingungszahl bedingt wird, und nach den gangbaren Lehren dieser Hypothese beide von einander durchaus nicht abhängen, so heisst, meines Erachtens, sich zur Ansicht *Melloni*'s bekennen so viel, wie sich von der neueren Undulationstheorie lossagen.

Ueberdies kommt eine angestellte Vergleichung mit den übrigen, besonders den niedrigeren Sinnen dieser Ansicht *Melloni*'s eben nicht sehr zu statten. Es muss jedenfalls befremden, dass sich diese rein subjective oder physiologische Ursache so ganz und gar allem Einflusse der Subjectivität zu entziehen vermögen soll. Was dem einen ein angenehmer Geruch oder Geschmack zu sein dünkt, widert öfters einen zweiten an, ja dasselbe Individuum sogar findet bekanntlich ganz dasselbe das eine Mal angenehm, ein andermal zurückstossend unangenehm, oder was ihn früher stark afficirte, geht ein zweites Mal fast spurlos vorüber, je [**16**] nachdem Gesundheit oder Krankheit, vorausgegangene Genüsse u. a. m. hierzu disponiren. In allen solchen Fällen ist der subjective Antheil an dem Erfolg ein ganz augenfälliger und nicht zu verkennender, — nicht aber so auch beim Gesichtssinn rücksichtlich der ungleichen Intensitätsvertheilung im Farbenspectrum, welche, so weit die bisherige Erfahrung reicht, für alle Menschen jung und alt und für einen und denselben unter den verschiedensten Umständen doch stets dieselbe bleibt.

§ 7.

Man hat es ferner mehrfach bezweifelt, ob sich wohl auch so grosse Geschwindigkeiten, wie sie hier verlangt würden, bei den Doppelsternen und anderen Gestirnen des Himmels vorfinden möchten, und sich wohl gar dabei noch auf den einzigen Fixstern berufen, dessen relative Geschwindigkeit uns mit einiger Verlässlichkeit bekannt ist, und die 10 Meilen in der Sekunde nicht übersteigen soll. Diese Angabe scheint jedenfalls nur eine definitive Bestimmung in Minimo zu sein, da man die Richtung jener Bewegung als auf der Gesichtslinie senkrecht stehend annahm. Um sie zu einem mittleren Wahrscheinlichkeitswerth für die Geschwindigkeit dieses Sterns (nicht aber der Sterne überhaupt) zu machen, muss jene Zahl auf wenigstens 14 Meilen erhöht werden. — Herr Dr. *Mädler* z. B. spricht auf das Bestimmteste die Meinung aus*), dass wohl

*) S. *Mädler*'s populäre Astronomie; ferner »Ueber Fixstern-Systeme«. Stuttgarter Morgenblatt, Nr. 51, Jahrg. 1844.

kein Fixstern eine 10 Meilen in der Sekunde merklich übersteigende Geschwindigkeit, wohl aber die Mehrzahl derselben eine bedeutend geringere aufzuweisen haben werden, und dass auch, was ihre Massen anbelangt, diese selbst im extremsten Falle jene unserer Sonne kaum merklich übertreffen mögen. Indem Herr Dr. *Mädler* dies thut, erklärt er die Geschwindigkeit von 10 Meilen, so wie unsere Sonnenmasse gleichsam für die oberen Grenzwerthe für alle nur immer möglichen Vorkommnisse, und muss natürlich für diese seine so bestimmten Behauptungen, der Wissenschaft [**17**] gegenüber, einstehen. Ich habe nie erfahren können, auf welchen Prämissen alle derartigen, wohl etwas zu kühnen und vorzeitigen Behauptungen beruhen, denn die mir bekannt gewordenen sind zu unphilosophisch und unmathematisch, als dass ich sie irgend Jemandem zuschreiben möchte. An Orakelaussprüche zu glauben oder einem blinden Autoritätsglauben sich hinzugeben, darauf aber hat die Wissenschaft des neunzehnten Jahrhunderts ein Verbot gelegt.

Es ist gar nicht einmal nothwendig, hier auf eine ausführliche kritische Würdigung der Beobachtungsdaten und auf das, was nach den Grundsätzen der Wahrscheinlichkeitsrechnung sich daraus folgern liesse, einzugehen, da diese unsere Behauptungen höchstens nur bestätigen, sie aber keinesfalls, wie dermalen die Sachen stehen, zu widerlegen vermögen. — Ich halte es daher auch für viel zweckdienlicher, die geehrten Leser auf die Folgerungen aufmerksam zu machen, die aus nachfolgenden, bisher nicht genugsam beachteten oder wohl gar noch nie ausgesprochenen allgemeinen Wahrheiten sich mir zu ergeben scheinen.

Ich sage nichts Neues, wenn ich behaupte, es sei unendlich unwahrscheinlich, dass es auch nur einen einzigen Himmelskörper gebe, der für immer aller Bewegung baar und ledig wäre. Dies in Abrede stellen, hiesse ja voraussetzen, die Resultante sämmtlicher auf ihn einwirkenden cosmisch-thätigen Kräfte sei gleich Null, was eben unendlich unwahrscheinlich ist. Nun hängt aber die Grösse und Beschaffenheit der möglichen Bewegungen und deren Geschwindigkeiten lediglich von der Summe der vorhandenen thätigen Kräfte, von der wechselseitigen Lage und Anzahl der Orte, von denen aus sie in einem gegebenen Augenblicke wirken, so wie endlich von der Vertheilung dieser cosmischen Kräfte oder vielmehr der sie repräsentirenden Massen an diesen Orten ab. — Man kann im Allgemeinen behaupten, dass die als Resultanten auftretenden Geschwindigkeiten um so bedeutender sein werden, je grösser die Summe der vorhandenen thätigen Kräfte, je einander näher [18] liegender ihre Standorte im Allgemeinen sind, und je ungleicher diese, so wie jene vertheilt erscheinen.

Nun aber wird man wohl nicht leugnen wollen, dass die Gesammtmasse aller Himmelskörper des Universums unermesslich gross, aber dennoch constant ist, und folglich gilt dies auch von der Summe der hier auftretenden thätigen Kräfte; — die Orte der Himmelskörper aber sind veränderlich, da ihnen nun einmal, wie oben gezeigt wurde, Bewegung nicht abgesprochen werden kann; — und wenn sich gleich viele zu jeder Zeit sehr langsam bewegen mögen, so wird man doch wohl auch zugeben müssen (insbesondere da sich wohl die wenigsten in geschlossenen Bahnen bewegen dürften), dass keine geringe Zahl derselben im Verlaufe der Zeiten in solche Nähen anderer gerathe, dass ihre Geschwindigkeiten nothwendig auf längere oder kürzere Zeit jede selbst noch so bedeutende Grösse erreichen müssen. In der That brauchen wir nur unsere Augen nicht absichtlich zu verschliessen, um an den neu erschienenen oder den bereits wieder erloschenen Gestirnen und an den in Farbe und Lichtintensität veränderlichen Sternen solche Wahrzeichen zu erblicken! — Das Vorhandensein sehr bedeutender Geschwindigkeiten im Universum gewinnt noch durch die folgende Betrachtung gar sehr an innerer Wahrscheinlichkeit, weshalb ich auch nicht umhin kann, diese der reiflichsten Erwägung anzuempfehlen.

Wie die Massen ihrer Quantität nach im Weltraume vertheilt sein mögen, wissen wir nicht. Doch spricht die Wahrscheinlichkeit dafür, dass diese Vertheilung eine im hohen Grade ungleichförmige sei. Die meisten Astronomen scheinen auch diese Ansicht in Schutz zu nehmen. Was aber den Einfluss der Massenvertheilung auf ihre Dislocirung im Weltraume und auf die bei den Himmelskörpern vorauszusetzende Geschwindigkeit ihrer Bewegung anbelangt, so lässt sich im Allgemeinen Nachfolgendes mit sehr vieler Wahrscheinlichkeit behaupten. — Es scheint eine nothwendige Folge eines jeden Agglomerationsprocesses zu sein, den wir doch fast unabweislich bei der Weltenbildung aus [19] chaotischen Stoffen voraussetzen müssen, dass die Massenbildungen ungleichförmig, und nach den drei Dimensionen, d. i. nach allen Richtungen, vor sich gingen. Dies berechtigt aber anzunehmen, dass im Allgemeinen, d. i. wo nicht Störungen eintraten, die Massen wie die dritten Potenzen der Entfernungen von ihrem nächsten Nachbar sich verhalten werden. Ist demnach von zwei Fixsternen der eine viermal so weit von dem nächsten Nachbar entfernt, wie beziehungsweise der andere von seinem, so berechtigt dieser Umstand zu der Annahme, dass die Masse des ersteren 64mal so gross ist, wie jene des letzteren. — Nun ist es aber bekannt, dass die Anziehung im umgekehrten quadratischen Verhältnisse der Abstände abnimmt, und es würde somit, wenn man von der Grösse der anziehenden Massen für einen Augenblick absieht, unstreitig der erstere jener Fixsterne eine 16mal geringere Anziehung auf seinen Nachbar ausüben, wie der letztere. Allein die 64mal grössere Masse des ersteren erhöht seine Anziehung um das eben so vielfache und bewirkt, dass ungeachtet einer viermal grösseren Entfernung der erste jener Sterne seinen Nachbar gleichwohl noch viermal stärker anzieht, und ihn somit auch um eben so vielmal schneller um sich herumbewegt, wie dieses unter sonst gleichen Umständen bei letzterem der Fall ist. — Man ist zwar gewöhnt im Allgemeinen bei den Fixsternen eine um so grössere Geschwindigkeit ihrer Bewegung vorauszusetzen, je näher sie in der Wirklichkeit einander stehen, und wenn man von ihren ihnen als wahrscheinlich zukommenden Massen absieht, so thut man hierin auch ganz recht. Nimmt man aber, wie billig, auch auf diese gehörige Rücksicht, so gelangt man zu nachfolgendem, für die ganze Fixsternenkunde, wie mich dünkt, ungemein wichtigen und folgenreichen Schluss: dass man nämlich mit einer starken Ueberwucht von Wahrscheinlichkeit, den Fixsternen eine um so grössere eigene Geschwindigkeit zuzuschreiben berechtigt ist, je weiter sie von ihren respectiven nächsten Nachbarn abstehen, und dies zwar im directen [**20**] einfachen Verhältnisse dieser Abstände*). Nun aber hängt es bekanntlich weiter von dem Verhältnisse der sich bethätigenden Kräfte, nicht aber von ihren absoluten Abständen ab, ob zwei Himmelskörper sich in geschlossenen Bahnen umkreisen sollen, oder aber nicht. Es liegt demnach

*) Strenge genommen gilt dieser wichtige Schluss freilich nur für alle jene Doppelsterne und andere in geschlossenen Bahnen sich bewegende Gestirne, deren Bahnelemente *ab origine* bis zu gegenwärtigem Augenblicke sich nicht sehr bedeutend geändert haben, — rücksichtlich der übrigen Himmelskörper gilt er als blosser Wahrscheinlichkeitsschluss.

auch kein Grund vor, der uns nöthigte anzunehmen, die Einzelsterne der 3300 bisher aufgefundenen und aufgezeichneten Doppelsterne ständen sich insgesammt näher als irgend ein anderer Fixstern von seinem nächsten Nachbar, — sondern man wird wohl auch hier annehmen müssen, bei verschiedenen Doppelsternen sei dieses auch höchst verschieden. Bei ihrer oft sehr bedeutenden jährlichen scheinbaren Bewegung und bei einer Entfernung von uns, die bei einzelnen derselben wahrscheinlich auf viele Hunderte von Sternweiten anzuschlagen sein dürfte, ergiebt sich als eine strenge Forderung der Rechnung, bei ihnen in einzelnen Fällen sogar Geschwindigkeiten vorauszusetzen, die mehrere Hundert Meilen in der Secunde vielleicht selbst noch übersteigen*). — Unmittelbar durch die Erfahrung nachgewiesen wurde bisher freilich nur an einem Fixsternpaare eine derartige Geschwindigkeit von etwa 10 Meilen in der Secunde im Minimo. Allein eben diese schon so [**21**] bedeutende Geschwindigkeit in dem einzigen uns bekannt gewordenen Falle macht es unendlich unwahrscheinlich, dass sie das Extrem oder auch nur eine dem Maximum nahekommende Geschwindigkeit rücksichtlich der wirklich vorhandenen Gestirne sein sollte. — Und so scheint es mir denn schon aus rein mechanischen Gründen fast so gut wie erwiesen zu sein, dass die verschiedenen Himmelskörper mit den verschiedensten und somit auch mit noch so grossen Geschwindigkeiten sich im Weltraume bewegen.

§ 8.

Seit ich jene Abhandlung über die Doppelsterne schrieb, bin ich auf einen Umstand aufmerksam geworden, der mir

---

*) Zu den Doppelsternen, deren Einzelsterne bis auf eine Sternweite von einander abstehen, dürften wohl vorzüglich jene zu zählen sein, bei welchen man seit den 50 Jahren, in denen derartige Beobachtungen gemacht werden, durchaus noch keine Veränderungen ihrer Position wahrgenommen hat. Gesetzt, ein solcher Doppelstern, dessen Einzelsterne eine Sternweite, d. i. 4 Billionen Meilen von einander abstehen, deren scheinbarer Abstand im Bogen aber nur etwa 5″ beträgt, zeige eine jährliche scheinbare Bewegung von $\frac{1}{100}$ Secunde oder von dem 500sten Theil seines Abstandes, so also, dass die beiläufige Umlaufszeit derselben etwa 1000 Jahre währt, so ergiebt sich durch eine leichte Rechnung, dass die mittlere absolute Geschwindigkeit dieses Sternes bei 254 geogr. Meilen in der Secunde betragen müsse.

einer nachträglichen Mittheilung um so würdiger erscheint, als sich hierdurch in gewissen Fällen der Einfluss einer Bewegung auf obige Erscheinungen noch viel sichtlicher herausstellt, er auch nothwendig dazu beitragen muss, scheinbare Differenzen zwischen Theorie und Erfahrung zu heben. — Es betrifft dies nämlich den Fall, wo Beobachter und Wellenquelle sich zugleich bewegen. Hier ist es keineswegs einerlei, ob man die relative Geschwindigkeit, mit der Beobachter und Quelle sich annähern, oder sich entfernen, successive in Rechnung bringt, oder auf den Beobachter oder die Quelle allein überträgt. Bezeichnet man mit a die Geschwindigkeit des Beobachters, mit b jene der Quelle, mit v die Fortpflanzungsgeschwindigkeit des Lichtes, mit n die absolute Schwingungszahl, während die subjective durch die Bewegung der Wellenquelle erzeugte mit n' bezeichnet werde, so ist die relative Schwingungsanzahl bei Bewegung der Quelle und des Beobachters zugleich, wenn sie mit N bezeichnet wird, wegen:

(1) $$n' = \frac{n}{\left(1 \mp \frac{b}{v}\right)}$$

(d. i. für die kommende und gehende Quelle), und

(2) $$N = n'\left(1 \pm \frac{a}{v}\right)$$

(d. i. für den kommenden und gehenden Beobachter) und somit durch Substitution:

[**22**]
(3) $$N = n\left(\frac{1 \pm \frac{a}{v}}{1 \mp \frac{b}{v}}\right) = n\left(\frac{v \pm a}{v \mp b}\right)$$

für alle vier möglichen Wechselfälle, die bei gleichzeitiger Bewegung des Beobachters und der Quelle sich ergeben können.

Man ersieht aus Formel (3), dass der Einfluss einer gleichzeitigen Bewegung von Quelle und Beobachter kein bloss additiver, sondern ein sich wechselseitig steigernder oder multiplicativer ist, und dass somit in vielen Fällen das Resultat ein merklich grösseres, in anderen dagegen ein um eben so viel kleineres sein wird, als wenn man die ganze relative Geschwindigkeit, d. i. $(a + b)$ bloss auf den Beobachter oder bloss auf die Quelle übertragen und nach den betreffenden Formeln (2) oder (1) die daraus resultirende Aenderung in Tonhöhe oder Farbe berechnet hätte. Nimmt man z. B. die Geschwindigkeit des Schalls für die Secunde zu 1027′ an, und setzt man ferner voraus, dass sich Tonquelle und Beobachter mit der gleichen Geschwindigkeit von 150′ gegen einander bewegen, so findet man bei einem Tone von 10 000 Schwingungen in der Secunde, wenn man die ganze relative Geschwindigkeit von 300′ auf den Beobachter überträgt, nach Formel (2), für $N = 12930$, während diese Anzahl, nach Formel (3) bestimmt, $N = 13420$, und somit schon nun 490 Schwingungen in der Secunde mehr giebt, als die erste fehlerhafte Berechnung nach Formel (2). Ganz Aehnliches findet statt in dem Falle, wenn sich Beobachter und Quelle von einander entfernen. — Dieser Umstand verdient um so mehr alle Beachtung, als wir ja alle Beobachtungen von unserer Erde aus machen, die sich nicht nur selber bewegt, sondern auch mit der Sonne zugleich im Weltraume fortrückt, und als ferner auch die Beobachtungsobjecte, wie z. B. die Doppelsterne, die veränderlichen und anderen Himmelskörper meistentheils einer doppelten derartigen Bewegung unterliegen. Heisst [**23**] man also die beziehungsweisen Geschwindigkeiten des Beobachters a, a', a'', a''' . . . und jene des Beobachtungsobjects b, b', b'', b''' . . . u. s. w., so ist die allgemeinste und zugleich vollständige Formel zur Bestimmung des Einflusses der Gesammtbewegung offenbar:

$$(4) \qquad N = n \frac{(v \pm a)(v \pm a')(v \pm a'')(v \pm a''') \ldots}{(v \mp b)(v \mp b')(v \mp b'')(v \mp b''') \ldots}$$

wo sich das obere Zeichen, im Zähler wie im Nenner, auf das Annähern oder Kommen, — das untere dagegen auf das Entfernen oder Gehen bezieht.[24])

Diese Formel bedingt demnach auch eine eben so vielfache Periodicität in der Erscheinung, als wie viele Factoren man in einzelnen Fällen beizubehalten nun veranlasst wird. Es ist sehr wahrscheinlich, dass viele der bei den veränderlichen Sternen wahrgenommenen Anomalien auf Rechnung der Bewegung unserer Erde oder der des Gesammtsystems des beobachteten Sternes zu setzen sein dürften. Im Paragraphen 11 sollen einige dieser Fälle aufgezählt werden.[25]) —

Und so glaube ich denn durch den Inhalt des gegenwärtigen und des vorherigen Paragraphs genügend nachgewiesen zu haben, dass auch das vierte jener Bedenken der allgemeinen Anwendbarkeit meiner Theorie keinen weiteren Abbruch thun dürfte.

§ 9.

Gesetzt aber auch, die von Hrn. Dr. *Ballot* und einigen Anderen rücksichtlich der Empfindlichkeit des Auges und der nothwendig erachteten Geschwindigkeiten vorgebrachten Bedenken und Zweifel seien vollkommen gegründet, und es wäre demnach widerspruchslos ausgemacht, sowohl dass ich im Betreff der Empfindlichkeit des Auges zu weit gehe, als auch, dass sich Geschwindigkeiten in den Bewegungen der Himmelskörper von etwa 33 Meilen die Secunde ein- für allemal nicht vorfinden, sich auch gar nicht einmal vorfinden könnten (lauter Voraussetzungen, von denen ich weit entfernt bin, sie zuzugestehen), so würde hieraus doch nur folgen, dass meine Theorie sich nicht anwenden liesse auf die Erscheinungen des farbigen Lichtes der Doppelsterne, — nicht im allergeringsten aber würde man [**24**] hierdurch auch bewiesen haben, dass dieselbe auch keine Anwendung finde auf die merkwürdigen Erscheinungen der veränderlichen oder der neu erschienenen, oder der bereits wieder erloschenen Sterne, und noch auf vieles Andere, was der Himmel Wunderbares für die Beobachtung bietet, und wovon einzelne Hindeutungen im § 11 vorkommen sollen. — Die Sache verhält sich nämlich so: Jede Tonhöhe oder Farbänderung erheischt zu ihrem subjectiven Zustandekommen allerdings eine gewisse Geschwindigkeit der Bewegung, eine Geschwindigkeit, die von der Fortpflanzungsgeschwindigkeit des Lichtes abhängt, und immerhin ziemlich erheblich sein muss. Erreicht sie dieses Minimum nicht, so kann von einer subjectiven Farbänderung natürlich keine Rede sein. — Anders verhält es sich bei den Intensitätserscheinungen. — Die Intensität eines Strahles wird nach der Undulationslehre bedingt durch die Grösse der Excursion und hängt somit von der beziehungsweisen Geschwindigkeit ab, mit der das unser Ohr oder unsere Retina berührende Luft- oder Aethertheilchen schwingt. Diese Geschwindigkeit ist dagegen nach eben dieser Lehre von der Geschwindigkeit, womit der Strahl sich fortpflanzt, durchaus unabhängig, — dagegen direct abhängig von der Intensität des Strahls, und somit einer

Verminderung fähig, die selbst bis zu Null herabsinken kann*). — Nun wird wohl Niemand leugnen wollen, er mag es mit der Emissionstheorie oder mit der Undulationslehre halten, dass eine Bewegung sowohl des Beobachters als der Quelle auf die Intensität eines Strahls einen unmittelbaren Einfluss habe, und es ist klar, dass ein leuchtender oder beleuchteter Körper, der in Folge anderer schwächender Ursachen etc. bereits schon auf der letzten Stufe gleichsam seiner Sichtbarkeit steht, bei einer hinzukommenden retrograden Bewegung des Beobachters oder seiner selbst von einer noch so geringen Geschwindigkeit [**25**] völlig unsichtbar werden muss, so wie hinwieder ein solcher, der eben nicht mehr sichtbar ist, es sogleich werden muss, sobald der Beobachter sich gegen ihn oder er sich gegen diesen zu bewegen beginnt. Dies giebt aber eine sehr bestimmte Hinweisung darauf, dass wir vorzüglich an den höchst schwach beleuchteten oder leuchtenden Himmelsobjecten derartige Erscheinungen erwarten können, wie dies auch in der That vorzugsweise bei den veränderlichen Sternen der Fall ist. Selbst also auch in dem nicht anzunehmenden Falle, dass nämlich meine Theorie keine weitere Aussicht darbieten würde, als auf die Erklärung der hier erwähnten wundervollen Erscheinungen, so will es mich doch bedünken, dass sie schon deshalb verdiente einer noch ferneren Aufmerksamkeit von Seiten der Astronomen und Physiker gewürdigt zu werden![26])

§ 10.

Wenn die Aussagen einer anerkannt richtigen Theorie mit den unzweifelhaften Ergebnissen der Erfahrung nicht stimmen wollen, so folgt hieraus noch keineswegs, weder dass diese Theorie unrichtig ist, noch auch, dass die wahre Erfahrung jemals trügt, sondern nur, — dass wir jene Theorie zu der Zeit noch nicht gehörig auf die Erfahrung anzuwenden verstehen. — Hierzu einen kleinen Beitrag zu liefern, ist der Hauptzweck dieses Paragraphs. Es ist zugleich aber auch die Antwort auf das letzte jener fünf namhaft gemachten

---

*) Eine ausführlichere Würdigung dieses Gegenstandes findet sich in meiner soeben der K. Böhm. Gesellschaft der Wissenschaften zur Drucklegung unterbreiteten Abhandlung: »Methode, die Geschwindigkeit, mit der die Luftmolekel beim Schalle schwingen, zu bestimmen.« (Abh. d. Böhmischen Ges. d. Wiss. V. Folge, Bd. 4, S. 499.)

Bedenken. — Man hat bei dieser Gelegenheit mir und meiner Theorie unrecht gethan, — mir, durch eine Voraussetzung, die ich mir niemals einfallen liess, — meiner Theorie, indem man Erfahrungen als mit ihr im Widerspruche stehend anführt, die man vielmehr als ein beredtes Zeugniss für deren Richtigkeit hätte namhaft machen sollen.

α) In ersterer Beziehung muss ich von vornherein erklären, dass ich meines Wissens nirgends auch nur mit einiger Bestimmtheit behauptet habe, dass sämmtliche Sterne ohne Ausnahme an sich ein absolut weisses Licht hätten. Ich konnte dies nicht, weil es sogar meiner innigen Ueberzeugung widerspricht. Im Gegentheile habe ich an vielen [**26**] Stellen meiner kleinen Schrift*) ausdrücklich das Gegentheil davon erklärt, und Hr. Dr. *Ballot* selber muthet mir dies nicht zu. Nichtsdestoweniger hat man sich bei einer Vergleichung meiner Theorie mit der Erfahrung auf diesen falschen Standpunkt der Beurtheilung gestellt, und da die Erfahrung mit der Theorie nicht wohl stimmen konnte, gemeint, die Theorie finde in diesem Falle auf erstere keine Anwendung. Meine Meinung rücksichtlich der eigenthümlichen Farbe der Fixsterne ist folgende: Da sämmtliche Fixsterne ihr Entstehen und Bestehen höchst wahrscheinlich denselben Ursachen verdanken, und höchst wahrscheinlich der Hauptsache nach auch aus demselben materiellen Stoffe bestehen, so sehe ich keinen Grund, der mich hinderte es für wahrscheinlich zu halten, dass diese Fixsterne auch ihrem Lichte nach mit einander übereinstimmen werden. Aber eine absolute Gleichheit ist in allen solchen Fällen unendlich unwahrscheinlich. Es ergiebt sich demnach hieraus die Folgerung, dass man mit sehr vieler Wahrscheinlichkeit noch vor aller Erfahrung voraussetzen dürfe, sie hätten nur nahezu, d. i. mit geringen Abweichungen, alle sammt und sonders das gleiche Licht. Ob dieses der Hauptsache nach weiss, orange, grün oder violett u. s. w. sei, kann vor der Erfahrung natürlich nicht entschieden werden. — Der Anblick des gestirnten Himmels überzeugt aber Jeden, dass das Licht der Sterne im Allgemeinen nahezu weiss sei. Da nun aber die Annahme eines absolut weissen Lichtes unendlich unwahrscheinlich ist, so geht meine Ueberzeugung dahin: dass die Sterne an sich ein intensives weisses Licht mit einer

---

*) U. a. § 7, S. 11. — § 6, S. 9*β*.

geringen Beimischung von farbigen Strahlen besitzen, und die Erfahrung spricht wieder dafür, dass sich hierbei eine Hinneigung zu den gelben und rothen Strahlen kundgebe, immer aber in so geringer Menge, dass sie an sich kaum oder nur eben noch sich der Wahrnehmung offenbaren. Dieser geringe Ueberschuss an farbigen Strahlen kann aber in Folge einer schnellen Bewegung und durch das Eintreten in andere Intensitätsphasen ein bedeutend intensiveres und [27] andersfarbiges Licht eines Gestirnes zur Folge haben, wie bereits in meiner früheren Abhandlung auseinandergesetzt wurde. Indem ich aber eine schwache Färbung des weissen Lichtes bei den Fixsternen als wahrscheinlich voraussetze, entfällt hierdurch, wie Hr. *Ballot* ganz irriger Weise annimmt, ganz und gar nicht das dringende Bedürfniss einer Erklärung für die oft so intensiv gefärbten Doppelsterne etc. Wie weit ist noch von den von mir angenommenen farbigen Tinten des Fixsternenlichts bis zu dem intensiv blut- oder auch orangerothen, dem purpurfarbigen, dem schön blauen, grünen oder violetten und grauen Lichte der Doppelsterne? — Und dann, was noch weit mehr Berücksichtigung und Beachtung verdient: woher kommt wohl die ungemein auffallende Thatsache, dass wir gerade nur an jenen Himmelskörpern so bedeutende Veränderungen in Farbe und Intensität des Lichtes wahrnehmen, bei denen wir entweder zufolge unmittelbarer Beobachtung eine ganz ausserordentlich grosse Geschwindigkeit ihrer Bewegung vorauszusetzen berechtigt sind, oder aber bei welchen wir diese vermöge aller Analogie voraussetzen können, während bei allen übrigen Gestirnen des Himmels, die wir für minder schnellbewegte anzunehmen berechtigt sind, solche Farben und Farbänderungen durchaus nicht vorkommen? Man genügt demnach gewiss nur einer einfachen Vernunftforderung, wenn man sich der Ansicht hingiebt, dass diese auffallenden Erscheinungen mit der grossen Geschwindigkeit ihrer Bewegung in einem nicht bloss zufälligen, sondern in einem nothwendigen Zusammenhange stehen!

Aus dem bisher Gesagten folgt demnach ganz unbestreitbar, dass strenge genommen die Erfahrung mit meiner Theorie so lange nicht in einen Widerstreit gerathen kann, bis uns die Eigenfarben der Fixsterne mit zureichender Sicherheit werden bekannt sein. Letzteres wird uns jedoch höchst wahrscheinlich nur bei jenen Sternen gelingen, deren Farbänderungen periodisch wiederkehren, wie sich dies bei vielen Doppelstrenen vermuthen lässt. Aber hierzu gehört Zeit und vor Allem viele und genaue Beobachtungen, und jedes [28] Urtheil, welches man schon jetzt über die Unanwendbarkeit meiner Theorie auf diese Klasse von Erscheinungen fällen möchte, muss jedenfalls als ein vorzeitiges erscheinen.

β) Wenn ich nun aber gleich gern einräumen will, dass viele der Beobachtungsdaten, wenn man auf den eben besprochenen Umstand keine gehörige Rücksicht nimmt, von den Aussprüchen meiner Theorie mehrfach abweichen mögen, so däucht mir doch, dass man es nicht minder oft vielleicht auch in der richtigen Handhabung derselben versehen habe. Ich bin für den Augenblick nicht in der Lage, die von Hrn. Dr. *Ballot* aufgezählten Differenzen nach meiner Weise prüfend durchzugehen, sondern nehme sie gern als richtig hin. Um so lieber wird man es mir aber gestatten, aus seinen eigenen Angaben den augenscheinlichsten Beweis zu führen, dass meine oben ausgesprochene Vermuthung keine unbegründete zu nennen sei.

Hr. Dr. *Ballot* sagt nämlich (S. 341), dass von 476 gleichgefärbten Paaren von Doppelsternen 118 gelblich oder röthlich, und nur 63 bläulich seien, und fügt hinzu: »Auch wäre es nicht leicht einzusehen, aus welchem Grunde sich denn fast doppelt so viele Sterne von uns entfernen, als sich uns nähern sollten«. In der That wäre dies Letztere schwer einzusehen, aber es ist nicht schwer einzusehen, dass uns selbst bei vorausgesetzter gleicher mittlerer Geschwindigkeit und bei einer gleichen Anzahl sich uns nähernder wie von uns sich entfernender Sterne *weit mehr gelblich oder röthlich* als *bläulich oder grün* erscheinen müssen. Es hängt dies ganz einfach mit dem im § 2 erwiesenen Umstande zusammen, dass man selbst bei gleicher Geschwindigkeit den gehenden Ton und die gehende Farbe mehr erniedrigt, als den kommenden Ton und die kommende Farbe erhöht wahrnimmt. — Hätte Hr. *Ballot* seine sehr schätzbaren und dankenswerthen Versuche auf der Eisenbahn zu Utrecht in noch grösserer Anzahl und zugleich bei einer geringeren Geschwindigkeit der Locomotive angestellt, so würde man in sehr vielen Fällen wohl zwar noch eine Erniedrigung, keineswegs aber eine Erhöhung des Tones wahrgenommen [29] haben, — wie man sich ja jederzeit wird durch weitere Versuche überzeugen können. — Und so wird denn eine

Erfahrung, die man als eine Instanz gegen meine Theorie geltend machen zu müssen glaubte, zu einem schönen Beweise mehr für die Richtigkeit sowohl, wie für die Anwendbarkeit derselben auf das farbige Licht der Gestirne!

§ 11.

Ich kann mir nicht versagen, am Schlusse der gegenwärtigen Abhandlung noch auf einige bemerkenswerthe Beobachtungsdaten hinzuweisen, an denen sich vielleicht die Richtigkeit meiner Theorie noch in der kürzesten Zeit und auf die leichteste Art erproben liesse, und die es mir jedenfalls zu verdienen scheinen, dass sie insbesondere von den beobachtenden Astronomen einer eben so unparteiischen und sorgfältigen Prüfung unterzogen werden, wie dies rücksichtlich der erwähnten akustischen Thatsachen durch Herrn *Ballot* bereits geschehen ist. Was zwar die Farbänderung der Sterne anbelangt, so dürfte es bei der geringen Zahl bisher hierüber gemachter Beobachtungen und bei der Unbekanntschaft mit den eigenthümlichen Farben der Sterne eben so schwer halten, die Anwendbarkeit meiner Theorie durch sie zu bestätigen, wie sie zu widerlegen, und wir müssen diesfalls wahrscheinlich die Zeit abwarten, wo uns in grosser Zahl ganze Umlaufscyklen mit den wahrgenommenen Farbänderungen vorliegen werden. Allein der Himmel bietet ja noch mehrere andere Erscheinungen dar, die mir schon dermalen für den erwähnten Zweck zureichend erforscht zu sein scheinen.

Bevor ich jedoch auf diese selber übergehe, muss ich noch auf einen zwar schon im § 9 besprochenen Umstand nochmals aufmerksam machen, der mich von der allergrössten Wichtigkeit zu sein dünkt. Wenn weisses oder ein farbiges Licht für uns unsichtbar wird, so ist die Ursache hiervon meistentheils nicht die, dass die Schwingungszahl desselben zu hoch oder zu gering ist, sondern hauptsächlich und fast immer wird der Grund hiervon in der zu geringen Intensität desselben, d. i. in der Schwäche der Aetherschwingungen, zu suchen sein. — Gesteht man daher irgend einen [**30**] Einfluss der Bewegung auf die Intensität zu, so ist klar, dass man zum völligen Unsichtbarwerden eines bereits schon schwach leuchtenden oder beleuchteten Objects nicht eine Geschwindigkeit von 33 Meilen in der Secunde vorauszusetzen braucht, sondern dass öfters schon eine solche von einer oder einigen wenigen Meilen vollkommen hierzu hinreicht, da ja diesfalls die Grösse der nöthigen Bewegungsgeschwindigkeit von dem Grade der bereits schon vorhandenen Lichtschwäche des Objects unmittelbar abhängt. Diese, wie mich dünkt, schon fast an sich evidente Wahrheit liesse sich nöthigenfalls auch noch mittels einer Locomotive auf einer Eisenbahn constatiren. — Und so wird es denn Entschuldigung finden, wenn ich im Folgenden auch solche Erscheinungen anführe, bei denen so ungemein grosse Geschwindigkeiten gar nicht einmal zur Sprache zu kommen brauchen.

1) Bekanntlich zeigen die vier Trabanten Jupiters eine sehr grosse Verschiedenheit ihres Lichtglanzes, in Folge welcher bald der eine, bald der andere abwechselsweise als der bedeutendste für die Beobachtung erscheint. In einem Phasenwechsel kann diese Erscheinung ihren Grund nicht haben, denn dieser fehlt ihnen. Man schreibt diese vielmehr einem ungleichen Reflexionsvermögen der verschiedenen Seiten dieser Monde für das Licht zu. Ich habe nirgends erwähnt gefunden, ob eine feststehende Periode für diese Erscheinung bemerkt worden sei, und ob diese Voraussetzung ohne Zuhilfenahme einer neuen Hypothese zur Erklärung derselben ausreiche? Es wäre gewiss interessant zu versuchen, ob sich dieses Phänomen nicht vielleicht aus der jedesmaligen relativen Bewegung der Jupiterstrabanten, unserer Erde und des Jupiters selbst, da die Gesammtdifferenz ihrer Geschwindigkeiten zu verschiedenen Zeiten wohl auf 13—14 Meilen in der Secunde steigen mag, nach der von mir oben aufgestellten Theorie vollständig erklären liesse?

2) Eben so dürfte der auffallende Farbenwechsel und die sonstigen Intensitätsveränderungen bei den sogenannten [**31**] vier neuen Planeten einen Gegenstand für eine derartige Erwägung darbieten. Insbesondere ist es an Ceres höchst merkwürdig, dass ihr sonst weisses Licht bald eine unverkennbar röthliche, bald dagegen eine eben so deutlich ausgesprochene bläuliche Färbung annimmt*). Auch erblickt man diese Planetoiden bald mit, bald ohne schwachbeleuchteten Nebelhüllen oder Atmosphären. Nach unserer Theorie würden sich

---

*) *Littrow*'s Vorlesungen über Astronomie. Wien, 1830. Bd. 2, Seite 19.

alle diese Erscheinungen mit einer bewunderungswürdigen Einfachheit erklären, falls die Bewegungsrichtungen dieser Himmelskörper und jene unserer Erde mit unserer Theorie in gleichgutem Einklang stehen. Dieses und Aehnliches ist es aber eben, was ich so gern ermittelt zu sehen wünschte von Solchen, die sich des grossen Glückes einer freien wissenschaftlichen Musse zu erfreuen haben!

3) Ferner hat man bei dem siebenten Monde Saturns bemerkt, dass er auf der Ostseite, d. i. auf der Seite, wo er uns entgegenkommt, immer heller erscheint, als in der Nähe seiner westlichen Digression, wo er sich von uns entfernt; — ein Lichtwechsel, der auch bei mehreren anderen stattfinden soll. Die Geschwindigkeit dieses Mondes ist zwar an sich nicht sehr bedeutend. Doch darf man nicht vergessen, dass die Bewegung unserer Erde und jene des Saturns mit in Anschlag gebracht werden muss, und dass es sich hier um so schwach beleuchtete Himmelskörper handelt, die eine noch so geringe Schwächung der Intensität ihrer Lichtwellen schon gänzlich unsichtbar machen muss.

4) Es ist im höchsten Grade merkwürdig, dass bei allen bisher genau beobachteten veränderlichen Sternen ohne eine einzige Ausnahme die Lichtzunahme schneller als die Abnahme erfolgt. Die Wahrscheinlichkeit, dass hierfür ein gemeinschaftlicher Erklärungsgrund bestehe zu ihrem Gegentheile, verhält sich wie 16384 zu 1.[27]) — Wie steht es da um die beliebten Aushilfshypothesen, von sie umrollenden dunklen Fixstern-Planeten, oder aber um die nicht minder unwahrscheinliche einer den verschiedenen Fixsternen bei [**32**] ungleicher Lichtemission ihrer Oberfläche zukommenden Rotation? — Ich glaube diese und die folgende Eigenthümlichkeit in meiner früheren Abhandlung genügend aus meiner Theorie erklärt zu haben.

5) Fast eben so auffallend ist die weitere Erscheinung, dass, mit alleiniger Ausnahme des Sternes Algol im Medusenhaupte, alle veränderlichen Sterne in ihrem Minimum längere Zeit verweilen, wie in ihrem Maximum. Auch für diesen Ausnahmefall giebt meine Theorie die befriedigendste Erklärung, indem sie zugleich darthut, dass er nothwendig unter die seltensten Fälle gezählt werden muss.

6) Ferner ist es sehr merkwürdig, dass man an mehreren veränderlichen Sternen Anomalien ihres Lichtwechsels wahrgenommen, die es wahrscheinlich machen, dass hierfür sogar

Perioden bestehen. — Unter diesen zeichnet sich vor allen Mira Ceti aus. Er hat bald eine Periode des Lichtwechsels von $328\frac{1}{2}$ Tagen, bald wieder eine von $335\frac{1}{4}$ Tagen, also eine Differenz derselben von 7 Tagen. Ebenso hat er in seinem Maximum nicht jedesmal gleiche Helligkeit, gewöhnlich erreicht er die zweite oder dritte, einige Male nur die vierte Grösse; auch selbst von der ersten Grösse wollen ihn schon Einige gesehen haben (bei welcher Bewegungsrichtung unserer Erde?). — Da nun die Umlaufszeit unserer Erde $365\frac{1}{4}$ Tage währt, und mithin die mittlere des Sternes Mira Ceti um beiläufig 34 Tage oder einen Monat übertrifft, so befindet sich die Erde zur Zeit, wo jener Stern zu seinem grössten Glanze gelangt, in jedem Jahre in einem anderen Zeichen, und die Richtung ihrer Bewegung gegen oder von jenem Sterne weg ist somit in verschiedenen Jahren eine verschiedene. Aber da die Bewegung unserer Erde auf das Eintreten in die Phase des grössten Glanzes bei einer Geschwindigkeitsdifferenz von fast 9,2 Meilen in der Secunde ganz unzweifelhaft einen Einfluss ausüben muss, so wird dieselbe das eine Mal um etwas früher, das andere Mal um eben so viel später erfolgen. Ist dies richtig, so müsste sich beim Sterne Mira eine Periodicität von ungefähr 12 Jahren nachweisen lassen, und [**33**] fände sich eine solche wirklich, so wäre sie eine überraschende Bestätigung der vorliegenden Theorie. In den mir zu Gebote stehenden Werken habe ich hierüber, und ob diese Anomalie in eine Periode eingeschlossen sei, nichts erwähnt gefunden. Es wäre gewiss ein eben so verdienstliches, wie vielleicht lohnendes Unternehmen, diesen wichtigen und sehr leicht nachweisbaren Punkt wissenschaftlich zu erledigen! — Ich kann nicht unterdrücken, hier die Frage aufzuwerfen, wie sich denn wohl diese Anomalien des Lichtwechsels aus der Annahme sollten erklären lassen, dass der wahre Grund dieser Erscheinung in einer Axendrehung jener Fixsterne zu suchen sei?

7) Von ungemeiner Wichtigkeit für meine Theorie ist die von *Struve* an dem Doppelsterne γ virginis gemachte Wahrnehmung eines Lichtwechsels der beiden Einzelsterne desselben. Bis 1831 war der damals vorangehende Stern der schwächere. 1832 und 1833 konnte kein Unterschied wahrgenommen werden, 1834 aber war der vorangehende entschieden heller als der nachfolgende. — Ueber die Ursache dieser sonderbaren Erscheinung, sagt Dr. *Mädler* (s. popul. Astronomie, S. 488), lässt sich noch gar kein Urtheil fällen. — Nach meiner Theorie

aber liesse sich wohl eine höchst einfache Erklärung hierfür geben. Man braucht nämlich nur anzunehmen, dass der eine von ihnen der Centralstern, der andere sein Begleiter ist, und dass letzterer um diese Zeit durch sein Perihelium ging, und somit kurz nacheinander bei sehr grosser Geschwindigkeit die Richtung seiner Bewegung in die entgegengesetzte umsetzte. In der That ist es höchst merkwürdig, dass gerade um diese Zeit ein Durchgang beider Sterne stattfand, ganz so wie es bei der nothwendig anzunehmenden nahezu gegen uns gerichteten grossen Axe der Revolutionsellipse sein musste. Auch ersieht man aus den bereits berechneten Elementen seiner Bahn, dass diese noch eine grössere Excentricität hat, wie selbst der *Encke*'sche Comet.

8) Unser Sonnensystem bewegt sich bekanntlich nach *Herschel*'s und *Argelander*'s sorgfältigen Untersuchungen [**34**] gegen einen Punkt im Sternbilde des Herkules hin, und somit aus der südlichen in die nördliche Hemisphäre. Mag die Geschwindigkeit dieser Bewegung immerhin nur eine mässig grosse sein, so muss sie doch zur Folge haben, dass Sterne geringerer Grösse (und diese sind der Anzahl nach die bei weitem meisten), die bei ruhendem Sonnensysteme noch recht gut sichtbar gewesen wären, bei einer von ihnen ab gerichteten Bewegung gar nicht mehr wahrgenommen werden, während dagegen andere in den gerade entgegengesetzten Gegenden zur Sichtbarkeit gelangen, die ihrer grossen Lichtschwäche wegen für sich keinen Anspruch darauf mehr machen konnten. Zwar treten im ersteren Falle an die Stelle der unsichtbar gewordenen geringeren Intensitätsclassen (z. B. an jene der zwölften) die nächst höheren (z. B. jene der elften u. s. w.), und im zweiten Falle verhält es sich gerade umgekehrt, — aber eben, weil die verschiedenen Classen nicht gleichviele Sterne in sich begreifen, sondern die niedrigeren unverhältnissmässig mehr als die höheren Classen, so muss die erwähnte Wirkung gleichwohl in besagter Weise zu Stande kommen. Die südliche Himmelshälfte müsste also dieser Betrachtungsweise zufolge eine ungleich geringere Zahl von Sternen schwacher Intensitätsgrade aufzuweisen haben, als die nördliche. — In der That soll der südliche Himmel ungemein arm an Sternen minderer Grössen sein, was ihm auch ein ganz eigenthümliches Aussehen verleihen soll. Insbesondere scheint die Gegend um den Fluss Eridanus auffallend arm an Sternen von genannter Intensität zu sein. Es wäre gewiss interessant eine beiläufige Abschätzung

(Aichung) nach Zonen (wobei der Punkt 0 im Herkules und der gerade gegenüberstehende im Flusse Eridanus als Pole betrachtet würden) rücksichtlich der verschiedenen niederen Classen (denn die der ersten, zweiten und dritten Grösse entscheiden hier wenig) vorzunehmen!

9) Endlich ist es höchst merkwürdig, dass alle veränderlichen Sterne und andere Himmelskörper, ohne Ausnahme, vor ihrem Verschwinden eine rothe Farbe schon haben oder [**35**] unmittelbar vor demselben annehmen. Selbst bei dem grossen Cometen von 1843 wurde von Mehreren eine derartig röthliche Färbung um die Zeit seines Periheliums ganz unzweifelhaft beobachtet.

§ 12.

Ueberblicke ich nun die in diesem Aufsatze niedergelegten Gegenbemerkungen und aufrichtigen Bedenken, die ich den gewiss in gleicher Gesinnung erhobenen Bedenken Anderer im Interesse der Wissenschaft selber entgegensetzen zu müssen glaubte, so däucht mir, dass die Anwendbarkeit meiner Theorie auch auf die Erscheinungen des Lichtes so wenig widerlegt worden sei, dass ich vielmehr so glücklich war, neue entscheidende Beweise für sie anführen zu können. Auch hege ich noch immer, und zwar stärker als jemals, die Zuversicht, dass sich im Verlaufe der Zeit die Astronomen dieser Theorie als eines willkommenen Mittels bedienen werden, um Vorgänge im Universum zu ergründen, bei welchen sie sich von jeder anderen Hilfe verlassen sehen. — Die nicht geringe Theilnahme aber, die man dieser Theorie bisher geschenkt, erfüllt mich sofort mit der erfreulichen Zuversicht, dass für dieselbe die Gefahr vorüber sei, ungeprüft und unbeachtet zur Seite gelegt und einer vielleicht unverdienten Vergessenheit überantwortet zu werden.

[508] VI.

Ueber eine vom Zerstreuungsvermögen des Fortpflanzungsmittels völlig unabhängige rotatorische Dispersion des Lichtes, nebst gelegentlichen Bemerkungen zur rotatorischen Brechung.

(Abh. d. Böhmischen Ges. d. Wiss. V. Folge, Bd. 4, 1848.)

§ 1.

In einer von mir veröffentlichten kleinen Schrift*) habe ich den Einfluss darzuthun gesucht, welcher sich bei Licht- und Schallstrahlen jedesmal dann geltend machen muss, sobald sie in ein in rotatorischer Bewegung begriffenes Fortpflanzungsmittel eintreten, und hierdurch gleichsam an dessen drehender Bewegung theilnehmend, von ihrem anfänglichen Wege mehr oder weniger abgelenkt werden. — Die freundliche Aufnahme, die jener einfache Gedanke gefunden, und das hierdurch veranlasste nochmalige Zurückkehren zu demselben liessen mich seither erkennen, dass ich die Folgerungen, die sich aus jenem allgemeinen Satze ergeben, noch keineswegs erschöpft hatte, und dass die verschiedenen Anwendungen desselben noch lange nicht vollständig daselbst aufgezählt worden waren. Dies rücksichtlich der Dispersion des Lichtes zu thun, ist der Vorwurf dieser gegenwärtigen Mittheilung.

---

*) Nr. III dieser Sammlung.

§ 2.

Die Erklärung der Dispersion des Lichtes nach der neueren Undulationslehre erheischt mit Nothwendigkeit anzunehmen, dass die Geschwindigkeit, mit der sich die Wellen in einem und demselben Mittel fortpflanzen, von der Anzahl der in einer Zeitsecunde vollbrachten Schwingungen abhänge. Dem gemäss pflanzt sich in demselben Mittel rothes Licht schneller als gelbes, dieses wieder schneller als blaues u. s. w. fort, und violettes bedarf hierzu die längste Zeit. — Beim Schalle haben freilich rücksichtlich der verschiedenen Töne selbst die genauesten Beobachtungen einen solchen Unterschied nicht nachgewiesen, vielmehr haben mit aller Vorsicht angestellte Versuche gezeigt, dass die Fortpflanzungsgeschwindigkeit für alle Töne und für alle Intensitätsgrade derselben genau dieselbe sei; — und durch die Erfahrung [**509**] nachgewiesen ist das Gegentheil davon auch bezüglich des Lichtes noch keineswegs. — Allein Töne sind noch keine Farben, und diese Voraussetzung zurückweisen, hiesse offenbar auf die mühsam gewonnene Erklärung der Zerstreuung und Auflösung des weissen Lichtes in seine farbigen Bestandtheile wieder Verzicht leisten, die wir doch so eben erst durch *Cauchy*'s und Anderer verdienstliche Bemühungen errungen haben.

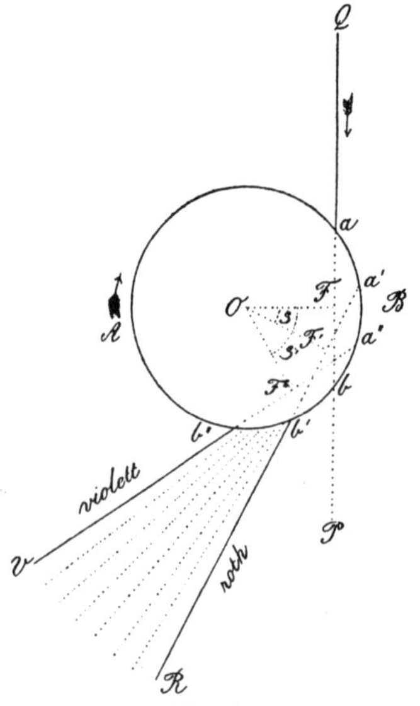

Fig. 1.

§ 3.

Ich habe nun in meiner früher erwähnten Abhandlung bis zur Evidenz nachgewiesen, dass, wenn ein Lichtstrahl *PQ* Fig 1 genöthigt ist, seinen Weg durch ein in drehender Bewegung begriffenes Fortpflanzungsmittel *AB* zu nehmen, er völlig abgesehen von der etwa bei *a* und *b*, d. i. beim Ein- und Austritt ihn treffenden gewöhnlichen Brechung auch noch eine eigenthümliche rotatorische Ablenkung erleide, in Folge deren er statt seinen Weg (bei gleichem Brechungsvermögen des *AB* mit seiner Umgebung) nach P fortzusetzen, vielmehr um den Winkel ϱ von seiner anfänglichen Richtung abgelenkt und nach R zu gehen genöthigt wird. Diese Ablenkung wurde als um so bedeutender nachgewiesen, je grösser der in diesem Fortpflanzungsmittel zurückzulegende Weg, ferner je grösser die Umdrehungsgeschwindigkeit ist, und je langsamer endlich der Wellenstrahl selbst sich in jenem Mittel fortpflanzt. Sind in zwei Fällen die beiden ersten Bedingungen gleich, so hängt die Grösse ihrer Abweichungswinkel direct von der Fortpflanzungsgeschwindigkeit des Wellenstrahls ab, und sie verhalten sich umgekehrt wie diese.

§ 4.

Findet also rücksichtlich der verschiedenen, das weisse Licht constituirenden farbigen Strahlen eine solche Verschiedenheit der Fortpflanzungsgeschwindigkeit in der That Statt: so ist hierdurch auch eine Verschiedenheit des Abweichungswinkels rücksichtlich der verschiedenen farbigen Strahlen bedingt. Diese ist aber eben, was man, wegen der damit nothwendig verbundenen Sonderung der verschiedenen farbigen Strahlen, die Dispersion des Lichtes zu nennen pflegt. — Die Existenz einer rotatorischen Dispersion des Lichtes ist demnach als erwiesen anzusehen. — Um auch ihre Grösse für jeden einzelnen Fall bestimmen zu können, wollen wir aus meiner früheren Abhandlung uns der daselbst abgeleiteten Formel bedienen. Bedeutet nämlich d den in geographischen Meilen ausgedrückten zurückzulegenden Weg des Lichtstrahls, t die in Zeitsecunden ausgedrückte Umdrehungszeit des Fortpflanzungsmittels AB, und drücken α und α' die beziehungsweisen Fortpflanzungsgeschwindigkeiten (gleichfalls in Meilen ausgedrückt) für die beiden äussersten der im Strahle Qa zu weissem Lichte vereinigten farbigen Strahlen aus: so findet man für die entsprechenden Abweichungswinkel ϱ und ϱ', so wie für die Grösse der Dispersion, d. h. für $P = \varrho - \varrho'$, nach § 1, pag. 4 meiner früheren Abhandlung:

$$\varrho = \frac{1296000}{t}\left(\frac{d}{\alpha}\right); \text{ und } \varrho' = \frac{1296000}{t}\left(\frac{d}{\alpha'}\right) \text{ und somit:}$$

[510]

$$P = \varrho' - \varrho = \frac{1296000}{t}\left(\frac{\alpha - \alpha'}{\alpha\,\alpha'}\right) d. \tag{1}$$

Diese Formel zeigt nun augenscheinlich, dass die durch Rotation bewirkte Dispersion des Lichtes um so bedeutender ist:

1. je bedeutender der im Fortpflanzungsmittel zurückzulegende Weg ist,
2. je grösser die Umdrehungsgeschwindigkeit desselben, und
3. je grösser der numerische Unterschied in den Fortpflanzungsgeschwindigkeiten der beiden extremsten Strahlen bei gleichwohl möglichst kleinstem Producte derselben ist, d. h. je näher die eine der beiden Grössen α und α' dem ∞, die andere dagegen dem Werthe $\frac{d}{t}$ [28] zustrebt.

§ 5.

Eine noch weitere Erwägung aller hier möglicherweise eintretenden Fälle führt ferner noch auf nachfolgende bemerkenswerthe Folgerungen. Vorerst ist klar, dass, wenn die rotatorische Ablenkung sowohl bei homogenem farbigem, als bei weissem Lichte eine gewisse Grösse erreicht, der einfallende Strahl nicht mehr gebrochen, sondern reflectirt zu werden scheinen muss. Durch den Hinblick auf Fig. 2 wird es klar, dass dieses jedesmal dann der Fall sein muss, wenn der Strahl PQ genau eben so viel Zeit braucht, um von a nach b zu gelangen, wie der Punkt b benöthigt, um in Folge der Rotation von AB von da nach a zu gelangen. Eine ganz einfache Rechnung zeigt, dass dieses stets dann der Fall sein wird, wenn, der Radius des Kreises r genannt [und die Winkel in Secunden ausgedrückt]:

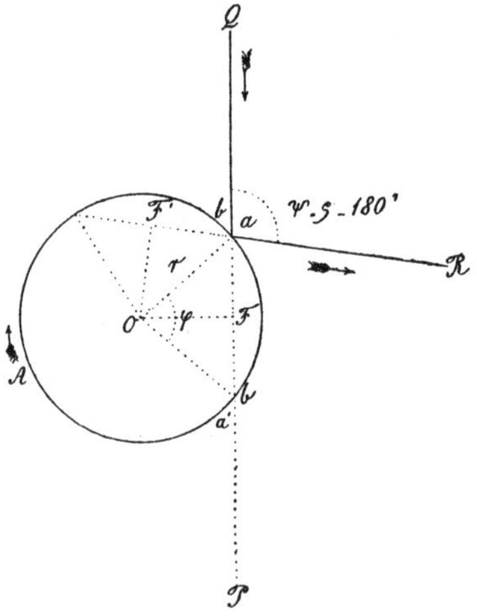

Fig. 2.

$$(2) \quad \begin{cases} \varphi = 2 \text{ arc } \sin \dfrac{d}{2r}; \\[2ex] t = \dfrac{1296000\, d}{(1296000 - \varphi)\, \alpha}. \end{cases}$$

Bezeichnet man sofort für diesen Fall den Reflexionswinkel mit Ψ, so hat man offenbar wegen $\Psi = \varrho - 180^0$:

$$\Psi = 1296000 \left(\frac{2d - \alpha t}{2 \alpha t}\right).$$

Die Grösse des Brechungswinkels ist demnach, so wie auch der Reflexionswinkel selbst, von der Rotationsgeschwindigkeit völlig unabhängig und hängt bloss ab von dem Verhältnisse des vom Strahle zurückgelegten Weges einerseits zur Fortpflanzungsgeschwindigkeit in jenem Mittel und anderseits zum Radius des Kreises. — Fällt demnach ein Lichtbündel nicht bloss auf einen einzelnen Punkt, sondern auf einen namhaften Theil oder gar auf die ganze der Lichtquelle zugewandte Seite eines solchen rotirenden Mediums (seine Form mag übrigens was immer für eine sein), so wird das auffallende Licht nach allen möglichen Richtungen zerstreut. Stellt man die hier allgemein durchgeführte Betrachtung unter der viel einfacheren Voraussetzung an, dass jener Strahl durch den Mittelpunkt geht, so werden obige Formeln höchst einfach. Denn da diesfalls $d = 2r$, und sofort $\arcsin \frac{d}{2r} = \arcsin 1 = 90^0$ wird,
[511] so erhält man für $t = \frac{2d}{\alpha}$ und für $\Psi = 0$. — Es ergiebt sich demnach für diesen Fall, dass der auffallende Strahl wieder in sich selbst zurückgeworfen wird.

Eine weitere bemerkenswerthe Folgerung scheint mir die zu sein, dass, wenn parallele Strahlen selbst eines absolut homogenen farbigen Lichtes auf ein derlei rotirendes Mittel auffallen, diese in Folge der Rotation nach ihrem Austritt in ungleichförmiger Weise zwar, aber im Ganzen genommen dennoch divergent werden, indem selbst in diesem Falle eine Dispersion statt findet. Ja noch mehr, es scheint fast für gewiss angenommen werden zu können, dass auf der durch die Richtung der Bewegung angedeuteten Seite sogar Interferenzphänomene sich bemerkbar machen müssen. Dies gründet sich auf den einfachen Umstand, dass die dem Centrum näher liegenden Strahlen einen grösseren rotatorischen Brechungswinkel bedingen als die entfernteren. Ganz ähnliche Erscheinungen müssen sich endlich noch ergeben, wenn das Fortpflanzungsmittel, statt in einer rotatorischen, in einer oscillirenden oder pendelartig hin- und herschwingenden Bewegung begriffen ist.

Wer weiss, ob nicht selbst schon Molekularbewegungen, wie sie bei tönenden Glasscheiben u. s. w. vorkommen, hinreichend sein mögen, derlei Zerstreuungen und Interferenzphänomene auf eine für die genauere Beobachtung noch wahrnehmbare Weise hervorzurufen?

§ 6.

Die nächste nützliche Anwendung dieses Satzes über die rotatorische Dispersion des Lichtes dürfte sich nun in Mitte und zu Gunsten der theoretischen Optik selbst ergeben, wenn es sich ja als praktisch ausführbar erweisen sollte, die sogleich anzudeutende mechanisch-optische Vorrichtung mit der nöthigen Präcision zur Ausführung zu bringen, worüber Sachkenner entscheiden mögen. Diese Anwendung bestünde in nichts Geringerem, als in der empirischen Erhärtung der oben erwähnten Voraussetzung der neueren Undulationslehre, und somit in einer directen und entscheidenden Prüfung derselben rücksichtlich ihrer Haltbarkeit nach der Gesammtheit ihrer hypothetischen Annahmen. Denn soll eine Lichttheorie widerspruchslos für eine richtige gelten, so muss sie vor allem Anderen nebst der geradlinigen Fortpflanzung der Lichtstrahlen und der damit zusammenhängenden Erscheinungen (z. B. der Aberration? sieh m. Abhandlg.*) auch noch jene der Reflexion, der Brechung und der Zerstreuung des Lichtes vollständig und ohne Zuhilfenahme neuer bis dahin unerwiesener Hilfshypothesen erklären

Schon Hr. Dr. *Ballot* hat an einem anderen Orte**) darauf aufmerksam gemacht, dass sich mein im Früheren angedeuteter Satz durch einen directen Versuch erweisen lassen müsste, wenn man im Stande wäre, einem mit optischer Präcision geschliffenen Glascylinder von 1 Meter im Durchmesser eine so schnelle Rotationsgeschwindigkeit zu ertheilen, dass er sich in der Secunde etwa 1000mal um seine Axe drehte. Er bezweifelt aber, und wie mich [**512**] bedünkt mit Recht, die Möglichkeit einer derartigen Ausführung. Es scheint mir aber, dass sich diese Schwierigkeiten in der Ausführung ungemein verringern müssten, wenn die Anordnung getroffen würde, die hier nur einem Cylinder auferlegte Leistung unter mehrere in dioptrischer Verbindung stehende, bedeutend kleinere und auch

---

*) Nr. IV dieser Sammlung.

**) *Poggendorff's* Annalen d. Physik Bd. 66, pag. 321.

bedeutend langsamer sich bewegende Cylinderchen zu vertheilen. — Der Erfolg wird ein um so mehr gesicherter sein, wenn sich dabei das Multiplicationsprincip auf die unmittelbar durch Rotation erzeugten Ablenkungswinkel anwenden lassen wird. Um diesen Zweck zu erreichen, bedarf man nur etwa fünf gläserner und eben so vieler spiegelmetallener Cylinder von beiläufig 2 Zoll Durchmesser, von denen die letzteren in Ruhe, erstere dagegen in möglichst schneller Bewegung begriffen sind. Ihre Anordnung und Aufeinanderfolge wäre eine abwechselweise und zugleich eine solche, dass ein homogener Lichtstrahl, den man auf den ersten rotirenden Glascylinder in möglichst centraler Richtung leitet, bei ruhendem Mechanismus nach dessen Austritt, so viel wie nur immer möglich, tangentiell auf den nicht allzunahen fixen Metallcylinder auffällt, von wo aus er reflectirt wird und den zweiten Glascylinder wieder möglichst diametral trifft u. s. f. — Hinter dem letzten Spiegelcylinder befindet sich nun das Auge und nimmt einen solchen durch ein Oculardiopter fixirten Ort ein, dass bei unbewegtem Mechanismus ein bestimmter auf den ersten Glascylinder auffallender Lichtstrahl von demselben gut wahrgenommen werden kann. Setzt man nun den Mechanismus in schnelle Bewegung, so muss augenblicklich dieser Lichtstrahl für das Auge unsichtbar werden, und um ihn wieder zu erblicken, wird es seinen anfänglichen Ort merklich zu verändern haben. Die Ortsveränderung des Auges aber gestattet sofort einen sicheren Rückschluss auf die Grösse der rotatorischen Brechung. Da die spiegelmetallenen fixen Cylinder die Wirkung der einzelnen rotatorischen Brechungen ungemein vergrössern und somit als wahre Multiplicatoren wirken: so lässt sich wohl leicht ermessen, dass sich mittels dieses Mechanismus selbst schon die geringsten Winkelabweichungen müssten nachweisen lassen. — Eine noch ungleich einfachere und leichter ausführbare Vorrichtung, die noch überdies in vielen anderen Fällen eine nützliche Anwendung finden dürfte, soll den Gegenstand einer eigenen Abhandlung bilden. [29]) — Ich habe mich deshalb auch begnügt, die Beschreibung vorerwähnter Vorrichtung nur in flüchtigen Umrissen zu geben. — Stellt man demnach die Versuche nach einander mit den verschiedenfarbigen homogenen Lichtstrahlen an, so muss es sich unfehlbar zeigen, ob sie alle gleiche rotatorische Brechung erleiden und ihnen sofort auch eine gleiche Fortpflanzungsgeschwindigkeit zugesprochen werden muss, oder aber nicht.

§ 7.

Noch muss ich erwähnen, dass man sich vielleicht im ersten Augenblicke versucht fühlen könnte, meine Theorie der rotatorischen Brechung zur Erklärung einer Erscheinung anzuwenden, auf die sie meines Erachtens keine Anwendung finden kann*). Es betrifft dies nämlich den allerdings höchst sonderbaren Umstand, dass nach kaum zu bezweifelnden [**513**] Beobachtungen die Abirrungsconstante, so wie sie aus den unmittelbaren Beobachtungen folgt, merklich grösser sich zeigt, wie jene ist, die aus den Verfinsterungen der Jupiterstrabanten erschlossen wird.[30]) Dies würde es sofort nachgerade nöthig machen, anzunehmen, dass Fixsternenlicht und Planetenlicht sich mit ungleicher Geschwindigkeit fortpflanze — eine Annahme, zu der man sich gewiss nur ungern verstehen würde.

Eine rotatorische Ablenkung findet zwar bei der Verfinsterung der Trabanten Jupiters durch dessen Schatten allerdings statt, da aber diese für jeden Abstand unserer Erde genau dieselbe sein muss, so kann sich auch meines Erachtens nirgends, die Erde mag sich nun in Opposition oder in Conjunction mit demselben befinden, eine Verspätung der Verfinsterung bemerklich machen. Hat es demnach in der That mit dieser Anomalie seine volle Richtigkeit: so dürfte der wahre Grund hiervon wohl in ganz anderen Umständen zu suchen sein.

---

*) S. Dr. *Merz* in München, im astronomischen Jahrbuch von *Fr. v. P. Gruithuisen*, 7. Jahrg. pag. 210. 1844.

[295] VII.

Ueber den Einfluss der Bewegung des Fortpflanzungsmittels auf die Erscheinungen der Aether-, Luft- und Wasserwellen.

(Abh. d. Böhmischen Ges. d. Wiss. V. Folge, Bd. 5, 1847.)

§ 1.

»Wenn eine Wellenquelle und ein Beobachter derselben ihren absoluten Ort im Raume nicht ändern, das wellenfortpflanzende Mittel dagegen in einer mit der Fortpflanzungsgeschwindigkeit in Vergleich kommenden Geschwindigkeit nach irgend einer Richtung in Bewegung begriffen ist, — oder, wenn zwar das Fortpflanzungsmittel der Wellen in absoluter Ruhe, dagegen die Wellenquelle und der Beobachter, ohne ihre wechselseitige relative Lage zu ändern, gemeinschaftlich in einer derartigen Bewegung im entgegengesetzten Sinne begriffen sind: so erleidet im Allgemeinen die Wellenfortpflanzung eine Aenderung, die sich theils auf die Geschwindigkeit, mit der diese Wellenbewegung bis zum Beobachter fortgepflanzt wird, theils auf die subjective Intensität derselben, theils endlich auf die Richtung, in der sie dem Beobachter anzukommen scheint, bezieht; — ja es giebt Fälle, wo die Wellenquelle, obwohl fortwährend Wellen aussendend, dennoch für einen gewissen Beobachter so gut wie gar nicht vorhanden ist, indem dieselbe zuweilen, und zwar nicht etwa wegen zu geringer Intensität der Pulsationen, sondern an sich und absolut genommen, alle Einwirkung auf denselben völlig verliert.« — Die Anzahl der unter diesem allgemeinen Satze begriffenen wichtigen Fälle ist bedeutend, und ich werde mich begnügen müssen, um das

Maass meines gegenwärtigen Vorhabens nicht zu überschreiten, von den tropfbar flüssigen Medien bis auf einige gelegenheitliche Bemerkungen abzusehen, und meine gegenwärtigen Betrachtungen vorzugsweise auf die Expansibilien, nämlich auf die Luft als Fortpflanzungsmittel des Schalls und auf den Aether als jenes für das Licht zu beschränken.

Wenn es anders für die Wissenschaft von Wichtigkeit ist, die Erklärung der verschiedenen Naturerscheinungen selbst bis auf die scheinbaren Ausnahmsfälle auszudehnen, und eine möglichst vollständige Einsicht in die Vorgänge der Sinnenwelt zu erlangen, so wird man zugestehen müssen, dass Untersuchungen der gegenwärtigen Art weder unnütze sind, noch länger entbehrt werden können.

Die atmosphärische Luft oder vielmehr einzelne Partien derselben sind in fortwährender Bewegung begriffen, — beständigen Strömungen nach allen Richtungen ausgesetzt. [**296**] Die Ursachen hiervon sind grösstentheils bekannt und so zahlreich, dass sie hier füglich nicht wohl aufgezählt werden können, — auch nicht aufgezählt zu werden brauchen.

Dass ähnliche Strömungen auch beim Aether des Weltraums vorkommen, kann nur der bezweifeln, welcher dem Universum einen absolut stereotypen Charakter beilegt. Die Ursachen zu zeitweiligen Aether-Verdichtungen und -Verdünnungen sind gewiss nicht minder häufig, wie bei der Luft, und wo diese vorhanden, können Strömungen wohl nicht ausbleiben. Ja für viele Fälle lassen sich nunmehr, wo die Undurchdringlichkeit selbst der Kometenkerne für den Aether durch die Erfahrung nachgewiesen zu sein scheint, mit Nothwendigkeit derlei Strömungen nachweisen. So muss schon jede Bewegung eines Himmelskörpers, besonders eines in geschlossener Bahn sich bewegenden, z. B. eines Planeten oder Doppelsterns u. s. w. nach und nach durch Uebertragung ihres eigenen mechanischen Moments auf den umgebenden Aether Strömungen in demselben unfehlbar erzeugen. So ist es nicht bloss wahrscheinlich, sondern fast gewiss, dass z. B. in unserem Sonnensysteme eben so viele Aetherringe um die Sonne rotiren müssen, als Planetenbahnen vorhanden sind. Anfänglich war ihre Geschwindigkeit vermuthlich nur klein, allmählich aber mag sie durch fortwährende Aufnahme von Bewegungsmoment und durch den Einfluss der rotirenden Sonne die mittlere Geschwindigkeit der zugehörigen Planeten erreicht haben.

Von diesem Augenblicke an hört natürlich auch nahezu

die rückwirkende Verzögerung der letzteren auf, und da eine solche heut zu Tage nicht wahrgenommen wird, so gestattet dieser Umstand, will man anders nicht die ganze Ursache hiervon den präponderirenden Massen der Planeten zuschreiben, einen sicheren Rückschluss auf die bereits zu Stande gekommene Ausgleichung beider. — Schwerlich wird man es demnach bezweifeln können, dass, so wie der Ocean und unsere Atmosphäre von Strömungen in den mannigfaltigsten Richtungen durchfurcht werden, so auch der Aether des Weltraums keine geringere Zahl derselben aufzuweisen habe. Auch scheint es, als müsse man diesfalls annehmen, dass derlei Aetherströmungen, zumal wenn sie ihren Ursprung einer localen zeitweiligen Verdichtung oder Verdünnung verdanken, in eben dem Maasse rapider sind, als der Aether die Luft an Feinheit, Beweglichkeit und absoluter Elasticität übertrifft. Durch Vermittelung dieses vielfach bewegten Aethers stellen wir nun unsere astronomischen Beobachtungen an, und werden uns demnach auch nicht sehr zu wundern haben, wenn wir hier in einzelnen Fällen Abweichungen von mit Zuversicht erwarteten Resultaten begegnen, die jenen ganz ähnlich sind, welche nach aller Erfahrung beim Schalle den Luftströmungen zugeschrieben werden müssen. — Nach diesen Bemerkungen kehre ich zur weiteren Betrachtung und zum Erweis der eingangs-erwähnten Behauptung zurück.

§ 2.

Die allgemeine Untersuchung über den Einfluss eines bewegten Fortpflanzungsmittels der Wellen auf die verschiedenen Erscheinungen des Schalles und des Lichtes schliesst [**297**] zwei besondere, ihrer Wirkung nach wesentlich verschiedene Fälle in sich, deren ersterer sich darauf bezieht, dass die Fortpflanzungsgeschwindigkeit der Wellen grösser ist, als die Geschwindigkeit, mit der sich das Mittel fortbewegt, während im zweiten Falle letztere Geschwindigkeit grösser oder höchstens gleich gross mit jener vorausgesetzt werden soll. Der erste Fall, als der in praktischer Beziehung wichtigere, soll noch in gegenwärtigem Paragraphen betrachtet werden, und im nächstfolgenden seine Erledigung finden.

Es sei Fig. 1. Q eine Wellenquelle, B der Ort eines Beobachters, a die Geschwindigkeit, mit der das Medium M sich in angezeigter Richtung fortbewegt, α ferner die Fortpflanzungsgeschwindigkeit der Wellen, und zugleich sei $a \lessgtr \alpha$; — so ist vorerst klar, dass die Wellenerzeugung unter dieser Voraussetzung nicht bloss auf einen bestimmten Raum eingeschränkt ist, wie dies bei einem später in Betracht kommenden Falle sich herausstellen wird, sondern dass sich diese nach allen Richtungen um die Quelle Q herum ins Unendliche erstreckt. Der Beobachter mag sich demnach an was immer für einem Orte im Raume befinden, so müssen jedenfalls Wellen zu ihm gelangen. — Eben so lässt sich leicht einsehen, dass sich die Zeitdauer zwischen zwei auf einander folgenden Wellenschlägen

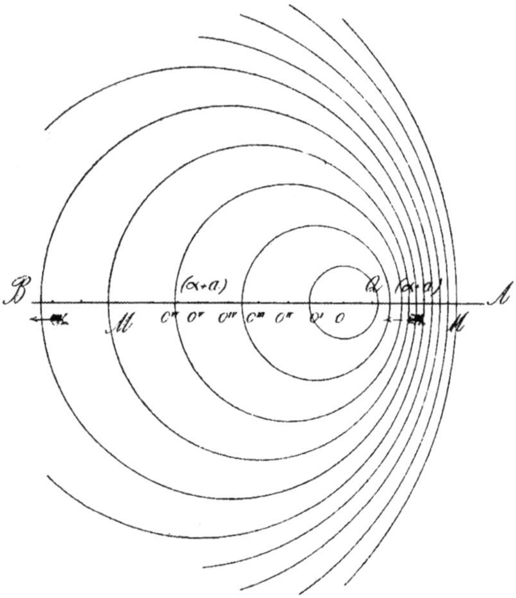

Fig. 1.

hierdurch durchaus nicht ändert.[31] In Beziehung auf einen Beobachter, der sich bei A oder bei B befindet, wird man dieses sogleich zugestehen. Denn für einen zwischen Q und A befindlichen Beobachter verkürzen sich zwar die respectiven Wellenlängen und gehen von $\frac{\alpha}{n}$ in $\frac{\alpha - a}{n}$ über, so wie sich für einen Beobachter zwischen Q und B dieselben verlängern und beziehungsweise von $\frac{\alpha}{n}$ in $\frac{\alpha + a}{n}$ übergehen. Allein gerade in demselben Verhältnisse vermindert und vermehrt sich auch die Fortpflanzungsgeschwindigkeit der Wellen, d. h. die kürzeren Wellen gelangen mit geringerer Geschwindigkeit, die längeren mit einer grösseren Geschwindigkeit zum Beobachter, und dies zwar im genauen Verhältnisse zu ihrer Verkürzung und Verlängerung. Dividirt man daher, um die Anzahl der in einer Secunde erfolgten Wellenschläge zu finden, die beziehungsweisen Fortpflanzungsgeschwindigkeiten $(\alpha - a)$ und $(\alpha + a)$ durch die entsprechenden Wellenlängen $\left(\frac{\alpha - a}{n}\right)$ und $\left(\frac{\alpha + a}{n}\right)$, so findet man in beiden Fällen n. — Da die beiden so eben erwähnten Fälle gleichsam die beiden Extreme sind, so bedarf es wohl kaum noch eines eigenen Erweises, dass dies auch für jeden Beobachter an irgend einem anderen Orte des Raumes Statt habe. Hieraus lässt sich nun schliessen, dass weder die Tonhöhe, noch die Farbe durch Luft- und Aether-Strömungen, in welcher Richtung sie auch Statt finden mögen, irgend eine Aenderung erleiden. — Anders verhält sich dies mit der Fortpflanzungsgeschwindigkeit der Schall- und Lichtwellen, mit der Richtung, in der sie beim Beobachter anlangen, und endlich mit der Intensität oder Stärke derselben, wie sogleich gezeigt werden soll. — Was zuförderst die Fortpflanzungsgeschwindigkeit anbelangt, so ist für sich klar, dass diese für einen Beobachter, der sich genau in der Richtung, nach der sich das Medium fortbewegt, befindet, genau um [**298**] den Betrag der Geschwindigkeit des Mediums sich vermindern oder vermehren muss, je nachdem sich der Beobachter zwischen A und Q oder zwischen B und Q befindet. Sie ist also im ersteren Falle $(\alpha - a)$, im zweiten dagegen $(\alpha + a)$. — Um den Betrag derselben auch für einen seitwärts stehenden Beobachter zu finden, hat man auf nachfolgende Betrachtung einzugehen.

Es sei Fig. 2 Q der Ort der Wellenquelle, R jener des Beobachters, und zur Feststellung desselben sei $QR = u$ und $\angle AQR = \varphi$. Ferner sei der Radius derjenigen sphärischen Welle, die in das Ohr oder Auge des Beobachters gelangt, d. i. $OR = r$; t die Zeitdauer, während welcher eine von Q oder beziehungsweise von O ausgegangene zu R gelangte Welle daselbst anlangt, die Geschwindigkeit der Wellenfortpflanzung an sich α, jene des bewegten Mediums a, wobei auch hier wieder $\alpha > a$ vorausgesetzt wird; endlich α' die gesuchte, durch Einfluss des bewegten Mediums modificirte Fortpflanzungsgeschwindigkeit der Wellen, so hat man offenbar wegen:

$$\left\{\begin{array}{l} GR = u \sin\varphi \\ OG = u\cos\varphi + at \end{array}\right. OR = r = \sqrt{u^2 + a^2 t^2 + 2aut\cos\varphi},$$

und da offenbar $r = \alpha t$ ist, durch Gleichstellung sofort:

$$\alpha t = \sqrt{u^2 + a^2 t^2 + 2\, aut \cos\varphi};$$

woraus sich:

$$(1) \qquad t = u \left(\frac{a\cos\varphi + \sqrt{\alpha^2 - a^2\sin^2\varphi}}{\alpha^2 - a^2}\right)$$

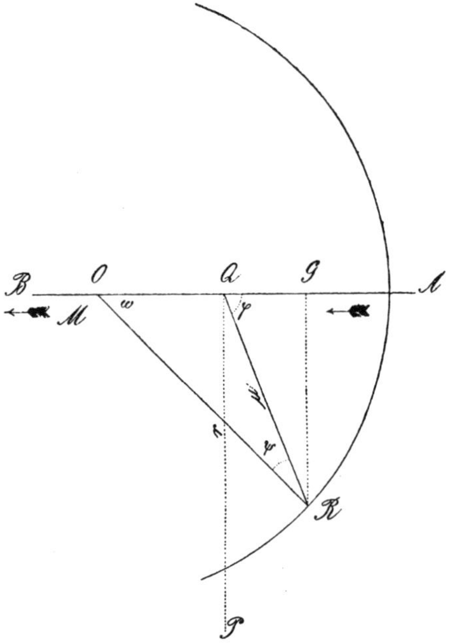

Fig. 2.

ergiebt; und die weitere Beziehung besteht, dass $u = \alpha' t$ und somit $\alpha' = \frac{u}{t}$ ist, daher man mittels (1) erhält:

$$(2) \qquad \alpha' = \frac{\alpha^2 - a^2}{a\cos\varphi + \sqrt{\alpha^2 - a^2\sin^2\varphi}},$$

als Werth für die beziehungsweise Geschwindigkeit, mit der die Schall- und Lichterregung bis nach R fortgepflanzt wird.

Für $\varphi = 0$ und $\varphi = 180^0$ findet man beziehungsweise: $(\alpha - a)$ und $(\alpha + a)$, wie es auch zu Folge der gewöhnlichen Erfahrung sein muss. Für $\varphi = 90^0$ gibt obige Formel: $\alpha' = \sqrt{\alpha^2 - a^2} = \sqrt{(\alpha + a)(\alpha - a)}$, d. h. die Fortpflanzungsgeschwindigkeit von Licht- und Schallstrahlen für jeden im Perpendikel PQ befindlichen Beobachter ist die mittlere geometrische Proportionale zwischen dem Minimum $(\alpha - a)$ und dem Maximum $(\alpha + a)$ derselben.

Noch dürfte es interessant sein, den Radius r derjenigen Wellen zu kennen, die dem Beobachter je nach seinem Standorte zukommen. Man findet hierfür:

$$(3) \qquad r = \alpha u \left(\frac{a \cos \varphi + \sqrt{\alpha^2 - a^2 \sin^2 \varphi}}{\alpha^2 - a^2} \right).$$

Für $\varphi = 0$ und $\varphi = 180^0$ ist also beziehungsweise:

$$r = \frac{\alpha u}{\alpha - a} \text{ und } r = \frac{\alpha u}{\alpha + a}; \text{ für } \varphi = 90^0 \text{ aber } r = \frac{\alpha u}{\sqrt{\alpha^2 - a^2}}.$$

[**299**] Es möge einem der späteren Paragraphen vorbehalten bleiben, von diesen und den nächstfolgenden Formeln eine Anwendung auf Akustik, Optik und Astronomie zu machen.

§ 3.

Um die scheinbare Abweichung oder Aberration des Strahls, veranlasst lediglich durch die Bewegung des Mediums, so wie endlich die Intensität desselben für irgend einen Beobachter zu finden, hat man Nachfolgendes in Betracht zu ziehen.[32])

Vorerst möge jedoch noch ausdrücklich erwähnt werden, dass bei der grossen Unbestimmtheit und Dunkelheit des Begriffes der Richtung eines Lichtstrahls, vermöge der man nicht sagen kann, was denn eigentlich das Maassgebende und Bestimmende bei unserem Urtheil über die Richtung eines Lichtstrahls ist, ohne von anderen Autoritäten hierüber Widerspruch zu erfahren — es mir gerathen scheint, diesen Theil der Untersuchung lediglich in Bezug auf die Schallerregung hier durchzuführen. Die Richtung eines Strahls beim Schalle sieht man insgemein als gleichgeltend an mit der Richtung, nach welcher die Luftmolekel selbst schwingen. — Solange man, wie dies bis hierher geschah, Beobachter, Quelle und Medium im Zustande der Ruhe betrachtete, war diese Definition eine zureichende. Nun aber, da wir in einer Reihe von Abhandlungen eben jenen Einfluss, den eine Bewegung von Beobachter, Quelle oder Medium auf die Schallempfindungen zu erzeugen vermag, einer genaueren Untersuchung unterziehen, müssen wir auf nachfolgende allgemeine Definition übergehen. Unter der Richtung eines Schallstrahls werden wir nämlich verstehen diejenige Richtung, in der das unmittelbar das Ohr eines Beobachters berührende und schwingende Luftmolekel auf dasselbe einwirkt. — Es ist leicht einzusehen, dass die Bewegung des Mediums, d. i. der Luft, sowohl auf die Richtung, in der wir den Schall vernehmen, als auch auf dessen Intensität einen nicht bloss einfachen, sondern doppelten Einfluss übt. Denn einmal bewirkt schon die blosse Fortbewegung des Mittelpunktes der Welle von Q nach O Fig. 2, dass die bei ruhendem Medium stattfindende Richtung QR in jene von OR übergeht und somit sich in Folge der Bewegung um den Winkel ψ ändert. Zugleich muss sich auch wegen veränderter Entfernung vom Mittelpunkte der Wellen, indem QR in OR übergeht, die Intensität des Strahles ändern. Die Bewegung des Mediums ist aber ferner auch noch Ursache, dass die in der bereits veränderten Richtung OR Fig. 3 schwingenden Luftmolekel, da ihnen zugleich eine fortschreitende Bewegung zukommt, auf das Ohr eines Beobachters einen solchen Eindruck machen, wie wenn sie in der Richtung und mit der Stärke von RS schwingen würden. — Nach diesen vorläufigen Bemerkungen gehe ich zur Deduction der entsprechenden Formeln selbst über.

Um die scheinbare Abweichung oder Aberration des Strahls für einen Beobachter in R, Fig. 2, zu bestimmen, suche man vorerst den Winkel ψ, der sich mittels des Dreieckes ORQ finden lässt. Es ist nämlich:

[300] $$\cos\psi = \frac{\overline{RQ}^2 + \overline{OR}^2 - \overline{OQ}^2}{2\,RQ\cdot OR},$$

also durch Substitution der oben gefundenen Werthe:

(4) $$\cos\psi = \left(\frac{\alpha^2 - a^2\sin^2\varphi + a\cos\varphi\sqrt{\alpha^2 - a^2\sin^2\varphi}}{\alpha\,(a\cos\varphi + \sqrt{\alpha^2 - a^2\sin^2\varphi})}\right).$$

Um den weiteren Einfluss des bewegten Mediums auf die Richtung, in der uns die Schallstrahlen anzukommen scheinen, zu ermitteln, wollen wir auf Fig. 3 übergehen. Da es in der Wellenlehre wegen der fast unendlichen Kleinheit der Excursionen der Molekel als erlaubt angesehen wird, die Molekularbewegung mit einer anderen auf das Molekel einwirkenden Kraft nach dem Principe des Kräftenparallelogramms zusammenzusetzen, so sei Fig. 3 $RN = \nu''$ die Geschwindigkeit, mit der das Luftmolekel am Orte seiner Ruhelage schwingt; $RT = a$ die Geschwindigkeit, mit der sich das Medium in angezeigter Richtung bewegt, RS die gesuchte Resultirende, deren Lage gegen den Radius der Welle, d. i. gegen OR, durch den zunächst zu bestimmenden Winkel π festgestellt wird, so ist sofort der ganze Betrag der Aberration offenbar $\psi \mp \pi$. —

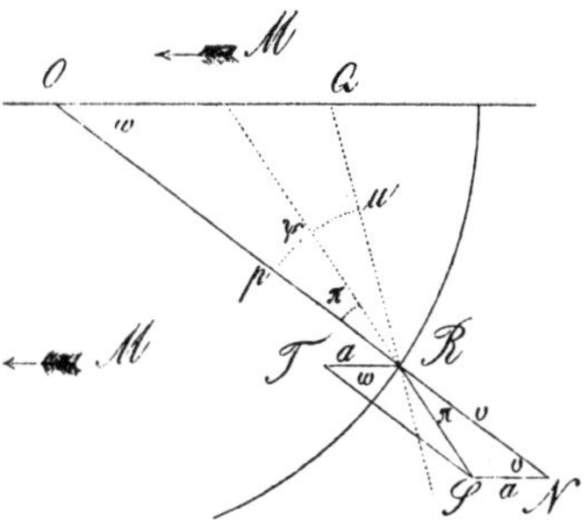

Fig. 3.

Nun findet man auf bekannte Weise:

$$(5) \qquad \operatorname{tang} \pi = \frac{a \sin \omega}{\nu'' - a \cos \omega} = \frac{a \sin(\varphi - \psi)}{\nu'' - a \cos(\varphi - \psi)}, \text{ und}$$

$$(6) \qquad RS = \frac{a \sin \omega}{\sin \pi} = \frac{a \sin(\varphi - \psi)}{\sin \pi}.$$

Bezeichnet man die Geschwindigkeit, mit der die Luftmolekel am Orte R ohne Einfluss der Bewegung von M, d. i. in der Entfernung QR, von der ruhenden Quelle schwingen, mit ν, so geht wegen $\nu'' = \frac{u}{r} \nu$, obiger Ausdruck über in:

$$(7) \qquad \operatorname{tang} \pi = \frac{ar \sin(\varphi - \psi)}{u\nu - ar \cos(\varphi - \psi)}.$$

Da man nun nach Formel (3) und (4) sowohl r wie ψ berechnen kann, aus den bekannten und gegebenen Stücken α, a, φ und u, so lässt sich sofort nicht nur nach (7) die Gesammt-Aberration $\Phi = \psi \mp \pi$ leicht ermitteln, sondern der Werth RS giebt auch den Werth der vollständigen objectiven Intensität J. Man findet nämlich aus bekannten Gründen:[33])

$$(8) \qquad J = \left(\frac{a \sin(\varphi - \psi)}{\sin \pi}\right)^2.$$

Die Anwendung dieser Formeln auf jeden speciellen Fall unterliegt demnach nicht der geringsten Schwierigkeit. — Eben so begreiflich ist, dass sämmtliche hier abgeleitete Formeln auch auf das Licht ihre ungeschmälerte Anwendung finden würden, falls man beim Aether longitudinale Schwingungen als die Richtung des Lichtstrahls bedingend voraussetzen dürfte.

[**301**] § 4.

Ich komme nun zur Betrachtung des zweiten Hauptfalls, der an sich zwar auf nicht minder interessante Ergebnisse führt, in Beziehung auf Anwendung jedoch dem früher besprochenen jedenfalls nachsteht, da er sich auf eine Voraussetzung stützt, die beim Aether oder der Luft wohl schwerlich jemals Statt haben dürfte, wohl aber um so häufiger bei den tropfbaren Flüssigkeiten. Da wir jedoch im gegenwärtigen Aufsatze uns hauptsächlich die Erforschung des wahren Sachverhaltes beim Schalle und beim Lichte zum Vorwurfe gemacht haben, so wird es erlaubt sein, uns hier etwas kürzer zu fassen.

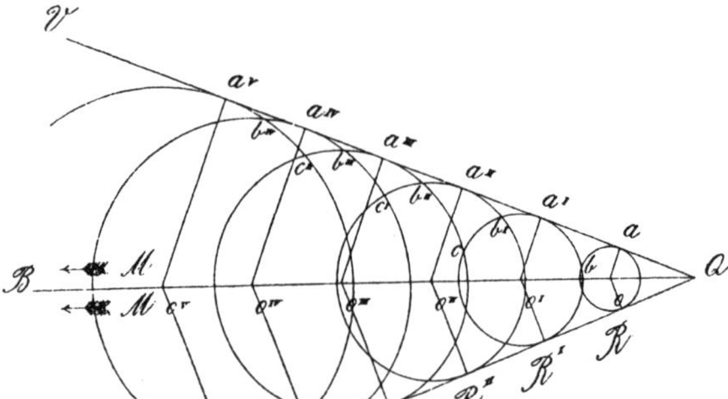

Fig. 4.

Die erwähnte Voraussetzung besteht nun darin, dass die Geschwindigkeit, mit der sich das Medium fortbewegt, jene der Wellenfortpflanzung übertrifft, d. h. dass $a > \alpha$ ist. Ist in Fig. 4 diesfalls Q der Ort der Wellenquelle, und bewegt sich das Medium M in angezeigter Richtung mit einer grösseren Geschwindigkeit, als jene ist, mit der die Fortpflanzung der Wellen vor sich geht: so begreift man leicht, dass sich die Wellenerzeugung nur auf den Winkelraum UQV beschränkt (oder genauer gesprochen, auf den Kegelraum, den der Winkel UQV bei seiner Drehung um die Axe QB beschreibt), und dass somit für jeden ausserhalb desselben befindlichen Beobachter die Wellenquelle so gut wie gar nicht vorhanden ist, befände sich derselbe selbst auch noch so nahe bei einer der Bewegungslinien UQ oder VQ. Nur für einen Beobachter innerhalb des Winkelraums findet eine Wahrnehmung von Q statt, verbunden jedoch mit geringerer oder grösserer Aberration. Die Richtigkeit des Gesagten leuchtet daraus ein, dass die Wellen, während

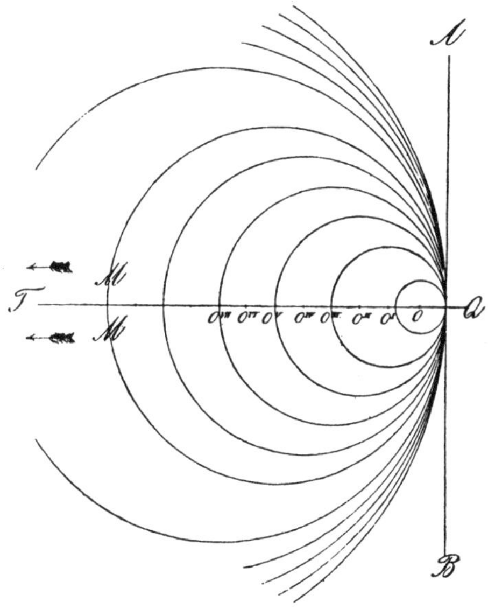

Fig. 5.

sie unabhängig von der Bewegung des Mediums entstehen und sich, ohne im Geringsten eine Störung zu erfahren, weiter ausbilden, nichts desto weniger von dem bewegten Mittel mitfortgeführt werden, und dies zwar mit einer Geschwindigkeit, die jene, mit der die Welle sich gegen den Ort der Wellenquelle ausbreitet, übertrifft. Dies verlangt die Voraussetzung, dass $\alpha < a$. — Der Winkel $UQV = 2\varphi$ bestimmt sich mittels der Gleichung $\sin\varphi = \frac{\alpha}{a}$; woraus sich $\varphi = \text{arc sin}\,\frac{\alpha}{a}$, und somit $UQV = 2$ arc sin $\frac{\alpha}{a}$ ergiebt. Da zu Folge der Voraussetzung $\alpha < a$ sein soll, so muss diesfalls $UQV < 180^0$ sein, und nur für den noch zulässigen Grenzwerth $\alpha = a$ erhält man $UQV = 180^0$. Diesem Fall entspricht die Fig. 5, wo also diesseits AB keine Wellenfortpflanzung statt findet. Ist die Anzahl der in einer Secunde ausgesendeten Wellen sehr gross, so verschmelzen die Tangentialpunkte a, a', a'', a''' ... sowohl wie die Durchkreuzungsstellen b, b', b'', b''' ... und c, c' c'', c''' ... zu einem Systeme stehender Wellen, wie sie in Fig. 6 dargestellt sind.[34]) — Bei allen bisher angestellten Betrachtungen

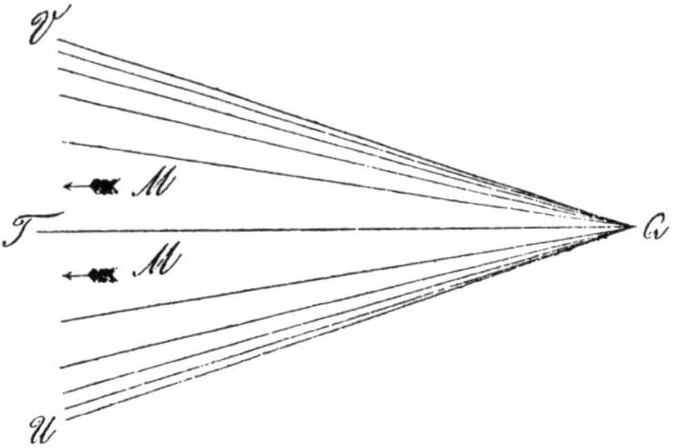

Fig. 6.

ging man von der Voraussetzung aus, dass Beobachter und Wellenquelle ihre relative Lage zu einander nicht ändern und sich zugleich in Ruhe befinden, während das Fortpflanzungsmedium allein in einer fortschreitenden, und zwar geradlinigen Bewegung begriffen ist. Nach rein phoronomischen Grundsätzen lässt sich sofort unter den hier statthabenden Voraussetzungen noch weiter behaupten, [**302**] dass ganz dasselbe erfolgen müsse, wenn zwar das Fortpflanzungsmittel der Wellen in absoluter Ruhe, Beobachter und Wellenquelle dagegen, ohne jedoch ihre wechselseitige Lage zu einander im Geringsten zu ändern, in einer gleichen, jedoch entgegengesetzten Bewegung sind. Auch wurde hierbei, wie dies auch beim Schall und Licht wirklich der Fall ist, angenommen, dass diese Bewegung eine gleichförmige sei. In wie fern die hier gefundenen Resultate eine Abänderung erleiden, wenn diese Bewegung eine ungleichförmige, beschleunigte oder abnehmende ist, soll in der Folge noch kurz angedeutet werden. Früher jedoch wollen wir noch dem Umstand einige Aufmerksamkeit schenken, wo die Geschwindigkeit zwar eine gleichförmige, die beschriebene Bahn dagegen des bewegten Mediums oder des Systems von Beobachter und Quelle keine geradlinige ist.

§ 5.

Nicht nur von der Luft, sondern auch vom Aether lässt sich mit Grund vermuthen, dass dieser wie jene öfters in einer Bewegung begriffen ist, die von einer geradlinigen bedeutend

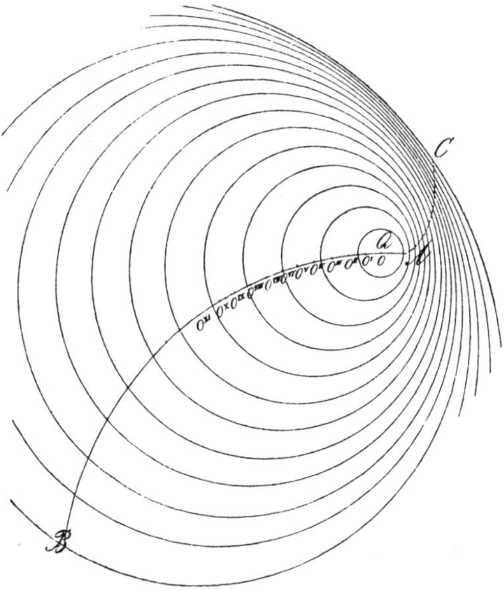

Fig. 7.

abweicht. Noch viel häufiger dagegen ist zwar die Luft oder der Aether als in Ruhe begriffen vorauszusetzen, während Beobachter und Wellenquelle, ohne ihre wechselseitige Lage zu einander zu ändern, in irgend einer krummlinigen Bahn sich zugleich fortbewegen. Dass der letztere Fall als phoronomischer Gegensatz des ersteren mit diesem zugleich seine Erledigung findet, bedarf bei der ohnedies hier vorliegenden Beschränkung kaum noch einer ausdrücklichen Erwähnung.

Ist die Luft oder der Aether in einer krummlinigen Bewegung begriffen, deren Bahn in den betreffenden Figuren Fig. 7, Fig. 8 und Fig. 9 durch die Linie AB angedeutet ist, so ordnen sich die betreffenden Wellen in einer Weise an, die für den Fall wenn $\alpha > a$ ist, durch Fig. 7, dagegen wenn $\alpha < a$ ist, durch Fig. 8 dargestellt ist. Ist dagegen $\alpha = a$, so entspricht dieser Anordnung die Fig. 9. — In Fig. 7 bezeichnet QC noch überdies die Linie, in der sowohl die Fortpflanzungsgeschwindigkeit der Wellen als auch die Intensität des Strahls nach Maassgabe der Entfernung von der Quelle

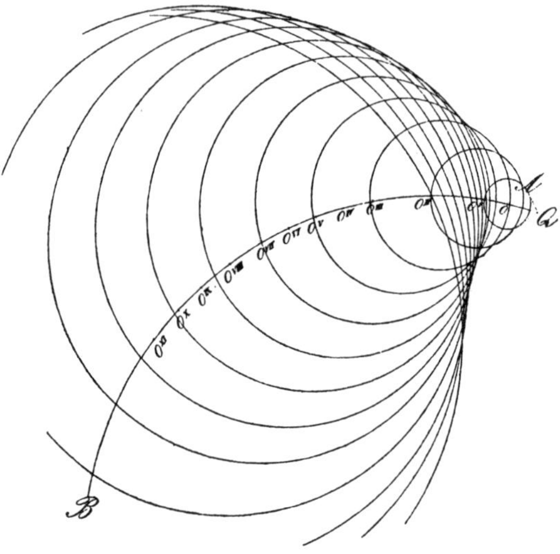

Fig. 8.

ein Minimum ist.[35] Zu nicht minder interessanten Ergebnissen gelangt man endlich, wenn die vorausgesetzte Bahn AB eine in sich zurückkehrende oder geschlossene Curve, z. B. ein Kreis ist. Hier zeigt es sich z. B., dass für $\alpha > a$ die Curve QC der kleinsten Fortpflanzungsgeschwindigkeit, die zugleich auch die der geringsten Intensität ist, eine Spirale bildet, deren Pol der anfängliche Ort der Quelle, d. i. Q ist. Eine ausführlichere Discussion dieser verschiedenen Fälle möge jedoch als ausserhalb unseres gegenwärtigen Vorwurfs gelinde hier unterdrückt werden.

Dagegen mögen einer nachherigen Anwendung wegen den wichtigsten der bisherigen Sätze noch diejenigen Modificationen

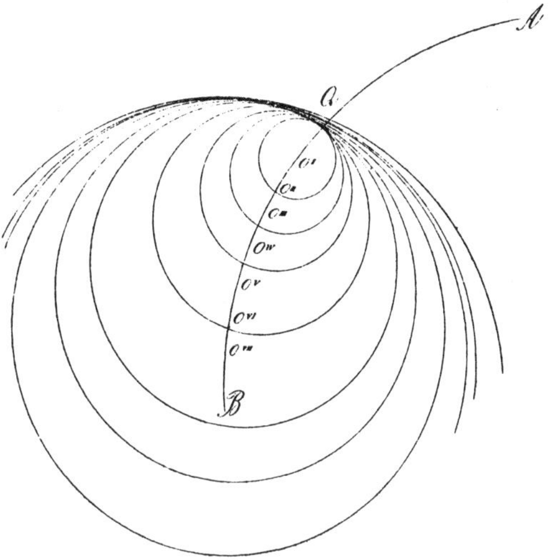

Fig. 9.

zu Theil werden, wodurch sie auch auf die tropfbaren Flüssigkeiten, als deren gewöhnlicher Repräsentant das Wasser angesehen wird, eine ungeschmälerte Anwendung finden.

[**303**] § 6.[36])

Bei der Luft und dem Aether als Fortpflanzungsmittel der Schall- und Lichtstrahlen nehmen ausnahmslos alle Gelehrten an, dass die Fortpflanzungsgeschwindigkeit eine gleichförmige sei. Bei tropfbaren Flüssigkeiten, z. B. dem Wasser, dagegen wird dies fast in Abrede gestellt, und obgleich die genaueren Untersuchungen hierüber noch keineswegs geschlossen sind, so stimmen doch die meisten Gelehrten darin überein, dass die Geschwindigkeit, mit der sich die Wasserwellen scheinbar fortbewegen, im Allgemeinen ungleichförmig sei. Nach den schätzbaren und umfassenden Versuchen der Gebrüder *Weber* ist diese Bewegung eine abnehmende (siehe *Gehler*'s physikalisch. Wörterbuch Bd. 10, pag. 1294), wie wir dies ja schon aus dem Umstande unwiderleglich entnehmen können, dass laut Erfahrung eine in einiger Entfernung vom Mittelpunkte später erzeugte Welle die erstere einholt, was unmöglich wäre, wenn die Geschwindigkeit, mit der dieselbe Welle sich fortpflanzt, beschleunigt wäre*). Auch haben weitere Versuche gezeigt, dass insbesondere die Breite und Höhe der Welle auf das absolute Maass der Geschwindigkeit den bedeutendsten Einfluss äussern. Es sind mehrere Gründe vorhanden, die es wahrscheinlich machen, dass das Quadrat des zurückgelegten Weges zu der hierzu verwendeten Zeit in einem constanten Verhältnisse stehe. Dieser wesentliche Unterschied zwischen expansiblen und tropfbaren Flüssigkeiten muss nun auch ein abweichendes Ergebniss der Untersuchung bedingen, und es lässt sich vorhersehen,

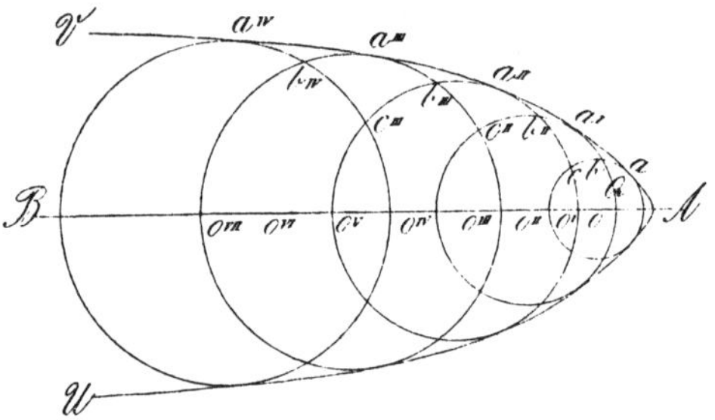

Fig. 10.

dass z. B. in Fig. 4 die die stehenden Wellen UQ und VQ repräsentirenden Linien nicht mehr gerade sein werden. Um nun vor Allem die entsprechende Begrenzungscurve der Wellenerregung VAU Fig. 10 zu bestimmen, sei O^{IV} der Mittelpunkt derjenigen Welle, die der Zeit t entspricht, der Abstand des Mittelpunktes $O^{IV}Q$ vom Orte der Quelle sei d: so ist, wenn a die Geschwindigkeit des bewegten Mediums bedeutet, offenbar $d = at$. Der Radius r des Kreises dagegen ist nach dem Obigen durch den Ausdruck $r = \sqrt{mt}$ gegeben. Zählt

*) Mit diesen von *Weber* auf dem Wege unmittelbarer Beobachtung gefundenen Ergebnissen steht in directem, aber schwer begreiflichem Widerspruche das Resultat von *Cauchy*'s Calcul. — *Cauchy* sagt ausdrücklich (siehe *Gehler*'s physikalisches Wörterbuch, Bd. 10, pag. 1363): »dass die Geschwindigkeit jeder Welle eine beschleunigte sei, und die von einer solchen durchlaufenen Räume sich wie die Quadrate der hierzu verwendeten Zeiten verhalten.« — Wie sollte es da möglich sein, dass eine später erzeugte Welle die früher erzeugte sogar noch überholt? —

man von Q die Abscissen, so ist die Gleichung der genannten Welle offenbar:

$(at - x)^2 + y^2 = mt$; und eliminirt man aus ihr mittels ihres Differentials: $2(at - x)a = m$, die Grösse t, so findet man sofort:

(9) $y^2 = \frac{m}{a}x + \frac{m^2}{4a^2} = \frac{m}{a}\left(x + \frac{m}{4a}\right)$ als Gleichung der Curve VAU Fig. 10. Es ist diese Curve demnach eine Parabel, die jedoch ihren Scheitel nicht in Q, als dem Orte der Quelle, sondern von diesem um $\frac{m}{4a}$ abstehend in A hat. Folgen die Wellen ferner schnell genug [**304**] auf einander, so bilden sie, wie in Fig. 6, ein System stehender Wellen, in einer Anordnung, wie sie Fig. 11 darstellt.

Wegen $r = \sqrt{mt}$ und $r = \sqrt{u^2 + a^2t^2 + 2aut\cos\varphi}$, (S. § 2), findet sich durch Gleichstellung dieser Werthe:

$$(10)\quad t = \frac{m - 2au\cos\varphi \pm \sqrt{m^2 - 4aum\cos\varphi - 4a^2u^2\sin^2\varphi}}{2a^2},$$

und da $\alpha' = \frac{u}{t}$ ist, noch:

$$(11)\quad \alpha' = \frac{2a^2u}{m - 2au\cos\varphi \pm \sqrt{m^2 - 4aum\cos\varphi - 4a^2u^2\sin^2\varphi}},$$

welches der Ausdruck für die Fortpflanzungs-Geschwindigkeit der Wellen unter obiger Voraussetzung ist.

Wäre dagegen die Fortpflanzungsgeschwindigkeit der Wellen nicht wie oben durch die Zeitgleichung $r = \sqrt{mt}$, sondern durch $r = nt \pm \sqrt{mt}$ gegeben, so erhielte man ein System von stehenden Wellen, wie sie durch Fig. 12 dargestellt sind.

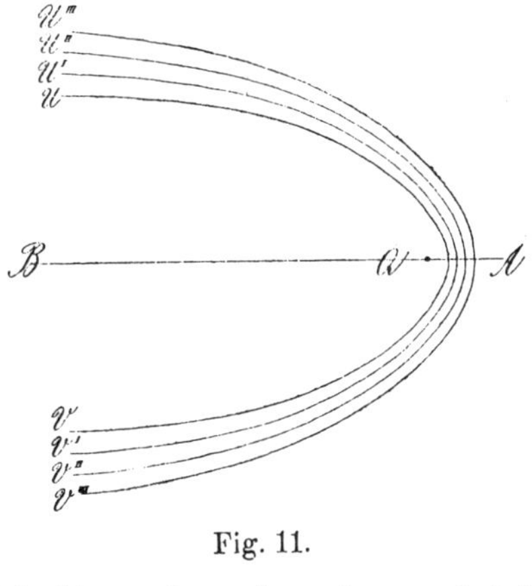

Fig. 11.

Es scheint zweckdienlich, hier zu bemerken, dass auch bei einer gleichförmigen Geschwindigkeit der sich ausbreitenden

Wellen, wenn sich dagegen Wellenquelle und Beobachter nach der Zeitgleichung $r = \sqrt{mt}$ oder $r = nt + \sqrt{mt}$ bewegen, in ganz gleicher Weise Wellensysteme, wie sie in Fig. 11 und Fig. 12 dargestellt sind, erzeugt werden müssen. Es können demnach auch in der Luft und im Aether derlei Erscheinungen vorkommen, sobald als eine Licht- oder Schallquelle sich mit einer ungleichförmigen Geschwindigkeit in ihrem Mittel bewegt.

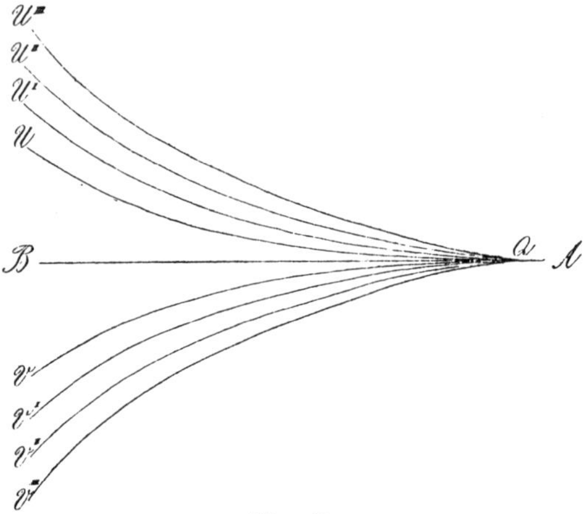

Fig. 12.

Ob endlich solche stehende Wellen, wenn auch vielleicht nicht im Wasser; doch in ausdehnsamen Medien, wie z. B. der Luft und dem Aether, für sich selbst wieder zu einer Quelle neuer Wellen, und dadurch hörbar und sichtbar zu werden vermögen, mag dahingestellt bleiben.

§ 7.

Die hier angestellten Betrachtungen und gefundenen Resultate gestatten, wie es mir däucht, eine mehrfach nützliche Anwendung, und es ist nicht zu zweifeln, dass sich diese noch bedeutend vermehren wird, sobald man den hier nur in flüchtigen Umrissen angedeuteten Stoff einer umfassenderen und auch noch gründlicheren Untersuchung unterzogen haben wird. Um hierzu einigermassen anzuregen, möge einiger Fälle dieser Art, die mir eben beifallen, hier in Kürze gedacht werden.

1. Anwendung. Wenn man die Oberfläche eines fliessenden Wassers mit einer Spitze (gleichviel von oben oder von unten) berührt, oder bei ruhendem Wasser mit einer solchen Spitze der Länge nach hinfährt, so bildet sich alsogleich ein System von stehenden [**305**] Wasserwellen, die mit jenen in Fig. 11 dargestellten vollkommen übereinstimmen. Diese Erscheinung, wiewohl fast Jedermann bekannt, wurde gleichwohl erst von *Poncelet* (S. *Annales de Chimie et de Physique, Tome* 46, p. 5) zur Sprache gebracht, und von *Fechner* (S. dessen Repertorium der Experimentalphysik, Bd. I. pag. 102) dem deutschen Publicum mit dem Wunsche bekannt gegeben, dass für diese merkwürdige Erscheinung eine mathematische Erklärung gesucht werden möge. Auch spricht der Verfasser die Absicht aus, sich künftig mit diesem interessanten Gegenstande beschäftigen zu wollen. Ob dies bis jetzt geschehen, weiss ich mit Bestimmtheit nicht zu sagen. — Es bleibt nun dem sachkundigen Leser überlassen, zu entscheiden, ob ich so glücklich war, durch die Betrachtungen des § 6 eine solche mathematische Erklärung dieser Erscheinung zu bieten.[37])

2. Anwendung. Bekanntlich ist der Einfluss der Luftströmungen auf die Fortpflanzungs-Geschwindigkeit des Schalls und auf dessen Intensität lange Zeit hindurch ein Gegenstand der eifrigsten Untersuchungen und vielfach angestellter Versuche gewesen, und man wird eingestehen, dass man selbst heut zu Tage rücksichtlich beider Punkte nicht einmal in dem einfachsten Falle, wenn nämlich der Beobachter selbst sich in der Windrichtung befindet, völlig ins Reine gekommen sei, geschweige denn erst, dass man auch jene Fälle in Berücksichtigung gezogen hätte, wo der Beobachter sich seitwärts von jener Windrichtung befindet. Diese Lücke glaube ich nun durch die Betrachtungen des § 2 und § 3 und durch Aufstellung der Formeln (1), (2), (3), (4) — (8) ausgefüllt zu haben, wobei überdies auf die hier sich unfehlbar einstellende akustische Aberration und einige andere Umstände eingegangen wurde.

3. Anwendung. Es ist schon im Eingange dieser Abhandlung erwähnt worden, dass es für höchst wahrscheinlich, wo nicht für gewiss anzunehmen sei, dass sich im Weltraume Aetherströmungen der mannigfaltigsten Art vorfinden müssen, daher auch zu erwarten steht, dass man in der Folgezeit bei noch sorgsamerer Durchforschung der Himmelsräume auf solche Erscheinungen stossen wird. Aber auch abgesehen von diesen Strömungen des Aethers, bedingt ja schon jede gleichzeitige

Bewegung von Lichtquelle und Beobachter einen derartigen Einfluss auf die Beobachtung. Beim Monde und seinem Hauptplaneten, der Erde, ist freilich dieser Einfluss bei einer Geschwindigkeitsdifferenz von kaum 9 Meilen in der Secunde viel zu unbedeutend, als dass wir ihn noch zur Wahrnehmung bringen könnten. Bezüglich der Sonne aber und der Erde verhilft uns die oben angestellte Betrachtung, wenn auch nicht zu einer positiven Erkenntniss, so doch zu einem sicheren Ausspruche über das, was nicht Statt haben kann. Es wird bekanntlich von den Astronomen unserer Zeit für sehr wahrscheinlich erachtet, dass unserer Sonne zugleich mit ihren Planeten eine eigene fortschreitende Bewegung im Weltraume zukomme, und erfahrungsgemäss findet eine solche auch bei den meisten übrigen Fixsternen Statt. Es sind sehr triftige Gründe vorhanden, die zu der Annahme berechtigen, dass die absoluten Geschwindigkeiten, mit denen sich diese Himmelskörper bewegen, unter sich höchst verschieden und bei einigen wohl sehr erheblich [**306**] sein mögen. Wie gross nun diese Geschwindigkeit bei unserer Sonne sei, liess sich bisher nicht einmal ihrer oberen oder unteren Grenze nach bestimmen. Die oben gepflogenen Betrachtungen aber dürften hier in der That ein Mittel darbieten, zu einer Grenze, welche die Geschwindigkeit der Sonne jedenfalls nicht überschreiten kann, zu gelangen. Die Geschwindigkeit unserer Sonne nämlich kann in keinem Falle so bedeutend sein, dass sie mit der Fortpflanzungsgeschwindigkeit des Lichtes in irgend einen Vergleich kommt, da uns sonst die Sonne regelmässig in zwei durch ein halbes Jahr getrennten Zeitpunkten merklich verschieden leuchtend, einmal intensiver, einmal weniger intensiv, erscheinen müsste. Indem nun Schreiber dieses hier zunächst die Absicht gehabt hat, auf Untersuchungen der hier besprochenen Art aufmerksam zu machen, hofft er, dass auch noch Erscheinungen von grösserer Erheblichkeit sich hierdurch erklären lassen werden.

[270] VIII.

Einige weitere Mittheilungen und Bemerkungen, meine Theorie des farbigen Lichtes der Doppelsterne etc. betreffend.

(Poggendorff's Annal. Bd. 81, 1850.)

Meine Theorie des Einflusses der Bewegung auf die Höhe der Töne in akustischer und auf das farbige Licht der Gestirne in optischer Beziehung hat, wie dies vermuthlich der Mehrzahl der verehrlichen Leser dieser Zeitschrift bereits bekannt sein dürfte, seit ihrer ersten Bestätigung durch Herrn Dr. *Ballot* im Juni 1845 mittels directer Versuche auf der Eisenbahn zwischen Utrecht und Maarsen in neuerer Zeit sich einer mehrfachen directen und indirecten Prüfung und Erhärtung in England, Frankreich und Italien zu erfreuen gehabt, deren Resultate mich zu nachfolgenden Mittheilungen und Bemerkungen veranlassen.

[271] M. *Scott Russel*, einer der vielen ausgezeichneten Physiker Englands, hat nach Mittheilungen, die ich hauptsächlich Herrn *Moigno*'s *Répertoire d'optique moderne*, Paris 1850 entnehme, unlängst auf den Eisenbahnen Englands akustische Versuche in dieser Beziehung angestellt und Resultate gewonnen, welche, ständen sie selbst theilweise jenen des Herrn *Ballot* an Genauigkeit nach, dennoch der ausserordentlichen Geschwindigkeit der Locomotivbewegung wegen, bei der sie angestellt wurden, die höchste Beachtung verdienen und als in einem hohen Grade entscheidend angesehen werden müssen. Nach Herrn *Scott Russel*'s eigener Angabe war diese Geschwindigkeit zwischen 50—80 engl. Meilen in der Stunde. Der Erfolg der angestellten Versuche war aber auch dieser

Geschwindigkeit entsprechend, nämlich ein ganz und gar unzweifelhafter und mit meiner Theorie vollkommen übereinstimmender. Ueberall und stets wurde der kommende Ton bedeutend höher, der gehende bedeutend niedriger vernommen, als der bei stillstehender Tonquelle oder stationärem Beobachter. Zugleich macht Herr *Scott Russel* auf den auffallenden und leicht zu beobachtenden Tonunterschied aufmerksam, wo ein Beobachter den directen und den von einer Wand, etwa der Façade eines Tunnels reflectirten Ton zugleich vernimmt. M. *Scott Russel* hat diese seine gemachten Beobachtungen, welche sich auf Töne von sehr verschiedenen Höhen bezogen zu haben scheinen, ohne meiner darauf bezüglichen Leistungen auch nur im Vorbeigehen zu erwähnen, der *British Association* mitgetheilt und eine Erklärung beigefügt, welche fast wörtlich meiner Abhandlung entnommen ist*).

Der Verfasser des *Répertoire d'optique* nennt dies *»une triste ignorance ou une injustice impardonnable«*. Ich meines [**272**] Theils erlaube mir bloss in Erinnerung zu bringen, dass meine, diesen Gegenstand betreffende Abhandlung bereits schon im Jahre 1842 im Druck erschien, dass das in derselben aufgestellte akustische Theorem, wie bekannt, bereits schon vor mehr als 5 Jahren durch Dr. *Ballot*'s dankenswerthe Versuche constatirt, und dass seit eben dieser Zeit meine Theorie ein Gegenstand vielseitiger Discussionen in Zeitschriften geworden ist, und zwar nicht bloss in Deutschland und Italien, sondern auch in Belgien und Frankreich. Dies zur Wahrung meiner Prioritätsrechte!

Eine weitere Bestätigung auf anderem, und zwar rein experimentellem Wege ist meiner Theorie in neuester Zeit in Frankreich durch den ebenso ausgezeichneten Physiker wie glücklichen Experimentator Herrn *Hippolite Fizeau* in Paris zu Theil geworden.[38]) Herr *Fizeau* hat gleichsam durch Umkehrung des Princips, auf welchem *Savart*'s gezahntes Rädchen beruht, einen Apparat construirt, mittels welchem er Resultate gewonnen haben soll, welche meine Theorie vollkommen bestätigen. In akustischer Beziehung dürfte nunmehr meine Theorie wohl so ziemlich als ausser Zweifel gestellt anzusehen sein, nicht

---

*) Auch Herr *Ch. Montigny* in Namur befindet sich in demselben Falle. Auf Veranlassung der Versuche des Herrn *Russel* hat er ähnliche, mit gleichem Erfolge wie dieser, angestellt, ohne indess dabei der Herren *Buys Ballot* und *Doppler* im Geringsten zu erwähnen. Man sehe *Bullet. de l'acad. de Bruxelles* 1848. Pt. II, p. 378. (Poggendorff.)

in gleichem Grade aber auch in optischer. Mit dem Lichte lässt sich nun einmal, seiner ungemein grossen Fortpflanzungsgeschwindigkeit und der ausserordentlichen Kleinheit der Wellenlängen wegen, wenigstens in der hier in Rede stehenden Beziehung unmittelbar nicht experimentiren, da Geschwindigkeiten, wie sie hier in Betracht kommen, auf Erden sich füglich nicht erzeugen lassen, und wir sehen uns demnach nur auf die Bewegungen der leuchtenden Himmelskörper selber angewiesen, mit denen wir zwar gleichfalls keine Versuche anstellen, wohl aber sie unter verschiedenen uns bekannten Umständen beobachten können.

Ich habe eine bedeutende Anzahl solcher von Anderen zu ganz anderen Zwecken gemachter Beobachtungen, welche ganz für die Anwendbarkeit meiner Theorie auch auf gewisse Erscheinungen des Lichtes sprechen, zusammengestellt und bekannt gemacht und bei dieser Gelegenheit wiederholt [**273**] den Wunsch ausgesprochen, dass auch Andere sich bei dieser wissenschaftlichen Angelegenheit betheiligen möchten, da nach der Natur der Sache nur durch vereinte Kräfte hierin etwas Bedeutendes erzielt werden könne. Meine diesfallsigen Wünsche blieben auch nicht unerfüllt. Herr *Sestini*, Astronom am *Collegio Romano* zu Rom, hat, wie er selbst sagt, auf Veranlassung meiner kleinen Schrift über das farbige Licht der Doppelsterne, welche ihm zugekommen war, sich unter theilweiser Mithilfe des Herrn *Ignazio Cugnoni* und seines Collegen *Antonio Gross*, welchen letzteren er jedoch bald durch den Tod verlor, sich der mehrjährigen gewiss nicht unbedeutenden Mühe unterzogen, eine sorgfältige, bis dahin in dieser Absicht noch niemals unternommene Durchmusterung des gestirnten Himmels und eine genaue Bestimmung der Farbe des Lichtes der einzelnen Fixsterne vorzunehmen. Er legt nunmehr die Resultate seiner verdienstlichen Beobachtungen in zwei Memoiren*) dem astronomischen Publicum vor, und es gewährt mir keine geringe Genugthuung, das Ergebniss seiner sorgfältigen Forschungen als mit meiner Theorie im schönsten Einklang stehend erklären zu können. Es können diese Resultate in nachfolgenden Punkten zusammengefasst werden:

---

*) *Memoria sopra i colori delle stelle del catalogo di Baily, osservati dal P. Benedetto Sestini.* Roma 1845; und *Memoria seconda intorno ai colori delle stelle del catalogo di Baily osservati dal P. Benedetto Sestini.* Roma 1847.

1. Die Farbe des Lichtes der Fixsterne, welche keine Doppel- oder mehrfachen Sterne sind, ist ganz gegen die bisherige Meinung der Mehrzahl der Astronomen, die gemeinhin nur den letzteren farbiges Licht zuerkannten, nicht bei allen die weisse und ebenförmig die gelbe, sondern es finden sich unter diesen Sterne in gar nicht unbeträchtlicher Menge von oranger, grüner, blauer und violetter Farbe mit allen möglichen Nüancirungen vor. — Die Sterne von gelblichem Lichte mit theilweise schwacher farbiger Nüancirung machen beiläufig die Hälfte von allen aus; — solche [**274**] von weissem Lichte betragen ungefähr $\frac{1}{5}$, und jene von oranger Farbe etwas über $\frac{1}{5}$, so also, dass für die übrigen Farben nur ein schwaches $\frac{1}{10}$ von allen übrig bleibt.

2. Ganz gegen alles Vermuthen finden sich ferner diese farbigen Sterne durchaus nicht über das ganze sichtbare Himmelsgewölbe gleichförmig und noch viel weniger bezüglich der einzelnen Farben in gleichem Verhältnisse vertheilt vor, sondern es hat in dieser Beziehung ein auffallender und höchst beachtenswerther Unterschied statt. — Eine genaue von Herrn *Sestini* selber angestellte Vergleichung zeigt nämlich:

α) dass die weissen Sterne am häufigsten in der nördlichen Himmelshälfte, und zwar beiläufig zwischen 60—90° nördlicher Breite sich vorfinden, die südlichen Gegenden dagegen daran sehr arm sind;

β) dass die bei weitem meisten Sterne mit farbigem Lichte innerhalb einer Zone liegen, welche beiläufig von 30° nördlicher bis zu 30° südlicher Breite reicht. Hier muss berichtigend hinzugefügt werden, dass man sich durch eine Einsicht in den seinen Memoiren beigefügten Catalog leicht davon überzeugt, dass dieser Gürtel nichts weniger als mit dem Himmels-Aequator parallel läuft;

γ) dass ferner auf der nördlichen Hälfte dieser Zone verhältnissmässig die meisten blauen und violetten, in der südlichen dagegen die meisten orangen und rothen Sterne sich vorfinden;

δ) dass es weiter von allen Partien des gestirnten Himmels keine giebt, an welcher im Vergleich zu den daselbst befindlichen anderen Sternen so viele blaue und violette Sterne vorkommen als jene, wo sich das Sternbild des Herkules befindet. Nun aber ist es bekannt, dass nach *Herschel*'s und *Argelander*'s Untersuchungen unser Planetensystem mit der Sonne als seinen Centralkörper aus der südlichen in die nördliche Hemisphäre, und zwar ungefähr in der Richtung vom Flusse Eridanus gegen das Sternbild des Herkules hin sich bewegt. Es erscheint demnach [**275**] nur als eine nothwendige Consequenz meiner aufgestellten Theorie, dass die südliche Himmelshälfte verhältnissmässig mehr orange und rothe, die nördliche dagegen mehr blaue und violette Sterne zählen müssen, sowie insbesondere die Gegend, wo sich beiläufig Herkules befindet, von allen die meisten blauen und violetten enthalten müsse. Aus gleichem Grunde muss auch die südliche Himmelshälfte bedeutend ärmer an Sternen geringerer Grösse sich zeigen als die nördliche. — Ich habe in meiner früheren Abhandlung des letzteren Umstands ausdrücklich, des vorhergehenden wenigstens andeutungsweise erwähnt, und die Beobachtung hat meine, wie es mir schon damals schien, gegründeten Vermuthungen nicht zu Schanden werden lassen.

3. Das farbige Licht der einfachen oder der als solche geltenden Fixsterne ist gleich jenem der Doppel- und mehrfachen Sterne höchst wahrscheinlich einer Aenderung unterworfen, die jedoch von einer viel längeren Dauer ist als jene bei den bisher bekannten Doppelsternen. Für diese Ansicht sprechen, wenn auch nur wenige, doch gut constatirte Beobachtungen. Neben den bereits bekannten auffallenden Farbenänderungen des Sirius, führt Herr *Sestini* neuerlich noch die des Sternes β in den Zwillingen an, welcher Stern im Almagest als roth bezeichnet wird, während ihn doch heut zu Tage Jedermann zu den entschieden weissen rechnet.

4. Endlich hat Herr *Sestini* durch seine Beobachtungen, verbunden mit einer sorgfältigen Vergleichung früherer darauf bezüglicher Angaben, die Anzahl der bereits schon bekannten an Farbe veränderlicher Doppelsterne noch um mehrere vermehrt, wie dies aus seinem Memoire von 1845 pag. 11 und aus jenem von 1847 pag. 10 zu ersehen ist. — Dies sind nun jene Mittheilungen und Bemerkungen, deren öffentliche Besprechung ich mir und der in Rede stehenden wissenschaftlichen Angelegenheit schuldig zu sein glaubte.

[371] IX.

Weitere Mittheilungen, meine Theorie des farbigen Lichtes der Doppelsterne betreffend.

(Poggendorff's Annal. Bd. 85, 1852.)

Vor etwa anderthalb Jahren hatte ich das naturwissenschaftliche Publikum auf zwei Memoiren des Hrn. *Benedetto Sestini* damaligen Astronomen am *Collegio Romano* zu Rom, aufmerksam gemacht, welche eine reiche Sammlung von neuen Beobachtungen über das farbige Licht der Fixsterne enthielten, und von denen das eine im Jahre 1845, das zweite im Jahre 1847 zur Publicität gelangte. Es hatte nämlich dieser verdiente Astronom aus Veranlassung meiner kleinen Abhandlung: »Ueber das farbige Licht der Doppelsterne u. s. w.,« welche ihm bald nach ihrem Erscheinen zugekommen war, unter theilweiser Mithilfe des Hrn. *Ignazio Cugnoni* und seines Collegen *Antonio Gross*, aus reinem Interesse für die Wissenschaft, sich der gewiss nicht unbedeutenden, mehrjährigen Mühe unterzogen, eine sorgfältige Durchmusterung und Abaichung des gestirnten Himmels und eine genaue Bestimmung der Farbe des Lichtes der einzelnen Fixsterne, worauf man bis dahin wenig Gewicht gelegt, vorzunehmen. Meine Theorie, die ich als dem wissenschaftlichen Publikum bereits hinreichend bekannt voraussetzen darf, führt nämlich mit Nothwendigkeit zu der Folgerung, dass, wie auch immer [372] die ursprüngliche und eigenthümliche Farbe des Lichtes der Fixsterne beschaffen sein möge, diese Farbe für die Wahrnehmung jedenfalls eine Aenderung dann erfahren muss, wenn diese Himmelskörper in eine sehr schnelle Bewegung gerathen, oder, falls sie damit bereits begabt sind, diese merklich ändern. Obgleich demnach die Frage über die ursprüngliche Farbe des Fixsternenlichtes mit meiner Theorie, die nur die Farbenänderungen der Gestirne zu erklären sucht, in keinem unmittelbaren Zusammenhange steht, so machen es doch der wahrscheinlich gleiche Ursprung und die vermuthlich nahezu gleiche Beschaffenheit der Fixsterne, so wie der weitere Umstand, dass die Farbe der überwiegenden Mehrzahl und namentlich derjenigen Fixsterne, an denen wir keinerlei Bewegung wahrnehmen, oder sonst ihnen beizulegen uns veranlasst sehen, die weisse oder gelblichweisse ist, während wir hinwieder gerade solche Gestirne, deren schnelle Bewegung ausser allem Zweifel steht, z. B. die Doppelsterne, in mehr oder weniger gefärbtem, ja mitunter selbst in brillant farbigem Lichte prunken sehen, — diese Umstände, sage ich, machen es nicht nur in hohem Grade wahrscheinlich, dass die Farbe des Lichts sämmtlicher Fixsterne an sich weiss oder gelblichweiss ist, sondern sie sprechen noch weiteres mit grosser Ueberredungskraft der Ansicht das Wort, dass, wenn wir viele der Gestirne in einem anderen als weissem Licht erglänzen sehen, dies in einer Bewegung derselben seinen Grund haben dürfte. Ich würde mich einer unverantwortlichen Wiederholung schuldig machen, wollte ich hier ausführlich nochmals darthun, in welcher überraschenden Weise die in den oben erwähnten Memoires niedergelegten zahlreichen Beobachtungen dieser meiner Ansicht das Wort reden, weshalb ich mich begnüge, diesfalls auf meinen Vortrag vom 18. Juli 1850, welcher in das Juliheft der akademischen Sitzungsberichte desselben Jahres aufgenommen ist, oder auf *Poggendorff*'s Annalen von 1850, mich zu berufen.*) Und nun sei es mir gestattet, auf nachfolgende [**373**] Mittheilungen überzugehen, welche zugleich als eine Fortsetzung der früheren erachtet werden können.

Vor einigen Tagen nämlich erhielt ich aus Georgetown in Nordamerika ein Schreiben, datirt vom 2. November 1851, von Hrn. *Sestini*, in welchem er mich seines fortdauernden Interesses an dieser wissenschaftlichen Angelegenheit versichert und mir zugleich mittheilt, dass er seitdem in Amerika eine vollständige Revision seiner früheren Beobachtungen vorgenommen habe. Er hatte die Güte, mir anzuzeigen, dass er seine diesfallsigen Beobachtungen und Wahrnehmungen unter gleichzeitiger Darlegung meiner Theorie in dem 11. und 12. Hefte des *Astronomical Journal* von 1850, welches unter der

---

*) Nr. VIII dieser Sammlung.

Redaction des Dr. *B. A. Gould* zu Cambridge erscheint, niedergelegt habe, und fordert mich auf, falls es nicht bereits schon geschehen sein sollte, davon Kenntniss zu nehmen.

Hr. *Sestini* wirkt nunmehr seit 1848 als *Professor of Natural Philosophy* am *Georgetown College* in Amerika, wohin er, um den Stürmen, welche wahrlich nicht zum Frommen der Wissenschaft und Gesittung über Europa hereinbrachen, auszuweichen, gegangen war.

Es bedarf wohl nicht erst der Versicherung, dass ich mich beeilte, dieser Erwartung zu entsprechen, um mich so in den Stand zu setzen, dem wissenschaftlichen Publicum nebst den neuen Thatsachen zugleich auch jene Folgerungen vorzulegen, die sich mir aus diesen ungezwungen und unbestreitbar zu ergeben scheinen.

Hr. *Sestini* liess es sich, in Amerika angekommen, wie er selber sagt, angelegen sein, seine frühere wissenschaftliche Arbeit über diesen Gegenstand alsobald wieder aufzunehmen, und da es ihm vor Allem darum zu thun war, den Einfluss genau kennen zu lernen, welchen eine etwaige atmosphärische Verschiedenheit der Beobachtungsorte von Rom und Georgetown auf die Beobachtungsresultate selber vielleicht ausüben könnten, so bediente er sich desselben vortrefflichen Teleskopes, mit welchem er seine früheren Beobachtungen in Rom angestellt und das [**374**] er mit nach Amerika hinübergebracht hatte. Denn nur auf diese Weise konnte er bei Beobachtungen von so delicater Art, als jene über das farbige Licht der Gestirne sind, von sich selber jeden Zweifel und Anderen gegenüber jede Einwendung fern halten. Es war ihm, dem geübten practischen Astronomen, nämlich nichts weniger als unbekannt, dass verschiedene Teleskope, zumal Reflectoren, die verschiedenen Farbennüancen nicht mit gleicher Leichtigkeit wieder erkennen lassen. Auch führt er andererseits selber Beispiele von zu Rom und in England gemachten Beobachtungen an, aus denen der Einfluss der atmosphärischen Zustände auf die Beobachtungen nur zu deutlich erhellt. Es muss also wohl angenommen werden, dass er auch diesem Umstande gehörige Rechnung werde getragen haben.

Wohl bekannt ferner mit dem nachtheiligen Einfluss, welchen vorgefasste Meinungen auf die Richtigkeit und Verlässlichkeit menschlicher Urtheile, insbesondere bei Beobachtungen so häkliger Natur ausüben, hatte Hr. *Sestini*, wie er berichtet, absichtlich seine früheren Aufzeichnungen fern gehalten, ja jede

Erinnerung an dieselben aus seinem Gedächtnisse verbannt, und nahm sie erst wieder vor, als er die beabsichtigte Revision gänzlich vollendet hatte. Man sieht also wohl, dass seine Angaben volles Vertrauen verdienen, da er mit so vieler Vorsicht und Umsicht hierbei zu Werke ging.

Eine Vergleichung seiner neuen Beobachtungen mit den früheren ergab nun nachfolgende, meines Erachtens höchst beachtenswerthe Resultate:

1. Die Vergleichung der amerikanischen mit den früheren zu Rom gemachten Beobachtungen, in sofern sich diese, was hier ausdrücklich hervorgehoben werden muss, auf die bis jetzt als Einzelnsterne geltenden Fixsterne beziehen, zeigt in Bezug auf ihre Farbe eine höchst bemerkenswerthe, ja überraschende Uebereinstimmung, eine so grosse, dass sie selbst Hrn. *Sestini*'s Erwartung noch weit übertraf. Es berechtigt ohne Zweifel dieser Umstand [**375**] zunächst zu der Annahme, dass der Zustand der Atmosphäre zu Georgetown und Rom in optischer Beziehung glücklicher Weise als durchaus gleichartig erachtet werden darf, sodann aber auch zu der, dass Fleiss und Geschicklichkeit bei der früheren und der neueren Aufzeichnung sich das Gleichgewicht gehalten haben müssen. Hr. *Sestini* bemerkt in ersterer Beziehung noch überdies, dass er auch bei seinen anderen häufigen Beobachtungen an den Planeten, den Monden und dem Ringe des Saturns hier wie dort keinerlei hierhergehörige Verschiedenheiten wahrgenommen habe. Sollten sich dessungeachtet bei anderen als diesen Einzelnsternen, wie etwa bei den Doppelsternen, oder selbst auch bei einigen wenigen der ersteren, ganz unzweifelhafte Farbedifferenzen herausstellen, so könnten diese weder auf Rechnung des Teleskopes, noch auf Rechnung der Atmosphäre, noch endlich auf jene des Beobachters selber gesetzt werden, welcher letztere hier wie dort der nämliche, sich auch derselben geistigen und physischen Unbefangenheit und Constitution zu erfreuen hatte. Es müsste vielmehr angenommen werden, dass die Ursache hiervon nur eine objective in jenen Gestirnen selber liegende sein könne.

2. Bei der so grossen Anzahl von beobachteten Einzelnsternen, die sich, zu Rom wie in Georgetown, genau mit denselben und zwar ganz und gar unveränderten Farben zeigten, fällt es auf, dass eben nur fünf davon eine Ausnahme machen. Wären die betreffenden Farbendifferenzen nur ganz unbedeutender oder gar zweifelhafter Art; so könnten sie wohl als

verzeihliche Beobachtungsfehler hingenommen werden; allein dies ist keineswegs der Fall. Es muss vielmehr gesagt werden, dass diese Farbendifferenzen durchaus sehr bedeutende sind, und unter diesen sogar Aenderungen im entgegengesetzten Sinne vorkommen, in der Weise, dass z. B. ein Stern (*), der in Rom lichtgelb erschien, zu Georgetown tief orange gesehen wurde, während hinwieder ein zweiter (**) seine tief orange Farbe bereits zur Zeit der Beobachtung in Georgetown [**376**] in lichtgelb verändert hatte. Ebenso wurde ein zu Rom weiss erblickter Stern zu Georgetown orange, und ein purpurblauer am letzteren Orte weiss gesehen.

Lässt eine solche Erscheinung unter den vorliegenden Umständen wohl füglich einen anderen als rein objectiven Erklärungsgrund zu? Die erwähnten fünf Sterne mit ihren Farbeänderungen sind nun folgende:[39])

Name	Beobachtung zu Rom	Beobachtung zu Georgetown
(**) Sagittar. χ'	*deep orange,* tief orange	*light yellow,* lichtgelb
Aquilae n	*deep orange,* tief orange	*yellow,* gelb
(*) Serpent. χ	*light yellow,* lichtgelb	*deep orange,* tief orange
Pegasi θ	*white,* weiss	*orange,* orange
Pegasi γ	*purplish blue,* purpurblau	*white,* weiss.

3. Das Interesse an den eben erwähnten Beobachtungsdaten steigert sich jedoch noch um ein Bedeutendes, wenn man aus Hrn. *Sestini's* brieflicher und öffentlicher Mittheilung vernimmt, dass — im auffallenden Gegensatze zu den eigentlichen Fixsternen — die Farbe des Lichtes der meisten Doppelsterne sich selbst schon nach Verlauf von nur so wenigen Jahren ganz unzweifelhaft geändert habe. Hr. *Sestini* versichert nämlich zu wiederholten Malen, dass er dasselbe nur selten ganz ungeändert gefunden habe. Es darf nicht auffallen, dass diese Behauptung in dieser Ausdehnung wenigstens (denn von einzelnen Sternen ist dies bereits bekannt) bisher noch von keinem anderen Astronomen ausgesprochen wurde, da ja bekanntlich auch von Niemandem bisher der gestirnte Himmel mit gleich emsiger Beharrlichkeit, und zwar in der in Rede stehenden Absicht, wie von Hrn. *Sestini*, durchforscht wurde. Von den Doppelsternen aber ist es denn doch

gewiss, dass sie sich alle mit mehr oder weniger, die meisten sogar mit sehr grossen Geschwindigkeiten im Weltraume bewegen.

Indem ich es für meine Pflicht hielt, das wissenschaftliche Publicum von diesen Resultaten der neuesten Beobachtungen und von den mit Wahrscheinlichkeit daraus sich [**377**] ergebenden Consequenzen in Kenntniss zu setzen, lebe ich mehr als je der Ueberzeugung, dass der Farbenschmuck, welchen das beobachtende Auge an den Doppelsternen und einigen anderen Gestirnen des Himmels bewundert, uns einstens wohl zu mehr als zu einer blossen Augenweide, dass er uns in einer, wenn auch vielleicht fernen Zukunft, dazu dienen werde, die Elemente der Bahnen von Himmelskörpern zu bestimmen, deren unermessliche Entfernungen von uns nur noch die Anwendung optischer Hilfsmittel gestatten dürften.

Da es dem Leser vielleicht angenehm sein könnte, die über diesen Gegenstand mir bisher bekannt gewordene Literatur kennen zu lernen, so möge sie hier eine Stelle finden.

1. Ueber das farbige Licht der Doppelsterne. Prag bei Borrosch und André 1842. (Nr. I dieser Sammlung.)
2. Beleuchtung und Widerlegung der von Dr. *Mädler* in Dorpat gegen meine Theorie des farbigen Lichtes der Doppelsterne erhobenen Bedenken, in den österreichischen Blättern für Literatur und Kunst von *Schmidl.* (Nr. II.)
3. Bemerkungen zu meiner Theorie des farbigen Lichtes der Doppelsterne mit vorzüglicher Rücksicht auf die von Dr. *Ballot* zu Utrecht dagegen erhobenen Bedenken, in *Poggendorff*'s Annalen Bd. 68, S. 1. (Nr. V.)
4. Einige Mittheilungen und Bemerkungen meine Theorie des farbigen Lichtes der Doppelsterne betreffend. Sitzungsberichte der kais. Academie. Juliheft 1850, S. 154, auch in *Poggendorff*'s Annalen 1850. (Nr. VIII.)
5. Ueber den Einfluss der Bewegung auf die Intensität der Töne etc., in dem Sitzungsberichte der kais. Academie im Juniheft 1851 und in *Poggendorff*'s Annalen 1851.
6. Ueber *Doppler*'s Erklärung des farbigen Lichtes der Doppelsterne und einiger anderer Gestirne von *Carl Kreil*, im astronomisch-meteorologischen Jahrbuche für Prag 1844.
7. Akustische Versuche auf der Eisenbahn zwischen Utrecht und Maarsen, nebst Anmerkungen zur Theorie des Herrn Prof. *Doppler* von Dr. *Ballot* zu Utrecht in *Poggendorff*'s Annalen Bd. 66, S. 321. 1845.
8. *Buys Ballot*, *De Synaphia et Prosaphia. Traject. ad Rhen.*, 1844.

9. Ein Paar Bemerkungen über die neue Theorie des Prof. *Doppler* über das farbige Licht der Doppelsterne etc. von Dr. *Bernhard Bolzano* in *Poggendorff*'s Annalen Bd. 60, S. 83. 1843.

[378] 10. *Répertoire d'optique moderne.* Paris 1850 *par M. Moigno.*

11. *Memoria sopra i colori delle stelle del catalogo de Baily osservati dal P. Benedetto Sestini. Roma* 1847.

12. *Memoria seconda intorno ai colori delle stelle del catalogo di Baily osservati dal P. Benedetto Sestini. Roma* 1847.

13. Astronomical Journal von Dr. *Gould*, herausgegeben in Cambridge, 11. und 12. Heft 1850, von Prof. *Benedetto Sestini.*

[587] X.

Bemerkungen zu dem Aufsatze: „Ueber ein allgemeines Princip der Undulationslehre: Gesetz der Erhaltung der Schwingungsdauer.“[40]

(Wien, Sitzungsber. d. Akad. d. Wiss. Bd. 8, 1852.).

Der geehrte Herr Verfasser der Abhandlung: »Ueber ein allgemeines Princip der Undulationslehre etc.« *), hat mich unter gleichzeitiger Zusendung eines Bürsten-Abzuges derselben brieflich und zwar ausdrücklich aufgefordert, meine allenfallsigen abweichenden Ansichten und Bedenken über den Inhalt derselben auszusprechen, da, seiner Ueberzeugung nach, die Wissenschaft durch eine gründliche Discussion dieses ihm hochwichtig scheinenden Gegenstandes nicht anders als gewinnen könne. — Es könnte als eine Unterschätzung einer solchen directen Aufforderung oder auch als ein Mangel an wissenschaftlichem Interesse von meiner Seite gedeutet werden, würde ich derselben, so ungern dies aus später einleuchtenden Gründen auch geschieht, nicht ungesäumt nachkommen. Ja, es würde dies sogar früher schon geschehen sein, hätte ich nicht auf die im Vortrage zugesagte Fortsetzung derselben, wiewohl bis jetzt vergeblich gewartet.

Durch die erwähnte, der Form nach jedenfalls ungewöhnliche Aufforderung wollte der geehrte Herr Verfasser wohl ganz unzweifelhaft mir zu erkennen geben, (»denn welch' sonstige Deutung liesse diese zu?«) dass er nämlich mit meinen, ihm

*) Ueber ein allgemeines Princip der Undulationslehre: Gesetz der Erhaltung der Schwingungsdauer, von dem w. M. Prof. *Jos. Petzval.* — Wien, Sitzungsberichte, Bd. 8, pag. 134.

wohlbekannten Ansichten: »Ueber den Einfluss der Bewegung auf Ton- und Farbe-Empfindung«, welche allerdings mit dem vom Herrn Verfasser behandelten Gegenstande in sehr naher Beziehung stehen, nicht einverstanden sei. Doch, wenn darüber ja noch ein Zweifel obwalten könnte, so würde nebst Sonstigem schon der blosse Inhalt der Abhandlung selber, wie er nunmehr Jedermann zur Beurtheilung vorliegt, mehr als genügen, diesen zu zerstreuen. —

Der geehrte Herr Verfasser hat sich nämlich, den schon von *Cauchy* angedeuteten und betretenen Weg weiter verfolgend, die verdienstliche Aufgabe gestellt, in mehr hervorhebender Weise als dies bisher geschah, darzuthun: »dass bei jeder schwingenden [**588**] Bewegung die Schwingungsdauer eine constante, weder von der Dichte des Mittels, noch von der in demselben sonst noch vorhandenen Strömungen abhängige Grösse sei«. — Es kann mir, so wie sicherlich Niemandem beifallen, die Richtigkeit seiner Argumentation, ja selbst die Richtigkeit seiner endlichen Schlussfolgerung bezweifeln zu wollen, in sofern sich diese Deduction nur auf den rein objectiven inneren oder mechanischen Vorgang selber beschränken sollte. Wo dies beabsichtigt wird, da verbieten es ein für allemal die scharfe Auffassung des beabsichtigten Zweckes, die Gefahr einer möglichen Missdeutung, so wie endlich die streng wissenschaftliche Consequenz überhaupt, die nur correlativen, nicht aber einfach substituirbaren Begriffe von Ton und Farbe, welche sich bloss auf Empfindungen beziehen, mit jenen von Schwingungszahl oder reciproker Schwingungsdauer zu identificiren, ja auch nur überhaupt diese Worte im Contexte irgendwo zu gebrauchen; da ja eben dieser Unterschied zwischen subjectiver Empfindung und objectivem Sachverhalte, wie man sogleich sehen wird, einerseits behauptet, andererseits geleugnet wird. Geschieht nun nichts destoweniger eine solche ungerechtfertigte Verwechslung dieser heterogenen Begriffe fortwährend im Verlaufe der betreffenden Deduction, so ist nur einer der beiden Fälle denkbar, nämlich: entweder ist dem Verfasser das erwähnte Theorem von dem Einflusse der Bewegung auf Ton- und Farbempfindung ganz und gar unbekannt, oder aber es hält derselbe diese Ansicht, eben weil er sie absichtlich ignorirt, für unrichtig und falsch. — Dies angewendet auf unseren vorliegenden Fall, muss vorerst gesagt werden, dass in des Herrn Verfassers Abhandlung in der That eine solche Hintanhaltung und Abweisung der Begriffe »Ton und Farbe« nirgends zu bemerken ist, vielmehr diese mit jenen von Schwingungszahl und reciproker Schwingungsdauer allerwärts identificirt erscheinen. (Seite 142, 143 u. s. w.) — Da nun weiter nicht angenommen werden kahn, dass dem Herrn Verfasser meine diesfallsigen Ansichten unbekannt gewesen sein konnten, da ja selbst an diesem Orte bereits schon mehrmals davon ausführlich die Rede war: so erübrigt sofort nichts mehr, als anzunehmen, dass derselbe die Richtigkeit meiner Theorie gänzlich in Abrede stellt. — Allein es hätte hierzu nicht einmal erst einer solchen Beweisführung bedurft, da ja der Verfasser selber in seiner Abhandlung diese Nichtanerkennung geradezu in den Schlussfolgerungen ausspricht. So [589] heisst es u. a. Seite 142, Zeile 23: »Ist daher ein schwingender und seine Schwingungen an die Luft oder den Aether mittheilender Körper zugleich im Zustande einer Bewegung anderer Sorte u. s. w., so findet jede dieser beiden Bewegungen so statt, als ob die andere gar nicht da wäre und der von der Undulation erzeugte Ton bleibt derselbe, was auch die andere von der Tonquelle angenommene Bewegung sein mag«. — Noch bestimmter aber erhellt dies aus Seite 143, Zeile 22. Es heisst daselbst wörtlich, wie folgt: »Um eine klare Anschauung der Bewegungsweisen, von denen hier die Rede ist, zu geben, kann man sich ein schwingendes Pendel denken, dessen Linse entweder selbst ein tönender Körper ist oder einen solchen birgt. Hier hat man offenbar eine Ruhelage und zwei Sorten von Bewegungen des Mittels, in dem sich ein solches System befindet: die eine rührt von den Schwingungen des Pendels her, die andere von den ungleich kleineren Vibrationen des tönenden Körpers, und der Ton ist derselbe, ob sich das Pendel in Bewegung befindet oder in Ruhe.« — Es steht demnach fest, dass der Herr Verfasser den Einfluss der Bewegung auf Ton- und Farbeempfindung leugnet, und es mir überlässt, sofort die Richtigkeit dieses Theorems, wenigstens ihm gegenüber darzuthun. —

Es giebt bekanntlich Wahrheiten, welche sich noch vor aller und jeder Erfahrung und noch vor irgend welchem Versuche mit aller Sicherheit und Bestimmtheit als solche erkennen und nachweisen lassen. Von solcher Art ist z. B. die folgende: Angenommen, es befinde sich an irgend einem Orte A eine Wellenquelle etc., welche in jeder Secunde etwa n Wellen aussendet, und in irgend beliebiger Entfernung davon ein Punkt B: so ist klar, dass, solange A und B ihren Ort nicht verlassen, beim Punkte B ebensoviele, d. h. n Wellen in jeder Secunde anlangen werden. Dies kann aber augenscheinlich dann nicht mehr der Fall sein, wenn die Wellenquelle A oder der Punkt B oder endlich beide zugleich ihren Ort verändern, sich z. B. in gerader Linie einander nähern oder aber von einander entfernen. Leicht sieht man ein, dass bei einem Annähern von A zu B mehr — bei einem Entfernen derselben weniger Wellen in derselben Zeit beim Punkte B anlangen müssen, als bei ruhendem A und B, da ja in ersterem Falle der Ort, wo die Wellen anzulangen haben, ihnen beziehungsweise entgegeneilt, ihnen also ihren Weg abkürzt, — im [590] zweiten dagegen vor ihnen zurückweicht und somit denselben verlängert. Jede einzelne Welle hat demnach bei unveränderter Geschwindigkeit im ersten Falle einen kürzeren, im zweiten dagegen einen längeren Weg zurückzulegen, als die unmittelbar ihr vorangehende, und als dies überhaupt sonst der Fall sein würde. Der kürzere Weg bedingt aber bei sich gleichbleibender Geschwindigkeit eine kürzere Zeit, und die kürzere Zeit eine grössere Anzahl der in der Secunde bei B anlangenden Wellen; das gerade Gegentheil davon findet im zweiten Falle statt. Es bedarf in der That nur der allerersten Elemente der Mathematik, um selbst den numerischen Betrag dieses Unterschiedes sofort genau angeben und bestimmen zu können. Diese Betrachtungen sind, da sie nur Zeit und Raum in sich schliessen, rein phoronomischer Natur und haben mit dem objectiven inneren Vorgang der Wellenerzeugung an und für sich gar nichts zu schaffen. Setzt man an die Stelle des mathematischen Punktes B einen Beobachter, so lautet obige zu einem Theorem formulirte Schlussfolgerung wie folgt: »Wenn eine Ton- oder Lichtquelle und ein Beobachter sich einander nähern oder sich von einander entfernen, so erleiden Ton und Farbe für die Wahrnehmung eine dieser Bewegung entsprechende Aenderung«.

Dies, nicht mehr und nicht weniger, habe ich mir stets mit Bestimmtheit zu behaupten erlaubt, und ich habe sogar jetzt noch den Muth, für dessen Richtigkeit einzustehen. —

Obgleich nun, wie gesagt, diese und ähnliche Schlussfolgerungen der Bestätigung durch die Erfahrung gar nicht einmal erst bedürfen, um als richtig erkannt zu werden: so liebt es doch die Wissenschaft, auch diesen Weg der Bestätigung zu betreten, zumeist in der Hoffnung, über einzelne specielle Verhältnisse weitere Aufschlüsse zu erhalten. Und so ist es denn gekommen, dass auch diesem meinem einfachen Theoreme, nachdem dasselbe von den vorzüglichsten Physikern beifällig und zustimmend aufgenommen worden war, die Auszeichnung zu Theil wurde, in Holland, England und Frankreich durch directe Versuche auf Eisenbahnen die vollständigste Bestätigung zu erfahren. Auch bildet es bereits, was gleichfalls für eine ziemlich verbreitete Anerkennung spricht, einen stehenden Lehrsatz in mehreren der neusten physikalischen Lehrbücher. — Bei einer solchen Sachlage hätte ich fürwahr nimmer geglaubt, deshalb und zwar hierorts erst noch eine Lanze einlegen zu müssen! —

[**591**] Zur Meinungsäusserung nun schon einmal aufgefordert, kann ich von dem nunmehr gewonnenen Standpunkte aus nicht umhin, wenigstens auf Einiges im Vortrage des Herrn Verfassers hinzudeuten, was, ich gestehe es offen, mir theils ganz und gar unrichtig, theils ungerechtfertigt zu sein scheint.

Der Herr Verfasser führt es z. B. Seite 143 als eine, aus den von ihm aufgestellten vier Differentialgleichungen gezogene, gleichsam unfehlbare Schlussfolgerung an, dass ein mit einer Tonquelle versehenes schwingendes Pendel genau denselben Ton erzeugen müsse, als wie wenn es ruhte. Ein solcher Erfolg aber wird, man vergebe mir die Bestimmtheit des Ausdruckes, nun und nimmermehr eintreffen. Vielmehr wird ein solches schwingendes Pendel bei jedem Annähern eine Tonerhöhung, bei jedem Zurückgehen eine Tonerniedrigung veranlassen. Man braucht zur Schlichtung dieser unserer differirenden Ansichten gar nicht einmal erst einen neuen Versuch anzustellen, man hat ihn schon, und zwar im grossartigsten Masstabe angestellt, nämlich auf der Eisenbahn zwischen Utrecht und Maarsen. Das Pendel des Herrn Verfassers war dort die mit einer Tonquelle versehene Locomotive, — die hin- und hergehenden Schwingungen des Pendels aber wurden recht gut, und ganz eigentlich, durch das Ankommen und Zurückfahren der Locomotive repräsentirt. Sämmtliche aufgestellte Musiker nun und die übrigen anwesenden Personen sagten einstimmig aus, dass der kommende Ton stets höher, der gehende stets tiefer vernommen wurde, als der stehende. —

Ebenso und aus ganz denselben Gründen muss ich die Richtigkeit der Seite 142, Zeile 23 aufgestellten Behauptung gänzlich in Abrede stellen u. s. w.

Da nun selbst ein *Aristoteles* die Erfahrung respectirt, so fragt es sich, liegt der Grund der nachgewiesenen Nichtberechtigung zu diesen mit der Beobachtung im directen Widerspruche stehenden Behauptungen in den von dem Herrn Verfasser aufgestellten vier Differentialgleichungen, oder aber in der Art und Weise, wie diese Folgerungen aus ihnen abgeleitet wurden?

Der geehrte Herr Verfasser hat ferner am Schlusse seiner Abhandlung (Seite 155, Zeile 25) durch die Aufstellung eines allgemeinen Satzes, welchen er »das Princip der Erhaltung der Oscillationsdauer« zu nennen vorschlägt, den minderbewanderten Wissensbeflissenen ein Wahrzeichen bieten wollen, welches sie vor den [**592**] Gefahren wissenschaftlicher Verirrungen sichern sollte; — und er fordert, wenn auch nicht ausdrücklich, so doch selbstverständlich die verehrte Classe auf, das Ihrige gleichfalls zur Realisirung des von ihm im Auge gehabten Zweckes beizutragen, was wohl so viel heissen soll, als diesen Ausspruch zu dem Ihrigen zu machen. Dies allein schon war für mich Grund genug, auch meine Ansicht über diesen Gegenstand hier niederzulegen. — Von dem Standpunkte aus, auf welchen mich nämlich meine Ueberzeugung stellt, kann ich nicht anders als es sehr bedauern, dass dieser Satz ohne alle, wie es mich dünkt, schon durch den Zweck selber gebotene, nunmehr aber als nothwendig nachgewiesene Restrictionen hingestellt wurde. Wenn irgendwo, so schien es hier dringend angezeigt, ausdrücklich zu erklären, dass dieser Satz nur in rein mechanischem und objectivem Sinne eine Geltung habe, dagegen aber auf Ton und Farbe und alles was damit zusammenhängt, ganz und gar keine Anwendung findet. — Da dies nun nicht geschah, so steht sehr zu befürchten, dass das, was den erwähnten Wissensbeflissenen zu einer Leuchte dienen sollte, für sie vielleicht zu einem Irrlichte wird, wie wohlmeinend auch die Absicht sein mochte, die ihnen eine solche Gabe bieten wollte. — Denn es genügt nicht, worin mir der geehrte Herr Verfasser gewiss gerne beipflichten wird, den minder bewanderten Schiffern auf dem Ocean des Wissens, zumal bei gefährlichen Passagen, einfach den einzuhaltenden Curs des Fahrzeugs bekannt zu geben, sondern es müssen ihnen unerlässlich, soll für ihre Sicherheit gut gesorgt sein, zugleich die Untiefen und Klippen bezeichnet werden, die ihnen rechts oder links mit Verderben drohen. —

Man kann endlich, wie es mich deucht, nicht sagen, dass es eine grosse und eine kleine Wissenschaft gebe, es wäre denn, man wollte gross jene nennen, die vorzugsweise vor Irrthum zu schützen vermöchte. *Newton*, *Leibnitz*, *Euler*, *Laplace*, *Poisson*, und wie die Männer unsterblichen Namens alle heissen, welche wir als unsere Meister und Lehrer zu betrachten gewohnt sind, haben einen solchen Unterschied niemals gemacht! — Ihnen galt vielmehr, unberührt von wissenschaftlichem Hochmuthe, jede neue Wahrheit für gleich beachtenswerth und gleich anerkennungswürdig, und sie hielten es für eine heilige, von der Wissenschaft ihnen auferlegte Pflicht, dieser ihre gebührende Stelle im wissenschaftlichen Systeme anzuweisen und sie in dieser ihrer Stellung zu beschützen. Denn ihr [**593**] bescheidener Sinn liess sie erkennen, dass zumeist aus ganz Unscheinbarem, zwar aber dafür Wahrem die Wissenschaft sich aufbaut. —

Indem ich nunmehr glaube, der an mich ergangenen Aufforderung Genüge gethan zu haben, erübrigt mir nur noch, an die verehrte Classe das Ersuchen zu stellen, diesen gegenwärtigen Aufsatz in die Sitzungsberichte aufnehmen zu wollen.

[217] XI.

Bemerkungen über die von dem Herrn Prof. Petzval gegen die Richtigkeit meiner Theorie vorgebrachten Einwendungen.

(Wien, Sitzungsber. d. Akad. d. Wiss. Bd. 9, 1852.)

§ 1.

Wenngleich die wissenschaftliche Controverse in den exacten Doctrinen durch die verhältnissmässig grössere Leichtigkeit, mit der sich heut zu Tage die Ergebnisse angestellter Raisonnements durch wiederholte Versuche und Beobachtungen controliren und constatiren lassen, zum grössten Theile ihre Wichtigkeit verloren hat und von Tag zu Tag mehr in den Hintergrund tritt: so giebt es doch selbst in diesen Wissenschaften zuweilen noch Fälle, wo deren Herbeiziehung von entschiedenem Nutzen sein kann. Gewiss aber ist dies nur dann der Fall, wenn bei einem genauen und gewissenhaften Einhalten der für die wissenschaftliche Discussion vorgeschriebenen Regeln, der Gegenstand der Controverse selber als ein solcher erklärt werden muss, dessen Austragung auf dem hier bezeichneten Wege überhaupt möglich ist. — Unter diesen zwei Bedingungen, aber auch nur unter diesen, bietet allerdings die wissenschaftliche Controverse das anziehende Schauspiel eines Kampfes zwischen intellectuellen Kräften dar. — In wie fern diese beiden Erfordernisse bei der in der Schwebe befindlichen Discussion sich vorfinden: möge nach Anhörung meines heutigen und unter gütiger Rückerinnerung an die sämmtlichen vorausgegangenen Abhandlungen dem Urtheile unserer hochverehrten Classe, sowie jenem der verehrlichen Anwesenden selbst anheim gestellt bleiben.

§ 2.

Ich meinestheils, gebe mich in Betreff des Erfolges einer etwaig weiter fortgesetzten Debatte über diesen Gegenstand keinerlei [218] Illusion hin. Ich bin vielmehr sehr überzeugt, dass es mir mit jenen Gründen, welche ich vorzubringen habe, nicht gelingen wird, den Herrn Gegner, falls er nicht vielleicht jetzt schon die Richtigkeit meiner Theorie innerlich ahnen sollte, von der völligen Unhaltbarkeit seiner Einwendungen zu überzeugen! — Es kann daher auch nicht die Absicht meines heutigen Vortrages sein, auf eine eigentliche Erwiderung der einzelnen Punkte seiner beiden letzten Vorträge, deren Drucklegung ja überdies erst abgewartet werden müsste, einzugehen, so viele Lust ich auch sonst hierzu in mir verspürte! — Der vorzugsweise Zweck meiner heutigen Mittheilungen ist vielmehr der, die hochverehrte Classe und das verehrliche wissenschaftliche Publikum über den eigentlichen Stand dieser Angelegenheit, in so weit ich es vermag, aufzuklären, die Hoffnungslosigkeit zu einem bestimmten Ziele zu gelangen, darzulegen, und dasselbe die Gründe theils wissen, theils ahnen zu lassen, die mich bestimmen, diese Discussion meinerseits abzubrechen. — Mein Vortrag ist daher nicht sowohl für den Herrn Gegner als vielmehr und zwar vorzugsweise für die verehrlichen Anwesenden bestimmt! — Diesen in meinen Augen nicht unwichtigen Zweck glaube ich nun am einfachsten zu erreichen, wenn ich nachfolgende drei Fragen zu beantworten versuche, nämlich:

1. Was ist denn der eigentliche Gegenstand der gegenwärtigen Debatte, von welchem Gesichtspunkte aus wurde dieselbe gleich vom Anfang an gegentheilig aufgefasst, und bis zu welchem Punkte ist die Controverse über ihn bisher gediehen?
2. Mit welchem Rechte konnte man unter den obwaltenden Umständen diesen Gegenstand überhaupt einer wissenschaftlichen Controverse unterziehen? und
3. Wann nur kann diese wissenschaftliche Debatte als in würdiger Weise beendigt und als vollends ausgetragen angesehen werden?

§ 3.

Und nun zur Beantwortung der ersten Frage: — Der Herr Gegner ist bei Gelegenheit einer allgemeineren Untersuchung über die Wellenlehre zu gewissen Differentialgleichungen gelangt, welche er gleichsam als die allgemeinsten Repräsentanten aller auf Schall und Licht sich nur immer beziehenden Erscheinungen ansehen zu dürfen vermeint, in der Weise sogar, dass, wenn irgend eine derartige Naturerscheinung die Berechtigung zu ihrem Dasein nicht aus diesen Gleichungen erweist, sie für die Wissenschaft wenigstens [**219**] als gar nicht vorhanden angesehen werden müsse. Der Herr Gegner erinnert sich bei dieser Gelegenheit an eine von mir behauptete Thatsache, — er untersucht, ob sie den Bedingungen obiger Gleichungen entspräche, und da er das Gegentheil davon findet, stellt er sie einfach in Abrede. — Dass aber eben einer derartigen Schlussweise alle Berechtigung fehle, davon in Kürze weiter unten. — Der Herr Gegner sagt also, wie man sieht, eigentlich nicht: meine Theorie sei falsch, er wolle und werde dafür eine bessere bringen! — nein! er leugnet die Thatsache selber, — und behauptet, ein solcher Einfluss der Bewegung auf Ton und Farbe, wie er hier gemeint ist, finde nimmermehr statt!

Indem der Herr Gegner dies thut, stellt er sich ganz und gar auf den Standpunkt der scholastisch-dogmatischen Schule des Mittelalters, deren Anhänger bekanntlich die Natur aus Begriffen und Formeln construirten und sich dabei um die Erfahrung nicht im Geringsten kümmerten. Ja einige von diesen gingen bekanntlich in ihrer Geistesverwirrung so weit: solchen Erfahrungsdaten, die ihnen nicht genehm waren, d. h. welche mit ihren Schlüssen im Widerstreit standen, sogar das Recht der Existenz überhaupt abzusprechen! — Diesem traurigen Zustande, in welchem sich damals die exacten Wissenschaften befanden, wurde durch die sogenannten Novatoren, unter denen bekanntlich *Bacon von Verulam* und *Newton* als Sterne erster Grösse glänzen, ein Ende gemacht. — Um die Erfahrung wieder zu gebührenden Ehren zu bringen, stellte *Newton* eigene Regeln auf, wie man bei Erforschung der Natur vorgehen müsse, um vor Irrthum sicher zu sein. — Der Inbegriff der hierher gehörigen Vorschriften lässt sich kurz in nachfolgende Worte zusammenfassen: »Wenn die »Folgerungen aus einer Hypothese oder die Resultate einer »auf einer theoretischen Voraussetzung basirten Rechnung mit »der offenbaren und unzweifelhaften Erfahrung nicht stimmen »wollen: so muss man jene Hypothese aufgeben und diese »Rechnungsresultate verwerfen« — oder in einer anderen

Version: »Erfahrungsdaten können nur wieder durch Erfahrungs-»daten, niemals aber durch ein Raisonnement umgestossen und »entkräftet werden!« — Wie sehr es *Newton* mit diesem gegebenen Rathe Ernst war, und welch' hohen Werth er den Erfahrungsdaten beilegte, hat er an sich selbst auf das Glänzendste bewiesen! Bekanntlich hatte dieser ausgezeichnete Gelehrte, dessen Begabung hingereicht haben würde, Hunderten das [**220**] beneidenswerthe Loos der Unsterblichkeit zu sichern, in Folge tiefsinniger Untersuchungen die Ueberzeugung gefasst, dass die Kraft, welche den fallenden Stein zur Oberfläche unserer Erde zurückkehren heisst, mit jener, welche den Mond hindert, sich von ihr zu entfernen, identisch sei. Er leitete aus jener den Fallraum während der ersten Secunde auf unserer Erde ab, und fand ihn gleich 12 Fuss, während doch derselbe, sicher gestellt, 15 Fuss betragen musste. Dies war für ihn genug, seine ganze Theorie aufzugeben! — Erst volle 16 Jahre später, als neuere und bessere Messungen den Durchmesser unserer Erde genauer zu bestimmen gestatteten, nahm er seine ehemalige Rechnung wieder auf und fand seine frühere Voraussetzung vollkommen bestätigt. — Ich kann mir wohl denken, dass man vielleicht hin und wieder sagen wird, dies seien ja Jedermann bekannte Dinge; aber es mag vielleicht doch gut sein, gelegentlich der so grossen Bescheidenheit eines so grossen Mannes, zumal, wenn es mit wenigen Worten geschehen kann, zu erwähnen!

§ 4.

Geht man nun auf den Inhalt der drei Abhandlungen des Herrn Gegners ein, so findet man, ungeachtet meiner dringenden Aufforderung, sich über die für meine Theorie sprechenden zahlreichen Beobachtungsdaten auszusprechen, und obschon ich sogar auf *Aristoteles* hinwies, um den Herrn Gegner hierfür geneigt zu machen, — davon so gründlich und so vollständig Umgang genommen, dass die Absichtlichkeit hierbei so zu sagen handgreiflich ist. — Was soll nun dieser *horror experientiae* eigentlich bedeuten? — Soll dies so viel heissen, als der Gegner wolle, gleich jenen Scholastikern von einer beweisenden und widerlegenden Erfahrung ein für allemal nichts wissen? — Ist ihm denn unbekannt, dass Hunderte von Erfahrungen einer Hypothese erst zu einiger Wahrscheinlichkeit verhelfen können, während eine einzige gegentheilige sie ganz und gar zu vernichten im Stande ist? — oder aber: Haben die auf Kosten der königlich-holländischen Regierung von Dr. *Ballot* unter der eifrigen Mitwirkung zahlreicher Fachmänner und Musiker auf der Eisenbahn zwischen Utrecht und Maarsen angestellten, — oder jene auf englischen Eisenbahnen von *Scott Russel* bei ungemein schnellen Fahrten gemachten vollkommen entscheidenden Versuche; — oder endlich die des genialen und glücklichen Experimentators, Herrn *Fizeau*, zu Paris unternommenen Experimente, — gar nicht einmal zu reden von den zahlreichen, durch *Seebeck, Helmholtz, Cugnoni, Montigny, Gross,* [**221**] *Sestini* u. s. w. bekannt gemachten Erfahrungen und Beobachtungen, haben alle diese zahlreichen Daten, sage ich, in den Augen des Herrn Gegners einen so maasslos geringen Werth, dass er sie nicht einmal einer Erwähnung würdig erachtet? — Erfahrungen und Versuchsdaten kann man zwar durch ein Raisonnement niemals gänzlich umstossen und niemals völlig entkräften; man kann sie aber, je nach dem Gewichte der vorgebrachten Gründe kritisch beleuchten und auf das Maass ihres wahren Werthes zurückführen. — Hätte der Herr Gegner wenigstens doch dies gethan: so sähe sich die Debatte doch auf einen Standpunkt gestellt, von dem aus ein weiteres Vorgehen möglich wäre. — Allein der Herr Gegner thut dies nicht; er bleibt ganz einfach bei der Erklärung: weil diese Erscheinung nicht aus meinen Gleichungen folgt, so ist sie auch nicht vorhanden! — Einem solchen, in der Luft schwebenden Negiren aller Erfahrung kann man einfach nur wieder ein »*non admittitur*« entgegen stellen, und jegliche weitere Debatte findet begreiflicher Weise hier ihr Ende!

§ 5.

Aus welchem Grunde kann man nun aber dem Herrn Gegner die Berechtigung zu einer solchen Schlussweise nicht zugestehen, und was mag wohl überhaupt die wahrscheinliche Ursache des Irrthums sein, in welchen derselbe unversehens gerathen ist? — Meinem aufrichtigen Dafürhalten nach ist sie einfach darin zu suchen, dass der Herr Gegner aus Gleichungen etwas folgern will, was er selber gar nicht hineingelegt hatte, auch gar nicht hineinlegen konnte und nicht hineinlegen durfte, — nämlich die, dem mechanischen inneren Vorgange ganz fremdartigen, äusseren phoronomischen Beziehungen! — Der Herr Gegner hat zwar in seinem zweiten und dritten Vortrage, seinen Operationsplan gleichsam ändernd, die Wirkung untersucht, welche ein bewegter Beobachter oder eine derlei Quelle auf das umgebende elastische Mittel nothwendig ausüben muss; — eine Untersuchung, welche übrigens mit meiner Theorie, die sich einfach nur auf Ortsveränderung bezieht, offenbar gar nichts gemein hat, und wie erschöpfend dieselbe von ihm auch durchgeführt werden mag, die meinige dadurch nicht im Geringsten entbehrlich machen wird. — Der Herr Gegner findet nun, dass diese Wirkung wieder in der Erzeugung einer Wellenbewegung besteht! — Gegen eine solche, auf einen rein mechanischen Vorgang gerichtete Untersuchung ist natürlich an und für sich nicht das Geringste einzuwenden, — nur muss man sich höchlich darüber wundern, wie der Herr Gegner unter fortwährend [222] consequentem Ignoriren und Ableugnen der Thatsache selber, nunmehr doch allgemach darauf hinauskommt zu behaupten, dass ein bewegter Beobachter oder eine derlei Quelle regelmässige Undulationen und somit Schall- und Lichtwellen erzeugen müsse. — Wenn es nun mit dieser seiner neuesten Behauptung wirklich seine Richtigkeit hätte, was jedoch sicherlich nicht der Fall ist: so müssten sich die so entstandenen Wellen mit jenen, die von der Quelle als solcher kommen, zusammensetzen, und die einen müssten die anderen nothwendig alteriren. Es würde demnach in Folge dieser Bewegung unausweichlich eine Aenderung in Tonhöhe und Farbe eintreten müssen, was aber eben mit dem, was der Herr Gegner an vielen Orten ausdrücklich behauptet (siehe Sitzungsberichte, Jänner-Heft, pag. 142, 143 u. s. w.) im geraden Widerspruche stünde. — Der Herr Gegner sähe sich demnach, im günstigsten Falle, d. i. wenn man die Richtigkeit seiner neuesten Behauptung dahin gestellt sein lassen könnte, in die ganz eigenthümlich interessante aber eben nicht beneidenswerthe Lage versetzt, davon Kenntniss nehmen zu müssen, dass derselbe mit einem Aufwande selbsteigenen gelehrten Wissens, ohne es früher auch nur im Entferntesten zu ahnen, sich selbst in *optima forma* widerlegt habe! —

Allein einer solchen Schlussfolgerung und Behauptung, wie diese allerneueste ist, kann ich meine Zustimmung nicht geben, schon deshalb nicht, weil ich auch noch andere Bewegungen des Mediums für möglich, ja im vorliegenden Falle sogar für höchst wahrscheinlich, wo nicht gar für gewiss halte. — Ganz derselben Ansicht ist auch Herr Regierungsrath *von Ettingshausen*, wie dies aus dessen beiden Vorträgen bestimmt genug zu entnehmen ist! — Die so eben besprochene Behauptung des Herrn Gegners lässt zum Ueberfluss auch noch eine Widerlegung auf dem Erfahrungswege zu, wenn man dieselbe auf irgend einen schnell bewegten Körper etwa auf eine bewegte Locomotive anwendet. — Jedermann weiss da, dass eine solche die Luft vor sich her und zur Seite schiebt, dass der luftleere Raum hinter derselben durch seitliches Zuströmen von Luft augenblicklich sich wieder ausfüllt, und dass dadurch nothwendig eine locale Luftbewegung mit dem damit verbundenen Geräusche entstehen muss. — Der Herr Gegner belehrt uns nun aber noch des weiteren, dass nämlich hier nothwendig durch die Bewegung der Locomotive eine undulatorische Bewegung eingeleitet und somit ein musikalischer [**223**] Ton erzeugt werden müsse. — Und so trifft denn auch diese neueste Behauptung des Herrn Gegners, durch welche vielleicht eben ein anderes Vorgehen in dieser Angelegenheit angebahnt werden sollte, dasselbe Missgeschick, wie die früheren, nämlich mit der unleugbaren offenkundigen Erfahrung in einen directen Conflict zu gerathen! — Man sieht also wohl, von welchen Erfolgen die bisherigen Bemühungen des Herrn Gegners begleitet waren, meine Theorie einer wissenschaftlichen Kritik zu unterziehen und deren völlige Unrichtigkeit vor Jedermanns Augen aufzudecken! —

§ 6.

Die zweite Frage, nämlich: mit welchem Rechte der Herr Gegner, der doch die Waffen, deren er sich bedienen wollte, zum vornherein kennen musste, diese wissenschaftliche Angelegenheit zum Gegenstand einer Debatte machen konnte? — erledigt sich ganz einfach durch die blosse Aufzählung derjenigen Fälle, in denen eine derartige Discussion überhaupt noch zulässig erscheint. Eine wissenschaftliche Controverse ist nur in nachfolgenden drei Fällen zulässig, nämlich:

α) wenn man ein Raisonnement durch ein Raisonnement bestreitet,

β) wenn man einem Raisonnement die Resultate angestellter Versuche oder gemachter Beobachtungen entgegen hält, — und endlich

γ) wenn man die Resultate angestellter Versuche oder gemachter Beobachtungen durch die Resultate anderer Versuche und durch andere Beobachtungen zu widerlegen sucht.

Der vierte logisch mögliche Wechselfall, nämlich der, wo man ausgemachte Erfahrungsdaten durch ein Raisonnement entkräften will — auf diesen hat die Wissenschaft und der gesunde Menschenverstand seit *Bacon* und *Newton* ein Interdict gelegt! — Dass aber gerade dies der Fall des Herrn Gegners sei, glaube ich weiter oben ausführlich genug dargethan zu haben. — Wenn sich daher derselbe nicht mit anders beschaffenen Angriffsmitteln, als die bisherigen waren, umgiebt: so kann er von Rechtswegen die Arena der öffentlichen Debatte in dieser Angelegenheit nicht mehr betreten, selbst wenn ich überhaupt noch geneigt wäre, mich dabei einzufinden! —

§ 7.

Die Achtung vor dem wissenschaftlichen Publikum legt ferner jedem Theilnehmer einer Debatte die Verpflichtung auf, allen Ernstes darnach zu trachten, dieselbe je eher desto besser einem bestimmten Abschluss entgegenzuführen, — eine Verpflichtung, die mit [**224**] doppeltem Gewichte jenem auferlegt erscheint, der ungerufen eine solche in Mitte einer gelehrten Körperschaft hervorrief! Um daher in dieser Beziehung im Klaren zu sein, scheint es zweckdienlich, zu fragen: »wann nur kann diese wissenschaftliche Debatte als in würdiger Weise beendigt und als vollends ausgetragen angesehen werden?« — Ich antworte darauf, nach meiner aufrichtigen Ueberzeugung nur in nachfolgenden zwei Fällen:

1. Wenn der Herr Gegner erklärt, er sei in Folge angestellter Erwägung des Dafürhaltens geworden, dass ein solcher Einfluss der Bewegung auf Ton- und Lichtempfindung, wie ihn meine Theorie verlangt, wirklich stattfinde, — oder
2. Wenn derselbe die für die Richtigkeit meiner Theorie sprechenden Versuchs- und Erfahrungsdaten durch andere, und zwar durch mehrere und gewichtigere Thatsachen zu entkräften vermag. —

Bis dahin aber, wo der einen oder der anderen dieser Forderungen Genüge geschehen sein wird, erkläre ich hier ausdrücklich, des ernstlichen Willens zu sein, auf keinerlei anderwärtige Controverse mit dem übrigens hochgeehrten Herrn Gegner mich einzulassen! —

§ 8.

Noch muss ich einer Einwendung begegnen, welche man vielleicht gegen die zweite meiner Forderungen vorbringen könnte.

Man wird vielleicht sagen, eine solche Forderung sei leicht gestellt, schwer sei es aber, sie zu erfüllen, da ja die Benützung der Eisenbahnen zu derlei Zwecken nicht Jedermann frei stehe. Ich antworte einfach darauf, der Herr Gegner mache es diesfalls gerade so, wie ich es gemacht! — Als ich nämlich meine kleine Abhandlung mit der in Rede stehenden Theorie, welche der Herr Gegner, um ihr den Stempel der Verächtlichkeit aufzudrücken, als eine auf nur acht Zeilen gegebene bezeichnet, einfach in die Welt sandte, — da dachte ich, wenn meiner Argumentation in der That eine solche überzeugende Kraft inwohnt, wie ich dafür hielt, so wird sich schon Jemand finden, der im Interesse der Wissenschaft das zu ermöglichen wissen wird, was mir, selbst bei dem besten Willen, zu leisten unerschwinglich war. — Ich habe dabei Niemanden ersucht, Niemanden hierzu aufgefordert oder gar damit beauftragt, wozu mir die Macht fehlte; — und dennoch war kaum ein Jahr verflossen, als die Richtigkeit meiner Theorie durch directe Versuche auf Eisenbahnen über jeden Zweifel sicher gestellt wurde! —

[**225**] Nun denn, während wir Gegenwärtiges hier verhandeln, sind die gelehrten Einwendungen des Herrn Gegners gegen meine Theorie, die sich im Januarhefte unserer Sitzungsberichte abgedruckt finden, bereits schon lange zur Kenntniss der ganzen gelehrten Welt gelangt, und ich zweifle nicht, dass man sie auch bereits der sorgfältigsten Erwägung unterzogen haben wird. Wohnt diesen nun wirklich eine so grosse überzeugende und vernichtende Beweiskraft inne, wie der Herr Gegner vorgiebt: so kann es auch sofort nicht fehlen, dass man alsobald diese Versuche mit verdoppelter Genauigkeit wiederholen wird. Ja wer weiss, ob nicht im gegenwärtigen Augenblicke schon derartige Control-Versuche in England, Frankreich, Deutschland oder Amerika bereits angestellt werden! —

Ich nehme es auf mich, jede derartige Notiz, gleichviel ob sie für oder gegen meine Theorie spricht, unverzüglich zur Kenntniss der verehrlichen Classe zu bringen. —

Indem ich nunmehr vermeine, durch gegenwärtige Auseinandersetzung einer Verpflichtung gegen das verehrlich-wissenschaftliche Publikum, wie gegen mich selber nachgekommen zu sein: habe ich an die verehrte Classe nur noch das Ersuchen zu stellen, diesen gegenwärtigen Aufsatz in die Sitzungsberichte aufnehmen zu wollen. —

Anmerkungen.

Christian Doppler wurde am 30. November 1803 zu Salzburg geboren und starb zu Venedig am 17. März 1853. Nachdem er von 1829 bis 1833 eine Assistentenstelle für Mathematik am polytechnischen Institut in Wien bekleidet hatte, wurde er 1837 zum Supplenten und 1841 zum Professor der Mathematik an der ständisch-technischen Lehranstalt in Prag ernannt. Von 1847 an war er in Schemnitz als Bergrat und Professor der Mathematik, Physik und Mechanik an der Bergakademie wirksam, und in den letzten Jahren seines Lebens in Wien, zunächst als Professor der praktischen Geometrie am polytechnischen Institut, später auch als Professor der Physik an der Universität.

Von *Dopplers* zahlreichen Abhandlungen, unter denen es mehrere mathematischen Inhalts gibt, beanspruchen vor allem die Arbeiten über Akustik und Optik unser Interesse. Er hat zum erstenmal — im Jahre 1842, sechs Jahre vor *Fizeau* — darauf hingewiesen, daß eine relative Bewegung des schwingenden Körpers und des Beobachters in der Richtung der Verbindungslinie die Tonhöhe des Schalles ändern und eine ähnliche Wirkung auch bei den Lichterscheinungen haben muß. Mit Recht darf man daher diesen Satz als das *Doppler*sche Prinzip bezeichnen und, in Anbetracht der Wichtigkeit und Fruchtbarkeit desselben, *Doppler* zu den Klassikern der Naturwissenschaft rechnen, obgleich, wie mir scheint, weder seine sonstigen Arbeiten, noch die Art und Weise, wie er seine Theorie gegen verschiedene Einwände verteidigt und auf die Farben der Sterne anwendet, ihm Anspruch auf diesen Ehrennamen geben*).

*) Die Auswahl der in diese Sammlung aufzunehmenden Abhandlungen hat schon vor sechs Jahren der kürzlich verstorbene Professor *E. von Oppolzer* getroffen. Mehrere derselben hätten meiner Meinung nach als minderwertig fortgelassen werden können. Da indes auch in diesen, bei vielen allzugewagten Schlüssen und

Während bereits zu *Dopplers* Zeiten sein Gesetz durch die akustischen Versuche von *Buys Ballot*, *Scott Russel* und *Fizeau* bestätigt wurde, ist es später gelungen, auch die von ihm geforderten Verschiebungen der Spektrallinien in manchen Fällen nachzuweisen. Zahlreiche Astronomen haben eine solche in den Spektren bewegter Himmelskörper beobachtet und zu Schlüssen von der höchsten Wichtigkeit verwendet. Außerdem haben in den letzten Jahren *Bielopolsky**), sowie *Galitzin* und *Wilp***), indem sie das Licht an rasch bewegten Spiegeln reflektieren ließen, Verschiebungen der Linien erhalten, die in sehr befriedigender Weise mit der Theorie übereinstimmen. Auch *Starks* Beobachtungen über den *Doppler*-Effekt bei den Kanalstrahlen***) bringen eine schöne Bestätigung.

Verglichen mit der Lichtgeschwindigkeit sind sowohl die auf spektroskopischem Wege ermittelten Sterngeschwindigkeiten als auch die aus Ortsbestimmungen abgeleiteten so klein, daß an eine beobachtbare Änderung der Farbe, wie *Doppler* sie sich vorstellte, kaum zu denken ist; wir brauchen daher in den weiter folgenden Anmerkungen auf seine diesen Punkt betreffenden Schlüsse und Erwartungen nicht ausführlich einzugehen. Freilich dürfen wir ihm keinen Vorwurf daraus machen, daß er bei mancher Schlußfolgerung größere Geschwindigkeiten der Himmelskörper voraussetzt, als wir bei dem jetzigen Stande unserer Kenntnisse anzunehmen berechtigt sind. Mehr als uns stand es ihm frei, in dieser Hinsicht seiner Phantasie den Lauf zu lassen. Auch muß erwähnt werden, daß er wiederholt sagt, erst spätere Beobachtungen werden die von ihm angeregten Fragen entscheiden, und daß gewisse Tatsachen wirklich für seine Meinung zu sprechen schienen. Ganz von Übertreibung freisprechen können wir ihn aber nicht, und es wird wohl jeder zugeben, daß er in der Schätzung der zu erwartenden Farbenänderungen oft viel zu weit geht.

Von Spektrallinien ist bei *Doppler*, wie auch sehr begreiflich ist, nie die Rede, und wenn er von homogenem Licht

---

manchen Fehlern, hin und wieder einiges vorkommt, das vielleicht auch jetzt noch anregend wirken kann, so habe ich geglaubt, mich dem Wunsche der Redaktion, nach Möglichkeit den Lesern »den ganzen Doppler« darzubieten, fügen zu müssen.

*) Bulletin de l'Acad. des Sciences de St. Pétersbourg T. 13, Nr. 5 (1900), p. 461; Astrophysical Journal, Vol. 13 (1901), p. 15.

**) Bulletin de l'Acad. des Sciences de St. Pétersbourg 1907, p. 213.

***) Ann. d. Physik Bd. 21 (1906), S. 401.

spricht, legt er den Worten offenbar eine andere Bedeutung bei, als wir es jetzt tun. In Wirklichkeit stellt er sich das Spektrum eines Sternes als kontinuierlich vor, und zwar nimmt er stillschweigend an, daß es, wenn der Körper ruht, keine andern als sichtbare Strahlen enthält. Rücken nun infolge einer Bewegung sämtliche Strahlen in dem Spektrum nach einer bestimmten Seite hin, so werden auf der einen Seite einige das sichtbare Spektrum verlassen, während am andern Ende ein Teil des Spektrums von Strahlen entblößt wird. Hierdurch entsteht, bei genügender Vergrößerung oder Verkleinerung der Schwingungszahlen, eine Änderung der Gesamtfarbe, und zwar wäre dies der einzige Grund für eine solche, wenn in dem ursprünglichen Spektrum die Lichtstärke derart verteilt wäre, daß in dem nicht verdunkelten Teil an jeder Stelle die Intensität vor und nach der Verschiebung dieselbe wäre. Ist diese Bedingung nicht erfüllt, so komplizieren sich natürlich die Verhältnisse. Z. B. würde ein Lichtmaximum im Spektrum nach rechts oder links wandern, was an und für sich eine Änderung der resultierenden Farbe zur Folge haben würde. *Doppler* zieht dies in Betracht, obgleich er sich in ziemlich unklarer Weise ausdrückt (siehe S. 11).

Ist die Translationsgeschwindigkeit groß genug, so könnten, wie *Doppler* bemerkt, alle Strahlen das sichtbare Spektrum verlassen, so daß der Himmelskörper völlig unsichtbar würde.

Es braucht kaum gesagt zu werden, daß man zu ganz andern Schlüssen geführt wird, sobald man annimmt, daß das ursprüngliche Licht von ultraroten und ultravioletten Strahlen begleitet ist. Während am einen Ende Strahlen aus dem sichtbaren Spektrum geschieden werden, treten dann am andern neue in dasselbe hinein. Einen Teil, wo das Licht fehlt, gibt es in diesem Fall nicht, und die Änderung der Farbe hängt gänzlich von der Verteilung der Intensität in dem sichtbaren und unsichtbaren Spektrum ab.

Als *Doppler* seine Abhandlungen schrieb, waren die ultraroten und die ultravioletten Strahlen längst bekannt; an die ersteren, die *Melloni* ausführlich untersucht hatte, hätte er jedenfalls denken können. Jedoch tat er dies nicht, und erst als *Buys Ballot* ihn auf diesen Punkt aufmerksam gemacht hatte, ist auch bei *Doppler* von den ultraroten Strahlen die Rede (S. 90 und 91). Er glaubt, in seinen Betrachtungen von ihnen absehen zu dürfen, weil ihre Intensität zu klein sei, eine Auffassung, die er durch einen ziemlich sonderbaren Angriff gegen

Melloni zu verteidigen sucht. Ich muß indes darauf hinweisen, daß *Doppler* sich an einer Stelle (S. 21, Zeile 3—1 v. u.) dahin äußert, daß Sterne, die deshalb unsichtbar sind, weil sie Strahlen von zu großer Wellenlänge aussenden, infolge einer nach der Erde hin gerichteten Bewegung sichtbar werden können.

Es mögen hier auch einige Worte von dem Standpunkte gesagt werden, den *Doppler* der *Fresnel*schen Lichttheorie gegenüber einnahm. Daß er die Ansicht verwarf, dergemäß die Erde bei ihrer Bewegung um die Sonne den Äther in Ruhe läßt (siehe S. 48 unter 9.; S. 58, Z. 24—31; S. 64, Z. 1—4; S. 70, Z. 9—12), kann uns nicht wundern. Diese Hypothese, mittels der *Fresnel* mit glücklichem Erfolg die Aberration und gewisse damit zusammenhängende Erscheinungen zu erklären versucht hatte, lief den damaligen Anschauungen so sehr entgegen, daß sie manchem unnatürlich und bedenklich erscheinen mußte; sie konnte erst später allgemeinere Anerkennung finden, als man sich daran gewöhnt hatte, den Äther als ein von aller gewöhnlichen Materie weit verschiedenes Medium zu betrachten.

Mehr befremdend ist für uns, was *Doppler* von der Annahme der Transversalschwingungen sagt. Er meint, diese trage den »Charakter einer großen inneren Unwahrscheinlichkeit« an sich (S. 5) und nur die Voraussetzung longitudinaler Schwingungen sei »naturgemäß und einfach« (S. 3). Auch an mancher andern Stelle zeigt es sich, daß er nie aufgehört hat, an der Lehre von den Transversalschwingungen Anstoß zu nehmen. Offenbar rührte dies daher, daß er sich von der Fortpflanzung solcher Schwingungen keine deutliche Vorstellung zu machen vermochte; auch hängt es damit zusammen, daß es ihm bei Annahme transversaler Bewegungen nicht recht gelingen wollte, einzusehen, welche Umstände es sind, die die Richtung der Lichtstrahlen bestimmen. Sind die Schwingungen longitudinal, dann wird, so meint *Doppler*, in jedem Punkte die Richtung des Strahls einfach durch die der Schwingungen gegeben.

Was den Zusammenhang zwischen dieser Frage nach der Schwingungsrichtung und dem Hauptgegenstand seiner Untersuchungen anbelangt, so scheint *Doppler* hierüber mit sich selbst nicht einig geworden zu sein. Der Inhalt des ersten Paragraphen der Abhandlung über das farbige Licht der Doppelsterne (S. 3—5) erweckt den Eindruck, daß er das in § 2 zu formulierende Prinzip als nur für Longitudinalschwingungen gültig ansehe, und im weiteren Verlauf der Arbeit (S. 14) sagt er, daß Tatsachen, die die aufgestellte Theorie der Farbenänderungen bestätigen, auch »weiter zurück für das Stattfinden der Longitudinalschwingungen« sprechen werden. Später aber, in seiner Erwiderung gegen *Mädler*, macht er diesem einen Vorwurf daraus, daß er gemeint hatte, das Prinzip der Änderung der Farbe durch die Bewegung habe etwas mit speziellen Lichttheorien zu schaffen. »Hätte Recensent«, so heißt es jetzt (S. 29) »diesen Gedanken auch nur etwas reiflicher erwogen, so würde er gefunden haben, daß alles von den Farbänderungen Gesagte in ganz gleicher Weise in der einen wie in der andern der verschiedenen Lichttheorien gelte.«

---

1) *Zu S. 8.* *Doppler* hat vergessen zu erwähnen, daß α die Geschwindigkeit des Beobachters bedeutet. In den Formeln habe ich hier und an einigen andern Stellen (vgl. S. 29, Z. 3—5) Doppelstriche, die Zeitkunden andeuten sollten, fortgelassen. Auch habe ich Fig. 2, die mir unverständlich war, durch eine andere ersetzt.

2) *Zu S. 9.* Im Original stand unrichtigerweise »das untere Zeichen«. Derartige Fehler habe ich an mehreren Stellen verbessert, ohne es zu erwähnen. Hin und wieder vorkommende unbedeutende Ungenauigkeiten in *Dopplers* numerischen Rechnungen habe ich ungeändert gelassen.

3) *Zu S. 10.* Diese Zahlen gelten, wenn man für die äußersten Wellenlängen des sichtbaren Spektrums 4130 und 6550 *Ångström*sche Einheiten nimmt. Sie ergeben für den Wert der Geschwindigkeit α nicht, wie *Doppler* sagt, 19 000, sondern 25 000 Meilen in der Sekunde.

4) *Zu S. 10.* Bei diesen Geschwindigkeiten würde gelbes Licht mit der Wellenlänge 5850 Å. E., bzw. rotes mit der Wellenlänge 6300 Å. E. die Wellenlänge 6550 erhalten und also (vergl. Anmerkung 3) unsichtbar werden.

5) *Zu S. 12.* *Doppler* scheint nicht daran gedacht zu haben, daß man im Fall eines beleuchteten Objektes nicht bloß auf dessen relative Bewegung in bezug auf den Beobachter, sondern auch auf die relative Bewegung gegen die Lichtquelle Rücksicht nehmen muß.

6) *Zu S. 20.* Siehe diese Ausgabe, S. 31, Z. 21—24.

7) *Zu S. 24.* Weil zwölf Umlaufe der Erde nahezu 13 Perioden des Sterns entsprechen.

8) *Zu S. 36.* In dem in Fig. 2 vorausgesetzten Fall kann der Strahl nicht, wie *Doppler* es zeichnet, zwei Inflexionspunkte haben; er ist an allen Stellen gegen den Mittelpunkt hin konkav.

9) *Zu S. 37.* Wenn *Doppler* in den nächsten Paragraphen von der Fortpflanzung eines Lichtstrahls in einer Planetenatmosphäre spricht, so stellt er sich vor, daß, ebenso wie die Gase dieser Atmosphäre, auch der in ihr enthaltene Äther an der Rotation des Planeten teilnimmt. Er war sich darüber klar (vgl. S. 48, unter 9), daß es auf den Äther ankommt, und daß die rotatorische Ablenkung nicht bestehen würde, wenn dieses Medium stillstände. Jetzt, da wir gute Gründe haben, letzteres anzunehmen, haben die von *Doppler* im weiteren Verlaufe seiner Abhandlung gezogenen Schlüsse ihre Bedeutung größtenteils verloren.

Übrigens hat er bei seiner Berechnung der rotatorischen Ablenkung einen Punkt übersehen. Man kann sich vorstellen, daß der einen Himmelskörper umgebende Äther bis zu einer gewissen Höhe mitrotiert, derart, daß die Geschwindigkeit des Äthers bei wachsender Entfernung von dem Körper kontinuierlich abnimmt; es ist z. B. denkbar, daß jede mit der Oberfläche des Körpers konzentrische Schicht als Ganzes mit einer Winkelgeschwindigkeit sich dreht, die nach außen hin allmählich auf Null herabsinkt. Diesen allgemeinen Fall, der etwas verwickeltere Rechnungen erfordern würde, hat *Doppler* indes nicht behandelt. Er beschränkt sich auf die Betrachtung einer kugelförmigen Ätherhülle, die mit einer allen ihren Teilen gemeinsamen Winkelgeschwindigkeit rotiert, während der äußere Äther völlig in Ruhe bleibt. In diesem Falle erleiden nun aber die Lichtstrahlen eine von *Doppler* unberücksichtigt gelassene Richtungsänderung an den Stellen, wo sie in die Hülle hineintreten und sie verlassen; Größe und Sinn dieser Änderung kann man entweder direkt aus den Bedingungungen an der Diskontinuitätsfläche ableiten oder in der Weise, daß man sich zunächst die Geschwindigkeit der Ätherschichten kontinuierlich veränderlich denkt und nachher zu dem Grenzfall übergeht, in dem die Geschwindigkeit einen Sprung macht.

Um die erforderliche Modifikation von *Dopplers* Schlüssen zu ermöglichen, erlaube ich mir, hier kurz einige Resultate anzuführen, zu denen ich in einer eben durch seine Abhandlung veranlaßten Untersuchung über die Fortpflanzung von Wellen und Strahlen in einem Medium mit beliebiger Bewegung gekommen bin*). Letzteres setzte ich dabei als isotrop voraus, und ich bezeichne mit $\mathfrak{p}$**) die Geschwindigkeit seiner Bewegung gegen das Koordinatensystem, in bezug auf welches die Fortpflanzung des Lichtes untersucht wird, mit $\mathfrak{p}_h$ die Komponente dieser Geschwindigkeit nach irgend einer Richtung h, und mit A die Größe der Fortpflanzungsgeschwindigkeit des Lichtes in dem Mittel für den Fall der Ruhe. Zur Vereinfachung nehme ich an, daß sowohl der Äther als auch die ponderable Materie, die das Mittel enthält, die genannte Geschwindigkeit $\mathfrak{p}$ haben. Wollte man verschiedene Bewegungen des Äthers und der Materie voraussetzen, so hätte man nach der modernen Lichttheorie mit dem sogenannten von *Fresnel* herrührenden Mitführungskoeffizienten (vgl. Anmerkung 18) zu rechnen.

Um nun den Einfluß der Bewegung des Mediums kurz auszudrücken, bemerke ich, daß sich eine Änderung einer Richtung immer durch Angabe von Richtung und Größe eines gewissen Vektors darstellen läßt. Man kann nämlich, wenn a und b irgend welche Richtungen sind, immer dadurch von der ersten zur zweiten übergehen, daß man einen Vektor, der die Richtung a und die Länge Eins hat, mit einem passend gewählten Vektor zusammensetzt, den wir dann den »ablenkenden Vektor« nennen wollen. Hat man es mit unendlich kleinen Richtungsänderungen zu tun — und dies gilt in den sogleich zu betrachtenden Fällen, sofern man von Größen absieht, die dem Quadrat des Verhältnisses zwischen den Geschwindigkeiten $\mathfrak{p}$ und A proportional sind —, dann gilt der Satz: Wenn man die Richtung b aus der Richtung a mittels des ablenkenden Vektors $\mathfrak{k}$ ableitet, so führt der diesem gleiche und entgegengesetzte ablenkende Vektor $-\mathfrak{k}$ von b auf a zurück.

Der Untersuchung der Lichtfortpflanzung in dem bewegten Medium kann man die bekannte *Huygens*sche Konstruktion für die sukzessiven Lagen einer Welle zugrunde legen, wobei wir jetzt zu beachten haben, daß die elementare Welle, die sich in einer unendlich kleinen Zeit dt um einen Schwingungsmittelpunkt P bildet, eine Kugel vom Radius $A dt$ ist, deren Mittelpunkt Q gefunden wird, wenn man P um die Strecke $PQ = dt \cdot \mathfrak{p}$ verschiebt.

*) Siehe meine Abhandlungen über theoretische Physik, Leipzig 1907, Bd. I, S. 395, und auch *E. R. v. Oppolzer*, Erdbewegung und Äther, Ann. d. Phys. 8 (1902), S. 898.

**) Deutsche Buchstaben sollen Vektoren, lateinische skalare Größen bedeuten.

Hat nun eine Wellenfront zur Zeit t die Lage σ erreicht, so beschreiben wir, indem wir ein bestimmtes Zeitelement dt ins Auge fassen, um jeden Punkt P dieser Fläche eine unendlich kleine Elementarwelle wie die soeben genannte, und suchen die einhüllende Fläche σ' aller dieser Elementarwellen. Damit ist die Lage gefunden, die die Wellenfront in dem Augenblick $t + dt$ erreicht hat, und durch Wiederholung der Konstruktion kann man die weitere Fortpflanzung Schritt für Schritt verfolgen. Zugleich lernt man den Lauf der Lichtstrahlen kennen, d. h. der Linien, die die seitliche Begrenzung eines Lichtbündels (abgesehen von den Diffraktionserscheinungen) bestimmen; die Linie nämlich, die einen Punkt P der Wellenfront σ mit dem Punkte P' verbindet, in dem die von P ausgegangene Elementarwelle durch die neue Wellenfront σ' berührt wird, ist ein Element eines solchen Strahls.

Die Resultate der hiermit skizzierten Theorie lassen sich nun folgenderweise zusammenfassen:

a) Die Geschwindigkeit einer Lichtwelle mit der (in der Fortpflanzungsrichtung gezogenen Normale) n hat den Wert $A + \mathfrak{p}_n$.

b) In jedem Punkte läßt sich der Übergang von der Richtung der Wellennormale zu der des Lichtstrahls mittels des ablenkenden Vektors $\frac{\mathfrak{p}}{A}$, und also der umgekehrte Übergang mittels des Vektors $-\frac{\mathfrak{p}}{A}$ vollziehen.

c) Es seien u, v, w die rechtwinkligen Komponenten der Geschwindigkeit $\mathfrak{p}$ und also

$$\lambda = \tfrac{1}{2}\left(\frac{\partial w}{\partial y} - \frac{\partial v}{\partial z}\right), \quad \mu = \tfrac{1}{2}\left(\frac{\partial u}{\partial z} - \frac{\partial w}{\partial x}\right), \quad \nu = \tfrac{1}{2}\left(\frac{\partial v}{\partial x} - \frac{\partial u}{\partial y}\right)$$

die Komponenten der Rotationsgeschwindigkeit eines Volumenelementes. Ferner seien s die Linie, längs der, wenn keine Bewegung des Mediums besteht, ein Lichtstrahl von einem Punkte P_1 nach einem Punkte P_2 gelangen kann, ds ein Element dieser Linie, α, β, γ die Winkel, die es mit den Koordinatenachsen bildet. Ein Vektor mit den Komponenten

$$\frac{2}{A}\int_{P_1}^{P_2}(\mu \cos\gamma - \nu \cos\beta)\,ds, \quad \frac{2}{A}\int_{P_1}^{P_2}(\nu \cos\alpha - \lambda \cos\gamma)\,ds,$$

$$\frac{2}{A}\int_{P_1}^{P_2}(\lambda \cos\beta - \mu \cos\alpha)\,ds$$

bestimmt dann die Richtungsänderung, die der Strahl in dem bewegten Medium bei seiner Fortpflanzung von P_1 nach P_2 erleidet.

Aus diesem Satze ergibt sich eine Folgerung, die *Doppler* mit Recht als selbstverständlich betrachtet, nämlich daß in einem Mittel, das als Ganzes mit ein und derselben Winkelgeschwindigkeit rotiert, längs einer geraden Linie, die an der Drehung teilnimmt, ein Strahl sich in derselben Weise fortpflanzen kann, wie wenn das Medium und die Linie ruhten.

d) Wir betrachten endlich den Fall, daß die Eigenschaften des Mittels und seine Bewegung an einer gewissen Fläche Σ eine Unstetigkeit zeigen, und zwar möge diese, was die Geschwindigkeit $\mathfrak{p}$ betrifft, auf ihre tangentielle Komponente beschränkt bleiben. Wir unterscheiden die beiden Seiten der Fläche als die erste und die zweite, ziehen die Normale N von der ersten nach der zweiten Seite hin und bezeichnen mit den Indizes 1 und 2 die Größen, die sich auf die beiden Seiten beziehen. Für die Richtungsänderung der Wellen beim Durchgang durch die Fläche gilt das gewöhnliche Brechungsgesetz, wobei man aber mit den unter a) angegebenen Fortpflanzungsgeschwindigkeiten der Wellen zu rechnen hat. Die Wellennormalen n_1 und n_2 liegen nämlich mit der Normale N in einer Ebene, und zwischen den spitzen Winkeln ϑ_1 und ϑ_2, die sie mit N bilden, besteht die Relation

$$\frac{\sin \vartheta_1}{\sin \vartheta_2} = \frac{A_1 + \mathfrak{p}_{n_1}}{A_2 + \mathfrak{p}_{n_2}}.$$

Bei festgehaltener Richtung von n_1 ergibt sich hieraus für die Normale der gebrochenen Wellen eine Richtung, die von der, die sie in einem ruhenden System haben würde, abweicht, d. h., die Bewegung des Mediums hat, wenn man n_1 festhält, eine Änderung in der Richtung von n_2 zur Folge. Aus dem Gesagten folgt, daß diese Änderung einem ablenkenden Vektor

$$-\frac{1}{\cos \vartheta_2}\left(\frac{\mathfrak{p}_{n_2}}{A_2} - \frac{\mathfrak{p}_{n_1}}{A_1}\right),$$

der die Richtung der Normale N hat, entspricht.

Diesen letzteren Satz kann man nun benutzen, um die plötzlichen Änderungen zu bestimmen, die die Wellennormale an der Grenze der von *Doppler* vorausgesetzten rotierenden Ätherhülle erfährt, wobei eine Vereinfachung dadurch entsteht, daß der Äther außerhalb der Hülle stillsteht, und daß also entweder

$\mathfrak{p}_1$ oder $\mathfrak{p}_2$ Null ist. Zieht man auch das oben unter b) Gesagte heran, so ist man imstande, den Lauf eines Lichtstrahls durch die rotierende Äthermasse hindurch vollständig zu verfolgen.

Bei näherer Betrachtung stellt sich heraus, daß die plötzlichen Richtungsänderungen an der Grenze die entgegengesetzte Richtung wie *Dopplers* rotatorische Ablenkung haben und sie manchmal an Größe übertreffen.

10) *Zu S. 39.* In *H. Struves* Beobachtungen der Bedeckung des Sternes B. D. — 6,6191° durch Jupiter, am 19. September 1903 *), zeigt sich keine Spur einer rotatorischen Ablenkung. Man kann hieraus schließen, daß die Dicke der mitrotierenden Ätherhülle, wenn eine solche überhaupt vorhanden ist, nur ein kleiner Bruch des Planetenradius sein kann.

11) *Zu S. 42.* In dieser Gleichung, bei deren Ableitung vorausgesetzt ist, daß der Lichtstrahl die Oberfläche des Planeten streift, bedeutet d die Hälfte des genannten Weges.

12) *Zu S. 43.* Man versteht die Figur besser, wenn man sich die Buchstaben α und β nach dem Punkte hin versetzt denkt, wo die von σ ausgehende Linie die Grenzen des Schweifes in der Lage AB trifft. Übrigens ist zu *Dopplers* Betrachtungen zu bemerken, daß sie ganz hinfällig werden, wenn man sich den Äther als ruhend vorstellt, und daß, wenn man diesen durch den Schweif mitführen läßt, auch der Äther außerhalb dieses letzteren nicht als ruhend angesehen werden darf. In der Figur, wie *Doppler* sie zeichnet, ist vorausgesetzt, daß der Schweif sich erheblich rascher als das Licht bewegt.

13) *Zu S. 49.* Diese Formel, in der wieder t die Rotationszeit des Planeten und α die Geschwindigkeit des Lichtes bedeutet, liefert, in Sekunden ausgedrückt, den Winkel, um den der Strahl, und zwar um die Rotationsachse, gedreht wird; m. a. W., ϱ ist die Änderung der Rektaszension des Sternes, während die Deklination ungeändert bleibt.

14) *Zu S. 49.* Mit »rotatorische Ablenkung« ist hier wieder die Änderung der Rektaszension gemeint.

15) *Zu S. 49.* Man kann sagen, daß es sich bei dieser Frage nach dem Einfluß der Erdrotation auf die scheinbare Lage der Sterne um die tägliche Aberration handle. Gewöhnlich wird für diese in ganz ähnlicher Weise wie für die jährliche eine Korrektion angebracht, und das ist auch richtig, wenn

*) Astronomische Nachrichten 164 (1903—1904), S. 33.

der Äther an der Achsendrehung der Erde nicht teilnimmt. Bestände aber eine mitrotierende Ätherhülle von einer gewissen Dicke, so hätte man die *Doppler*schen Formeln mit Berücksichtigung des in Anmerkung 9) Gesagten zu benutzen.

Die Beobachtungen gestatten leider nicht, die Existenz der täglichen Aberration, und viel weniger noch die Art und Weise, wie sie von verschiedenen Umständen abhängt, festzusetzen. Von der Möglichkeit, solche Untersuchungen, wie *Doppler* sie sich im weiteren Verlauf dieses Paragraphen vorstellt, durchzuführen, ist man daher weit entfernt.

16) *Zu S. 50.* Die angegebene Zahl bestimmt die Änderung der Rektaszension, von der natürlich die Änderung der Höhe zu unterscheiden ist.

17) *Zu S. 62.* Hier ist wohl einzuschalten: »die Schwingungsrichtung des genannten letzten Ätherteilchens«.

18) *Zu S. 70.* Die Schwierigkeiten, die *Doppler* in der Erklärung der Aberration findet, rühren zum Teil daher, daß er sich nicht entschließen kann, mit *Fresnel* den Äther als unbeweglich vorauszusetzen, zum Teil aber scheinen sie mir durch fehlerhafte Schlussfolgerungen zu entstehen. Was die *Fresnel*sche Hypothese betrifft, so haben sich gegenwärtig wohl die meisten, wenn nicht alle Physiker mit ihr versöhnt. Bedenken von astronomischer Seite haben wir nicht mehr zu fürchten, da sich ein durch den Äther ausgeübter Widerstand (vgl. S. 59, Z. 18—28) in den Bewegungen der Himmelskörper nicht gezeigt hat, und also nichts dagegen ist, diese als vollkommen durchdringlich zu betrachten. Auch darin, daß der Äther das Vermögen haben muß, trotz dieser Durchdringlichkeit die lichtempfindende Netzhaut zu erregen (vgl. S. 59, Z. 9—3 v. u.) liegen für uns keine Schwierigkeiten, wenigstens keine größeren, als wir uns in derartigen fundamentellen Fragen wohl immer werden gefallen lassen müssen. Allmählich hat sich die Vorstellung Bahn gebrochen, daß, innerhalb des Gebietes von Erscheinungen, um das es sich jetzt handelt, die ponderable Materie nur vermöge der elektromagnetischen Wirkungen mit dem Äther in Wechselwirkung tritt, und daß wir, was die Vorgänge in diesem Mittel betrifft, nur an die elektromagnetischen Felder zu denken haben, die in reicher Verschiedenheit in ihm bestehen können. Eine Bewegung der Volumenelemente des Äthers, etwa nach Art einer Flüssigkeitsströmung, halten wir für ausgeschlossen (und zwar für ausgeschlossen durch die Natur des Mediums), und die Bewegung

jedes materiellen Teilchens, sei es ein Molekül, ein Atom oder ein Elektron (d. h. ein Teilchen mit elektrischer Ladung), denken wir uns so, daß auch im Innern des Teilchens der allgegenwärtige Äther vorhanden ist, daß also kein Äther verdrängt zu werden braucht, sondern vielmehr das Teilchen im Laufe seiner Bewegung bald mit diesem, bald mit jenem Teil des Äthers zusammenfällt. Wir können dies dem Verständnis etwas näher bringen, wenn wir das Teilchen als irgend eine örtliche Modifikation des Äthers betrachten; eine solche kann ja sehr gut die Lage ändern, ohne daß der Äther selbst von der Stelle rückt.

Jedes Elektron bringt nun sowohl durch sein Vorhandensein als auch durch seine Bewegung ein elektromagnetisches Feld hervor und erleidet seinerseits eine Kraftwirkung, sobald es sich in einem anderwärtigen Felde dieser Art befindet. Schwingt ein Elektron, so gehen von ihm elektromagnetische Wellen aus, die bei genügend gesteigerter Frequenz zu Lichtwellen werden, und umgekehrt kann ein Elektron durch Lichtstrahlen, die es treffen, in eine schwingende Bewegung versetzt werden. So denken wir uns, daß in einer photographischen Platte oder in der Netzhaut des Auges, unter dem Einfluß eines auffallenden Lichtbündels, schwingende Bewegungen entstehen, die manche weitere Wirkung veranlassen können.

Allerdings bleibt bei diesen hier in Kürze geschilderten Auffassungen noch manche offene Frage bestehen, und erfordert es sogar eine gewisse Resignation, um mit ihnen zufrieden zu sein; im großen ganzen liefern sie uns aber ein angemessenes Bild der Erscheinungen, in dem nun auch für die Aberration, und was mit ihr zusammenhängt, Platz ist.

Die gesuchte Erklärung gelingt jetzt ohne Mühe, wenn man sich denkt, daß die Richtung, in der wir einen Himmelskörper erblicken, mit Hilfe zweier mit kleinen Öffnungen versehener Schirme bestimmt wird; diese seien z. B. an den Enden eines Fernrohrs ohne Linsen angebracht. Die Fortpflanzung des Lichtes von der ersten Öffnung zur zweiten findet nun, da wir von dem äußerst geringen Einfluß der Luft absehen dürfen, im ruhenden Äther statt und ist somit völlig unabhängig von der Erdbewegung. Ferner geschieht sie in geraden Linien, wenn die erste Öffnung, wie wir annehmen wollen, so weit ist, daß keine merkliche Beugung auftritt. Man gelangt nun sofort zu der wirklich beobachteten Aberration, wenn man sich die Frage stellt, welche Richtung man dem Fernrohr geben müsse, damit die Gleichgewichtsstörungen, die durch die erste Öffnung hindurchgegangen sind, gerade die zweite Öffnung treffen. Die in dieser Weise gewonnene Erklärung ist im wesentlichen die längst bekannte; sie stimmt nämlich mit dem dritten der von *Doppler* unterschiedenen Erklärungsversuche überein (siehe S. 55).

Übrigens muß ich darauf hinweisen, daß es unter den Erklärungsweisen, die *Doppler* bespricht, solche gibt, die zwar in der Einkleidung, kaum aber dem Wesen der Sache nach voneinander verschieden sind. Um z. B. bei der soeben vorausgesetzten Vorrichtung die Frage zu beantworten, wie man das Fernrohr richten müsse, um beide Öffnungen vom Licht durchstrahlen zu lassen, kann man die Aufmerksamkeit auf die relative Bewegung der Gleichgewichtsstörungen gegen den Apparat, d. h. gegen die Erde, richten; dies führt dazu (vgl. den vierten Erklärungsversuch, S. 62), die Geschwindigkeit, mit der sich das Licht im Äther fortpflanzt, mit der umgekehrten Erdgeschwindigkeit zusammenzusetzen. Da eine fortschreitende Gleichgewichtsstörung, ebensogut wie ein sich bewegender Punkt, in jedem Augenblick eine bestimmte Stelle erreicht hat, so können wir sehr gut von ihrer relativen Bewegung in bezug auf ein sich in beliebiger Weise verschiebendes System sprechen und diese nach der gewöhnlichen Konstruktion bestimmen. Von der Anwendung dieses Verfahrens brauchen wir uns durch das, was *Doppler* S. 64, Z. 4—39 sagt, nicht abhalten zu lassen.

Bei dem oben vorausgesetzten Fernrohr ohne Linsen wird die Richtung der Lichtstrahlen (man kann sagen: die »scheinbare« Richtung, oder die Richtung der »relativen« Strahlen) durch die Verbindungslinie der Öffnungen bestimmt, in Übereinstimmung mit dem allgemeinen Sprachgebrauch, demgemäß unter »Strahl« der Weg des Lichtes verstanden wird. Unglücklicherweise hält *Doppler* sich nicht an diesen einfachen Begriff. Er meint vielmehr, die Richtung des Strahles werde in irgend einer Weise durch die Bewegung der Teilchen bestimmt, die direkt auf das beobachtende Sinnesorgan wirken. Indem er nun nach einer Änderung dieser Bewegung sucht, steckt er sich in beträchtliche Schwierigkeiten (vgl. S. 62, Z. 11—27, S. 66, Z. 17—8 v. u., S. 67, γ und S. 69), und er sieht sich veranlaßt, in der Aberrationstheorie einen Unterschied zwischen longitudinalen und transversalen Schwingungen zu machen (siehe auch seine Fußnote zu S. 4).

In Wirklichkeit beruht, wenn man sich auf den Fall eines Fernrohrs ohne Linsen beschränkt und sich der *Fresnel*schen Hypothese bedient, die Erklärung der Aberration bloß auf der Möglichkeit einer geradlinigen Fortpflanzung, und diese ist sowohl bei Longitudinal-, als auch bei Transversalschwingungen denkbar. Insofern nun die Ausbreitung in geraden Linien aus den in den elektromagnetischen Gleichungen ausgedrückten Grundlagen der modernen Lichttheorie abgeleitet werden kann, können wir sagen, die Erklärung beruhe auf diesen letzteren, und wir können versichert sein, daß alle Einzelheiten jedes speziellen Falles durch Formeln ausgedrückt werden können, die jenen Grundgleichungen genügen, so daß wir auch, was die Schwingungen und ihre Richtung betrifft, gesetzt, daß wir diese genau zu untersuchen wünschen, nie auf Schwierigkeiten oder Widersprüche stoßen werden.

In seinem Bestreben, alle Blößen der Aberrationstheorie aufzudecken, ist *Doppler* an einer Stelle entschieden zu weit gegangen. Die Bedingung, die wir oben für die Richtung des Fernrohrs gestellt haben, kann natürlich so gefaßt werden, daß man verlangt, das durch die Objektivöffnung eingetretene Licht soll die Wand des Rohrs nicht treffen. *Doppler* meint nun (S. 61, Z. 14—18), bei dieser Fassung werde die Erklärung auch deswegen hinfällig, weil man nach *Fresnel* annehmen muß, daß die Wände den Äther ungehindert durchlassen. Offenbar aber ist die Aufgabe, das Rohr so zu stellen, daß das Licht in der Richtung der Achse hindurchgeht und also das hintere Ende erreicht, ganz unabhängig von den Eigenschaften der Wände.

Im vorhergehenden war nur von der Fortpflanzung im Äther die Rede. Hat man es mit ponderablen Körpern zu tun, so ist es nötig, die weitere von *Fresnel* eingeführte Hypothese herbeizuziehen, nach der ein solcher Körper, falls er sich mit einer gewissen Geschwindigkeit v bewegt, einen in ihm sich fortpflanzenden Lichtstrahl nicht mit der vollen Geschwindigkeit v, sondern nur mit einem gewissen Bruchteil mitführt, und zwar beträgt dieser Bruchteil $\left(1 - \frac{1}{n^2}\right) v$, wenn n der Brechungsexponent des Körpers ist. Nur wenn man annimmt, daß in den Linsen das Licht gerade in diesem Grade mitgeführt wird, kann man verstehen, daß man mit einem gewöhnlichen Fernrohr die von der elementaren Theorie geforderte Aberration beobachtet, d. h. dieselbe, die sich in unserem früheren Fernrohr ohne Linsen zeigen würde.

Fresnels Hypothese hat in *Fizeaus* Beobachtungen über die Fortpflanzung des Lichtes in strömendem Wasser, und in der Wiederholung dieser Versuche durch *Michelson* und *Morley* eine glänzende Bestätigung gefunden. Auch hat bereits *Fresnel* versucht, ihr eine theoretische Begründung zu geben. Daß die Geschwindigkeit des Lichtes in einem durchsichtigen ponderablen Körper kleiner ist als im luftleeren Raum, erklärte er durch die Annahme, daß die Dichte ϱ des Äthers in dem Körper größer sei als die Dichte ϱ_0 im luftleeren Raum. Indem er sich nun vorstellte, daß der Überschuß $\varrho - \varrho_0$ an der ponderablen Materie haftet, und an deren Bewegung teilnimmt, die Äthermenge ϱ_0 dagegen frei ist und nicht mitgeführt wird, gelang es ihm, den Mitführungskoeffizienten aus einer theoretischen Betrachtung abzuleiten. Dieser Versuch, den Zusammenhang der verschiedenen Erscheinungen zu erfassen, verdiente jedenfalls nicht den Spott, den *Doppler* sich erlaubt, S. 59, Z. 5—13 über ihn ergehen zu lassen.

In der *Fresnel*schen Aberrationstheorie kann man, sobald ponderable Materie im Spiel ist, ohne den Mitführungskoeffizienten nichts machen; dies gilt auch, wenn es sich um die Vorgänge im Auge handelt, und man kann diese nur dann in so einfacher Weise erledigen, wie *Doppler* es in § 9 (S. 65) tut, wenn man von den ponderablen Medien abstrahiert und, indem man sich die Pupille als ziemlich klein vorstellt, das Auge auf die oben besprochene Vorrichtung ohne Linsen zurückführt. Man kann sich vorstellen, daß die Richtungsbestimmung so stattfindet, daß durch Drehung des Auges um den Mittelpunkt O (Fig. 4, S. 66) die empfindliche Stelle der Netzhaut in das durch die Pupille eingedrungene schmale Lichtbündel gebracht wird. *Doppler* ist nun aber im Irrtum, wenn er meint (S. 66), in dieser Weise müßte man die Aberration doppelt so groß beobachten, als sie in Wirklichkeit ist. Wenn man nämlich von der in Fig. 4 gezeichneten Stellung aus das Auge so dreht, daß der empfindliche Punkt a nach links geht, so verschiebt sich die Pupille und also auch, da die Richtung des Lichtstrahls ungeändert bleibt, der Lichtfleck a' um ebensoviel nach rechts. Die Punkte a und a' nähern sich also einander mit gleichen Geschwindigkeiten und werden zusammenfallen, sobald eine Drehung um den Winkel $\frac{1}{2}\beta = \alpha$ stattgefunden hat.

19) *Zu S. 74.* *Doppler* schließt ganz richtig, daß in dem Fall, auf den sich Fig. 5 bezieht, die Richtung der Wellen

ungeändert bleibt. Von den Strahlen gilt das aber nicht. Man überzeugt sich hiervon leicht, wenn man untersucht, welche gegenseitige Lagen zwei Öffnungen, deren eine in der Grenzfläche AB, die andere aber in der Ebene gg'' liegt, haben müssen, damit das Licht durch beide hindurchgehe.

Es möge hier daran erinnert werden, daß der von *Cauchy* (S. 71) angeregte Gedanke später von *Stokes* aufgenommen und zu einer Theorie der Aberration entwickelt worden ist. *Stokes* fand, daß man auch in der Voraussetzung, daß der Äther durch die Erde in Bewegung gesetzt wird, zu einer Erklärung gelangen kann, wenn man annimmt: 1. daß bei der Bewegung des Äthers keine Drehung der Volumenelemente (vgl. Anmerkung 9) stattfindet, und 2. daß der Äther nicht an der Erde entlang gleitet, sondern in jedem Punkte der Oberfläche dieselbe Geschwindigkeit wie diese hat. Auf die Schwierigkeiten, auf die man stößt, wenn man diese Annahmen miteinander zu vereinen sucht, und die ich für fast unüberwindlich halte, kann hier nicht eingegangen werden*).

Leider ist dieser Paragraph von *Doppler* noch durch einen kleinen Fehler entstellt. Wenn er, was wohl nicht zu bezweifeln ist, in der ersten Reihe von Gleichungen auf S. 73 hat ausdrücken wollen, daß die sogenannte »optische Länge« für alle Linien FEG, $F'E'G'$ usw. gleich ist, und wenn er unter n den Brechungsexponenten bei dem Übergang aus dem Mittel in den Körper verstehen wollte, so hätte er schreiben müssen: $FE + n \cdot EG$ usw. In das Resultat bringt dies natürlich keine Änderung.

20) *Zu S. 75.* Spätere Untersuchungen haben gezeigt, daß die Diskordanz der verschiedenen Zahlen höchstwahrscheinlich auf Rechnung von Beobachtungsfehlern zu stellen ist.

21) *Zu S. 80.* In Wirklichkeit besteht diese Bestätigung keineswegs. Wenn der Beobachter sich bewegt (für diesen Fall zeigte sich die von *Buys Ballot* erwähnte Anomalie), so verhalten sich die Schwingungszahlen des gehenden, stehenden und kommenden Tons wie $v - a$, v und $v + a$. Es würde sich also darum handeln, ein Intervall $\frac{v}{v-a}$ von einem Inter-

*) Siehe meine Abhandlungen über theoretische Physik, Bd. 1, S. 341 und 454, oder Archives néerlandaises, **21** (1887), p. 103 und Amsterdam Zittingsverslag Akad. v. Wet. 7 (1899), p. 523 (übersetzt in Amsterdam Proceedings 1898—99, p. 443).

vall $\frac{v+a}{v}$ zu unterscheiden, also ein Intervall $\frac{v}{v-a} : \frac{v+a}{v}$ $= \frac{v^2}{v^2 - a^2}$, wofür wir schreiben dürfen $1 + \frac{a^2}{v^2}$, zu beobachten. Die letztere Zahl betrug bei den Versuchen höchstens 1,0034, was noch nicht einem Dreißigstelton entspricht. Einen so kleinen Tonunterschied hat man bei diesen Versuchen gewiß nicht beobachten können. *Doppler* kommt später noch einmal auf diesen Punkt zurück. Er meint (S. 102, Z. 8—2 v. u.), der besprochene Umstand müsse um so deutlicher hervortreten, je kleiner die Geschwindigkeit des Beobachters ist. Darin irrt er sich aber. Bei kleinen Geschwindigkeiten darf man das Glied zweiter Ordnung $\frac{a^2}{v^2}$, auf das es hier ankommt, vernachlässigen und also die Änderungen der Tonhöhe, die eine Bewegung in der einen und der andern Richtung hervorbringt, als gleich betrachten.

Daß *Doppler* sogar einen merklichen Einfluß der Glieder zweiter Ordnung auf die Farbe eines Sternes für möglich hält (siehe S. 102, Z. 20—35), zeugt wieder von seinem Mangel an Gründlichkeit und Selbstkritik. Übrigens hat er hierbei auch, was die Richtung des in Frage stehenden Unterschiedes betrifft, einen Fehler begangen. Wenn es sich um die Farbe der Doppelsterne handelt, so hat man an eine Bewegung der Lichtquelle zu denken. Bei Bewegung des schwingenden Körpers wird nun aber, wie aus den Formeln auf S. 80 erhellt, der kommende Ton mehr erhöht, als der gehende erniedrigt wird, gerade umgekehrt, wie bei einer Bewegung des Beobachters.

22) *Zu S. 87. Doppler* versteht unter N'' die Anzahl der Farbennuancen, zu der man kommt, wenn man sowohl das direkt ausgesandte Licht verschiedener Quellen als auch das in irgend einer Weise geschwächte Licht berücksichtigt. Da bei der Reflexion die Intensität verkleinert wird, so ist die Verschiedenheit der Farbennuancen im reflektierten Licht kleiner als im ungespiegelten; sie beträgt, je nach dem Reflexionskoeffizienten, N' oder N. Die Differenz $N'' - N'$ gibt die Anzahl der Farbenabstufungen an, die man in dem stärkeren, nicht reflektierten Licht mehr als in dem zurückgeworfenen beobachten kann, oder, wie *Doppler* sagt, die Zahl der »bloß prismatischen« Farbennuancen.

23) *Zu S. 87.* Bei der Beurteilung der Frage, inwiefern das Auge empfindlich genug sei, um die durch die Bewegung der Sterne hervorgebrachten Farbenänderungen wahrzunehmen, muß man sich durch diese hohen Zahlen nicht imponieren lassen. Nach dem Beispiele von *Herschel* betrachtet *Doppler* ganz richtig die Gesamtheit aller Arten von Lichtempfindungen als eine dreifache Mannigfaltigkeit, was auch der Vorstellung entspricht, daß für unser Auge jede Lichtart einer Mischung dreier Grundfarben äquivalent sei. Man kann sich daher einer räumlichen graphischen Darstellung bedienen, indem man z. B. die Mengen der drei Grundfarben, die miteinander gemischt werden, durch die Koordinaten eines Punktes ausdrückt. Jeder Lichtempfindung entspricht dann ein bestimmter Punkt, und alle möglichen Lichtempfindungen haben ihre repräsentierenden Punkte in einem gewissen Raum R.

Wählt man nun in diesem Raume eine Gruppe von Punkten in solcher Weise, daß die Empfindungen, die benachbarten Punkten entsprechen, noch eben voneinander unterschieden werden können, so stellt sich die Zahl N dieser Punkte als ein Produkt dreier Zahlen dar und kann also bei den von *Doppler* gemachten Annahmen sehr groß werden. Jedoch ist es nicht diese Zahl N, mit der wir zu rechnen haben. Wenn nämlich das Licht, das von einem ruhenden Stern ausgestrahlt wird, einem gewissen Punkt P entspricht, so würde dieser Punkt irgend eine Linie PQ durchlaufen, wenn wir dem Stern eine immer größere von der Erde ab gerichtete Geschwindigkeit erteilten; ebenso erhält man eine Linie PQ' (die Verlängerung von QP), wenn man sich denkt, daß der Himmelskörper sich uns mit wachsender Geschwindigkeit nähert. Wollen wir erwägen, ob Aussicht vorhanden sei, die durch die Bewegung hervorgebrachte Farbenänderung wirklich zu beobachten, so haben wir offenbar nur auf die Anzahl der »unterscheidbaren«, auf der Linie QQ' liegenden Punkte zu achten. Diese Zahl ist viel kleiner als N; sie ist von derselben Größenordnung wie die einzelnen Faktoren, aus denen N sich zusammensetzt.

24) *Zu S. 97.* *Doppler* hat hier die Formel (3) der vorigen Seite zu rasch verallgemeinert. Wir wollen annehmen, daß sich zwischen dem Objekte und dem Beobachter ein ruhendes Mittel befindet, und daß in diesem die Fortpflanzungsgeschwindigkeit v sei. Ferner möge sich die Geschwindigkeit des Beobachters relativ zu diesem Mittel aus den Komponenten $\pm a$, $\pm a'$, $\pm a''$, usw., und ebenso die Geschwindigkeit des Objektes

aus den Komponenten $\pm b$, $\pm b'$, $\pm b''$, usw. zusammensetzen. Wir müssen dann in (3) $\pm a$ durch $\pm a \pm a' \pm a'' \pm$ usw. und $\mp b$ durch $\mp b \mp b' \mp b'' \mp$ usw, ersetzen und erhalten statt (4)

$$(4') \qquad N = n \frac{v \pm a \pm a' \pm a'' \pm \cdots}{v \mp b \mp b' \mp b'' \mp \cdots}$$

(siehe auch Anmerkung 40).

Übrigens unterscheiden sich (4) und (4') nur um Größen zweiter Ordnung, d. h. von der Ordnung $\frac{a^2}{v^2}$, $\frac{b^2}{v^2}$ usw., von denen wir annehmen dürfen, daß sie bei den Lichterscheinungen unmerklich sind.

Vernachlässigt man solche Größen, so kann man sowohl (4) als auch (4') ersetzen durch

$$N = n \frac{v \pm a \pm b \pm a' \pm b' \pm \cdots}{v}$$

und (3) in ähnlicher Weise vereinfachen. Es besteht dann kein Anlaß mehr zu der Bemerkung, die *Doppler* S. 96, Zeile 5 v. u. — S. 97, Zeile 5 macht.

25) *Zu S. 97.* Hier und an einigen andern Stellen (S. 19, Z. 13—23; S. 23, unter 9; S. 105, Z. 14—19; S. 106, Z. 15—20) nimmt *Doppler* keinen Anstand, einer Geschwindigkeit, wie z. B. der unserer Erde, die zu klein ist, um an und für sich eine merkliche Farben- oder Intensitätsänderung zu verursachen, einen Einfluß auf die durch andere Bewegungen entstandenen Veränderungen zuzuschreiben.

26) *Zu S. 99.* Es unterliegt keinem Zweifel, daß auch die Intensität durch eine Bewegung, sei es des tönenden oder leuchtenden Körpers, sei es des Beobachters geändert wird. Indes ist eine Berechnung dieser Änderung nicht möglich ohne genaue Kenntnis der Art und Weise, wie die Schwingungen erregt und bis in die Nähe des Beobachters fortgepflanzt werden. Auf eine fehlerhafte Schätzung der Intensitätsänderung, die sich bei *Doppler* findet, komme ich später zurück (Anmerkung 33). Jetzt möge nur erwähnt werden, daß deren relativer Betrag immer von der Ordnung $\frac{a}{v}$ ist, wo v die Geschwindigkeit des Schalles, bzw. des Lichtes und a die Geschwindigkeit der Schwingungsquelle oder des Beobachters bedeutet. Ähnliches gilt auch von dem Einfluß, den es auf die Intensität

des regelmäßig oder diffus zurückgeworfenen Lichtes hat, wenn ein beleuchteter Körper mit einer Geschwindigkeit a bewegt wird. *Doppler* hat sich manchmal die Größe einer zu erwartenden Intensitätsänderung sehr übertrieben vorgestellt. (Siehe: S. 103, Z. 5 v. u. bis S. 105, Z. 19; ferner S. 107, Z. 14—37.)

27) *Zu S. 105.* *Doppler* hat diese Zahl (2^{14}) offenbar in naheliegender Weise aus der Anzahl der veränderlichen Sterne, die er im Auge hatte, abgeleitet.

28) *Zu S. 112.* Lies: dem Werte Null.

29) *Zu S. 115.* Die in diese Sammlung nicht aufgenommene Abhandlung: Über eine Vorrichtung, mittels deren sich jede noch so geringe Ablenkung eines Lichtstrahls von seiner geradlinigen Bahn wahrnehmen und messen läßt, nebst Hinweisung auf solche Fälle, wo eine derartige Ablenkung vielleicht statt haben dürfte, Abh. d. Böhmischen Ges. d. Wiss. V. Folge, Bd. 4, 1846, S. 514.

30) *Zu S. 116.* Siehe Anmerkung 20.

31) *Zu S. 120.* Man sieht dies sofort für eine beliebige Lage des Beobachters ein, wenn man bedenkt, daß die aufeinander folgenden Gleichgewichtsstörungen sich unter denselben Umständen fortpflanzen und also dieselbe Zeit brauchen, um den Beobachtungsort zu erreichen.

In den jetzt folgenden Betrachtungen handelt es sich um die Fortpflanzung der Wellen in einer Figur, in der die Quelle und der Beobachter feste Lagen haben, während das Medium durch sie hindurchströmt. Jede Welle ist kugelförmig, aber sie wird (Fig. 2), während ihr Radius auf $OR = \alpha t$ wächst, von dem Medium mitgeführt, so daß der Mittelpunkt in O, um at von Q entfernt, zu liegen kommt. Die aufeinanderfolgenden Kugeln haben Q zum Ähnlichkeitspunkt. Da $\alpha > a$ ist, und t positiv sein muß, so habe ich in den Gleichungen (1), (2) und (3) vor den Wurzelausdruck, nicht wie *Doppler*, das Doppelzeichen, sondern bloß $+$ geschrieben.

32) *Zu S. 123.* Die in diesem Paragraphen für einen »Strahl« gegebene Definition weicht von der allgemein üblichen ab und kann nicht angenommen werden, weil sie, auch bei dem betrachteten stationären Strahlungszustande, für den Strahl in einem bestimmten Punkt nicht eine unveränderliche Richtung, sondern eine unaufhörlich hin- und herschwankende liefert. Man hätte nämlich in Fig. 3 die konstante Geschwindigkeit a mit einer veränderlichen, die bald die Richtung RN, bald die entgegengesetzte hat, zusammenzusetzen. Vielleicht

zeigt das doppelte Zeichen in dem Ausdruck $\psi \mp \pi$ (S. 125, Z. 16), daß dieser Umstand *Doppler* nicht ganz entgangen ist.

Nach den Grundsätzen der Wellenlehre (vgl. Anmerkung 9) wird im Punkte R (Fig. 2) die Richtung des Strahls durch die vom Zentrum ausgehende Linie QR gegeben. Der von *Doppler* berechnete Winkel ψ ist also der Winkel zwischen dem Strahl und der Wellennormale. Ob man nun diesen Winkel die »Aberration« des Strahls nennen will, das hängt von der Bedeutung ab, die man diesem Worte gibt.

Die durch die Formel (2) bestimmte Geschwindigkeit α' soll nach dem allgemeinen Sprachgebrauch nicht »Geschwindigkeit der Wellen«, sondern »Geschwindigkeit des Strahls« heißen.

Es verdient noch hervorgehoben zu werden, daß die Gleichung $\nu'' = \frac{u}{r}\nu$ (S. 125, Z. 11 v. u.) insofern ganz richtig ist, als bei sphärischen Schallwellen, in nicht zu kleiner Entfernung vom Erregungsmittelpunkt, die Amplitude dieser Entfernung umgekehrt proportional ist.

33) *Zu S. 125.* Diese Formel für die Intensität ist ebenso unzulässig wie die Bestimmung der Strahlrichtung. *Dopplers* Betrachtung liefert für J einen wechselnden Wert, so daß man jedenfalls einen Mittelwert zu berechnen hätte. Wir können hier auf das Problem nicht näher eingehen, da eine exakte Lösung eine gründliche Betrachtung der Vorgänge in dem Medium erfordern würde.

34) *Zu S. 128.* Es ist mir nicht klar, weshalb *Doppler* hier von »stehenden Wellen« spricht. Man kann sagen, daß längs jeder von Q aus gezogenen Linie, innerhalb des Winkels UQV (Fig. 6) zugleicherzeit zwei Schwingungen sich fortpflanzen mit Geschwindigkeiten, die man aus (2) (S. 122) ableitet, wenn man den Wurzelausdruck mit doppeltem Vorzeichen nimmt. Auf den Grenzlinien QU und QV fallen die beiden Geschwindigkeiten zusammen.

35) *Zu S. 130.* Die Fortpflanzungsgeschwindigkeit der Wellen in einem bestimmten Punkt ergibt sich, wenn man den senkrechten Abstand der durch diesen Punkt gehenden Welle zu der ihr um die Zeit dt vorangehenden durch dt dividiert. Um den Punkt der Welle zu finden, wo diese Geschwindigkeit ein Minimum ist, ziehe man aus dem Mittelpunkt O eine Linie, deren Richtung der Geschwindigkeit, mit der O fortschreitet, entgegengesetzt ist. Der geometrische Ort aller so erhaltenen Punkte hat wirklich die von *Doppler* angegebene Gestalt.

Es ist kaum nötig zu bemerken, daß die Wellen nur dann kugelförmig bleiden, wenn in jedem Augenblick alle Teile des Mediums sich gleich schnell in derselben Richtung bewegen, und daß jetzt der Zustand nicht, wie in § 2 stationär sein kann.

36) *Zu S. 131.* Es ist unmöglich, hier auf die schwierige Theorie der in diesem Paragraphen besprochenen Wasserwellen einzugehen, und man möge *Dopplers* Entwicklungen als nicht uninteressante Folgerungen aus gewissen nicht weiter zu diskutierenden Annahmen betrachten. Ich muß mich darauf beschränken, zu bemerken:

a) daß die in Fig. 10 gezeichnete und durch die Gleichung (9) dargestellte Parabel wirklich die Grenze angibt, die bei der Voraussetzung $r = \sqrt{mt}$ durch die Wellen nicht überschritten werden kann;

b) daß jetzt eine Konstruktion wie die *Huygens*sche nicht ohne weiteres angewandt werden kann, und somit der Begriff »Strahl« seine Bedeutung verliert; ferner daß die durch (11) bestimmte Größe α' (die jetzt von der Länge des Weges u abhängt) jedenfalls nur eine gewisse mittlere Geschwindigkeit ist;

c) daß von »stehenden« Wellen schwerlich die Rede sein kann, und daß die Bedeutung der inneren Parabeln in Fig. 11 mir nicht klar ist; *Doppler* hätte angeben müssen, welche Durchkreuzungspunkte in Fig. 10 durch eine Linie verbunden werden sollen;

d) daß das untere Vorzeichen in der Formel $r = nt \pm \sqrt{mt}$ (S. 133, Z. 7 v. u.) unzulässig ist, da, wenn man es annimmt, r für kleine Werte von t negativ wird;

e) daß der Fall, daß sich der Beobachter und die Quelle mit veränderlicher Geschwindigkeit bewegen, sich nicht auf den Fall einer ungleichförmigen Ausbreitung der Wellen zurückführen läßt. Ob die Grenzlinie in Fig. 12 richtig gezeichnet sei, habe ich nicht geprüft.

37) *Zu S. 135.* Leider können wir *Doppler* die Ehre, dies getan zu haben, nicht geben. Die von *Poncelet* beschriebenen Erhebungen und Vertiefungen der Wasserfläche haben fortwährend dieselbe Lage gegen die Spitze, und eine Theorie der Erscheinung muß also jedenfalls die Möglichkeit von Wellen zeigen, die sich genau mit der Geschwindigkeit der Spitze über das Wasser fortpflanzen. Eine Betrachtung dieser Art sucht man bei *Doppler* vergebens.

38) *Zu S. 138.* *Fizeau* ist der erste gewesen, der von einer Verschiebung der Spektrallinien infolge einer Bewegung der Lichtquelle oder des Beobachters gesprochen hat. Indem er die Größe des zu erwartenden Erfolges für Geschwindigkeiten wie die im Sonnensystem vorkommenden berechnete, zeigte er, daß man hoffen dürfe, mit geeigneten Hilfsmitteln wirkliche Verschiebungen der Linien in den Spektren der Himmelskörper zu beobachten und zu messen. So wurde er, kann man sagen, der Grundleger der spektroskopischen Methode der Geschwindigkeitsbestimmung, weshalb denn auch viele Physiker von dem *Doppler-Fizeau*schen Prinzip sprechen.*)

Es ist merkwürdig, daß *Doppler* die neue von *Fizeau* gezogene Schlußfolgerung mit keinem Worte erwähnt. Vielleicht ist ihm die Arbeit des französischen Physikers gar nicht zu Gesicht gekommen; er sagt nämlich von dem Apparat dieses letzteren: »mittels welchem er Resultate gewonnen haben soll usw.«. Ob, und in welcher Weise, *Moigno* in seinem Répertoire d'optique moderne über *Fizeaus* Betrachtungen berichtet hat, ist mir nicht bekannt.

Was die Versuche mit dem »umgekehrten« *Savart*schen Rade betrifft, d. h. mit einer Vorrichtung, in der ein an dem Umfang einer rasch rotierenden Scheibe befestigtes Kartenblatt an einigen feststehenden Zähnen entlang bewegt wurde, so wurden damit in befriedigender Übereinstimmung mit der Theorie Tonänderungen bis zu einem Ganzton erhalten.

Die Abhandlung von *Fizeau* erschien im Auszuge in dem Bulletin de la Société philomathique vom 23. Dez. 1848, wurde aber in vollem Umfange erst 1870 veröffentlicht.**)

39) *Zu S. 146.* Nachdem ich diese Tabelle mit der ursprünglichen von *Sestini* verglichen hatte, habe ich die Zeichen * und ** vertauscht.

40) *Zu S. 149.* Weder *Doppler*, noch *Petzval* haben bemerkt, daß der Widerspruch zwischen ihren Resultaten nur

---

*) Siehe z. B. *A. Cornu*, Sur la méthode *Doppler-Fizeau* permettant la détermination, par l'analyse spectrale, de la vitesse des astres dans la direction du rayon visuel, Annuaire du Bureau des Longitudes, 1891.

**) *H. Fizeau*, Des effets du mouvement sur le ton des vibrations sonores et sur la longueur d'onde des rayons de lumière, Ann. de chim. et de phys. (4) 19 (1870), p. 211.

ein scheinbarer ist. Lineare und homogene partielle Differentialgleichungen mit den Koordinaten x, y, z und der Zeit t als unabhängigen Variablen und mit Koeffizienten, die in beliebiger Weise von x, y, z, nicht aber von t abhängen, lassen Lösungen zu, in denen jede abhängige Variable durch einen Ausdruck von der Form

$$\varphi \cos (nt + \chi) \tag{1}$$

dargestellt wird; hierin hängen φ und χ von den Koordinaten und nicht von der Zeit ab, während n einen konstanten, und zwar für alle abhängigen Variablen denselben Wert hat. Mit diesem Satze hat *Petzval* vollkommen Recht, er hat aber übersehen, daß, wenn man ihn in sachgemäßer Weise auf die in Rede stehenden Erscheinungen anwendet, gerade die von *Doppler* angezeigten Änderungen der Schwingungsdauer sich ergeben. Die geänderte Schwingungsdauer kommt nämlich zum Vorschein, wenn man, was in dieser Untersuchung nötig ist, das Koordinatensystem wechselt.

Die Konstante n in einem Ausdruck wie (1) bedeutet offenbar die Anzahl der Schwingungen oder der periodischen Veränderungen in der Zeit 2π; sie möge zur Abkürzung die Frequenz genannt werden. Ferner wollen wir annehmen, daß die beiden in Betracht kommenden Körper, von denen der eine der »emittierende«, der andere aber (sei es der Beobachter selbst oder irgend ein Instrument) der »beobachtende Körper« heißen möge, Translationsbewegungen mit konstanten Geschwindigkeiten haben. Denken wir uns für einen Augenblick nur einen solchen Körper, der sich durch das in Betracht kommende Mittel verschiebt, und sehen wir vorläufig von den Schwingungen ab. Es ist klar, daß wenn das Mittel ponderabler Natur ist, die Bewegung des Körpers Strömungen und vielleicht Dichteänderungen hervorbringen muß. Ist das Mittel homogen, und erstreckt es sich bis auf genügende Entfernung von dem Körper, so kann ein Zustand bestehen, der in bezug auf letzteren stationär ist, d. h. ein solcher, daß in einem fest mit dem Körper verbunden gedachten Punkt die Dichte und die Geschwindigkeitskomponenten des Mittels fortwährend dieselbe Größe haben. Wenn wir uns auf einen solchen Zustand beschränken, so liegt es nahe, ein Koordinatensystem einzuführen, das fest mit dem Körper verbunden ist und an der Translation teilnimmt; dies hat den Vorteil, daß die den Zustand des Mediums bestimmenden Größen bloß Funktionen von x, y, z sind, aber von t nicht abhängen.

Auch wenn sich jetzt diesem stationären Bewegungszustande irgend ein periodischer oder Schwingungszustand überlagert, ist das genannte Koordinatensystem für eine einfache Beschreibung der Erscheinungen dienlich. Man sieht leicht, daß sich in manchen Fällen für die Komponenten der bei den Schwingungen vorkommenden Gleichgewichtsstörungen ein System linearer und homogener partieller Differentialgleichungen ergibt, deren Koeffizienten unabhängig von t sind; der Grund hierfür ist, daß die Koeffizienten in einem solchen Fall durch den Zustand des Mediums, der eben in jedem Punkte (x, y, z) unabhängig von t ist, bestimmt werden. Ähnliches wie von den Differentialgleichungen für das Mittel gilt auch von den Grenzbedingungen an der Oberfläche des Körpers und eventuell von den Gleichungen für die Vorgänge in seinem Inneren. Wir dürfen daher mit *Petzval* schließen, daß die einfachsten Schwingungszustände durch Ausdrücke von der Gestalt (1) charakterisiert werden; dabei hat die Frequenz n für jeden, durch festgelegte Werte von x, y, z bestimmten Punkt, also für alle derartigen Punkte des Mittels, sowie auch für alle Punkte auf der Oberfläche oder im Inneren des Körpers ein und denselben Wert. Dies gilt, sowohl wenn der Körper die Schwingungen des Mittels erregt, als auch, wenn sie ihm von diesem mitgeteilt werden.

Es ist wichtig, hierzu noch zweierlei zu bemerken, nämlich erstens, daß der Satz nur dann gilt, wenn man ein mit dem Körper verbundenes Koordinatensystem einführt, weil sonst die Koeffizienten nicht unabhängig von t werden, und ein Punkt des Körpers nicht fortwährend dieselben x, y, z hat, und zweitens, daß wir das Gesagte auch dann anwenden können, wenn das Mittel, wie es in der modernen Optik von dem Äther angenommen wird, den Körper ungehindert durchdringt und also durch ihn nicht in strömende Bewegung versetzt wird (vgl. Anmerkung 18). Auch in diesem Fall kann nämlich der Zustand, der bei Abwesenheit der Schwingungen besteht, stationär in bezug auf den Körper genannt werden.

Wird das Medium in strömende Bewegung versetzt, so kann bei gleichzeitiger Anwesenheit des emittierenden Körpers A und des beobachtenden B eine Komplikation dadurch entstehen, daß die durch den einen Körper hervorgebrachte Strömung bis in die Nähe des andern sich erstreckt, infolgedessen der Zustand, falls die Geschwindigkeiten von A und B verschieden sind, nicht stationär wäre. Wir wollen aber annehmen, daß die Körper so weit voneinander entfernt sind, daß die durch den einen hervorgerufene Strömung sich nicht in der Umgebung des andern bemerklich macht, sogar so weit, daß es zwischen A und B einen Raum gibt, in dem der Einfluß der Translation sowohl von A als auch von B unmerklich ist. Den in diesem Raum liegenden Teil des Mediums wollen wir mit M, den in der Umgebung von A liegenden Teil mit M_1 und den Teil in der Nähe von B mit M_2 bezeichnen. Wenn wir nun M als ruhend betrachten, so beschreiben wir die Schwingungsvorgänge in diesem Teil am besten mit Hilfe eines ebenfalls ruhenden Koordinatensystems. Wollen wir aber den Zusammenhang dieser Vorgänge mit den Schwingungen von A untersuchen, so empfiehlt es sich, ein Koordinatensystem einzuführen, das fest mit A verbunden ist; was die Translation und die dadurch verursachte Strömung betrifft, ist nämlich der Zustand in dem System A, M_1, M, eben weil er unabhängig von der Bewegung von B ist, in bezug auf ein solches Koordinatensystem stationär. Aus ähnlichem Grunde legen wir für das System M, M_2, B ein mit B verbundenes Koordinatensystem zugrunde, wenn uns darum zu tun ist, die Erscheinungen in B kennen zu lernen, die infolge der Schwingungen in M zustande kommen.

Ohne der Allgemeinheit zu schaden, können wir annehmen, daß die drei Systeme von Koordinatenachsen, die wir nach dem Gesagten zu unterscheiden haben, zur Zeit $t = 0$ miteinander zusammenfallen. Bezeichnen wir mit x, y, z die Koordinaten in bezug auf die ruhenden Achsen, mit x_1, y_1, z_1 die in bezug auf die mit A verbundenen, und mit x_2, y_2, z_2 die in bezug auf die mit B verbundenen Achsen, ferner mit p_1 und p_2 die Translationsgeschwindigkeiten von A und B, mit α_1, β_1, γ_1, bzw. α_2, β_2, γ_2 die Winkel, die sie mit den Achsen bilden, so lauten die Transformationsformeln

$$(2)\quad x = x_1 + p_1 t \cos\alpha_1, \quad y = y_1 + p_1 t \cos\beta_1, \quad z = z_1 + p_1 t \cos\gamma_1,$$

$$(3)\quad x = x_2 + p_2 t \cos\alpha_2, \quad y = y_2 + p_2 t \cos\beta_2, \quad z = z_2 + p_2 t \cos\gamma_2.$$

Die Schwingungen, die sich von A nach B hin fortpflanzen, mögen nun, sofern sie in dem Teil M des Mittels stattfinden, derart sein, daß sie als ein System ebener Wellen mit konstanter Amplitude aufgefaßt werden können. Legen wir die x-Achse in die Fortpflanzungsrichtung dieser Wellen, so werden die Gleichgewichtsstörungen in M durch Ausdrücke von der Form

$$(4)\qquad a\cos n\left(t-\frac{x}{v}+q\right)$$

dargestellt; hierin sind a, n, v und q Konstanten, und zwar ist v die Fortpflanzungsgeschwindigkeit in dem ruhenden Mittel M, und n, wie man sagen kann, die Frequenz in diesem Mittel.

Betrachtet als Teil des Schwingungsvorganges in dem System A, M_1, M müssen nun aber die durch (4) dargestellten Schwingungen, wenn man sie auf das Koordinatensystem der x_1, y_1, z_1 bezieht, die Frequenz haben, die bei Zugrundelegung dieses Koordinatensystems in allen Punkten von A, M_1, M besteht, d. h. die Frequenz n_1 des emittierenden Körpers selbst. Führt man in (4) den ersten der Werte (2) ein, so erhält man

$$a\cos n\left(t-\frac{p_1\cos\alpha_1}{v}\,t-\frac{x_1}{v}+q\right).$$

Da nun in einem solchen Ausdruck die Frequenz immer durch den Koeffizienten von t gegeben ist, so muß

$$(5)\qquad n_1=n\left(1-\frac{p_1\cos\alpha_1}{v}\right)$$

sein.

Andererseits kann man die durch (4) dargestellten periodischen Veränderungen auch als zu dem System M, M_2, B gehörend auffassen. Drückt man x in x_2 aus, so muß (4) eine Form annehmen, in der die Frequenz eben die ist, welche in diesem System besteht, wenn man die Koordinaten x_2, y_2, z_2 benutzt; d. h. die Frequenz n_2 der in dem beobachtenden Körper erregten Schwingungen. Da nun wegen der ersten der Formeln (3) der Ausdruck (4) übergeht in

$$a\cos n\left(t-\frac{p_2\cos\alpha_2}{v}\,t-\frac{x_2}{v}+q\right),$$

so findet man

$$(6)\qquad n_2=n\left(1-\frac{p_2\cos\alpha_2}{v}\right).$$

Schließlich findet man durch Verbindung von (5) und (6)

$$(7)\qquad n_2=\frac{1-\dfrac{p_2\cos\alpha_2}{v}}{1-\dfrac{p_1\cos\alpha_1}{v}}\,n_1=\frac{v-p_2\cos\alpha_2}{v-p_1\cos\alpha_1}\,n_1,$$

welche Gleichung, wie man leicht sieht, das *Doppler*sche Gesetz ausdrückt.

Allerdings erhebt sich jetzt noch die Frage, ob die Vorgänge in dem beobachtenden Körper in derselben Weise durch die Frequenz, mit der seine Teilchen schwingen, d. h. jetzt durch n_2, bestimmt werden, wie wenn der Körper ruhte. Daß für einen sich bewegenden Wahrnehmer die Höhe eines Tons durch die Frequenz der Luftverdichtungen in seinem äußeren Gehörgange bestimmt wird, und daß diese Frequenz die mit n_2 bezeichnete ist, kann nicht bezweifelt werden. Ähnliches könnte man sofort, was die Lage einer Spektrallinie betrifft, behaupten, wenn man annehmen dürfte, daß der Äther in einem sich verschiebenden Spektroskop an der Verschiebung teilnimmt; in diesem Falle muß die Brechung der Strahlen in bestimmter Weise von der Frequenz in einem Punkte des Spaltes abhängen, gleichviel ob das Instrument ruht oder sich bewegt. Schließt man sich aber der *Fresnel*schen Ansicht an, und betrachtet man den Äther als ruhend, so muß man entweder die Hypothese heranziehen, daß bei bestimmter Frequenz in einem Punkte des Spaltes die Brechung der Lichtstrahlen im Prisma unabhängig von der Translation ist*), oder, was wirklich gelungen ist, dieses aus der Theorie des Lichtes für bewegte Körper ableiten. Eine entsprechende Hypothese oder einen entsprechenden, ebenfalls in dieser Theorie bewiesenen Satz muß man zu Hilfe rufen, bevor man sich bei der Beobachtung mit einem Diffraktions- oder Interferenzspektroskop, was die Bewegung des Instrumentes betrifft, auf das einfache *Doppler*sche Prinzip verlassen kann.

Was schließlich die Beobachtung mit dem Auge anbelangt, gesetzt, daß von einer merklichen Farbenänderung infolge der Erdbewegung die Rede sein könnte, so muß es wohl als eine Hypothese, wenn auch als eine höchstwahrscheinliche angesehen werden, daß in einem Auge, das sich durch den stillstehenden Äther hindurch verschiebt, die Art der Lichtempfindung in genau derselben Weise wie in einem ruhenden Auge von der Frequenz abhängt, mit der die Teilchen in den empfindlichen Netzhautelementen in Schwingung versetzt werden.

---

*) Es ist bemerkenswert, daß *Fizeau* die Notwendigkeit dieser Hilfshypothese klar erkannt hat. Zu ihrer Rechtfertigung beruft er sich auf den bekannten Versuch von *Arago* über die Lichtbrechung in einem bewegten Prisma.

Zu der oben gegebenen Ableitung möge schließlich noch Folgendes bemerkt werden. Wenn man den Koordinatenachsen andere als die oben angenommenen Richtungen gibt, so hat man, indem man die Winkel, die die in der Fortpflanzungsrichtung gezogene Wellennormale in M mit den Achsen bildet, mit λ, μ, ν bezeichnet, (4) zu ersetzen durch

$$a \cos n \left(t - \frac{x \cos \lambda + y \cos \mu + z \cos \nu}{v} + q\right).$$

Hier sind dann ferner für x, y, z entweder die Werte (2) oder die Ausdrücke (3) einzusetzen. Das Resultat wird sehr einfach, wenn man für die Komponenten der Translationsgeschwindigkeiten p_1 und p_2 nach der Richtung der genannten Normale $\mathbf{n}$ die Zeichen $p_{1\mathrm{n}}$, bzw. $p_{2\mathrm{n}}$ einführt. Man erhält nämlich

$$n_2 = \frac{v - p_{2\mathrm{n}}}{v - p_{1\mathrm{n}}} n_1,$$

was mit (7) übereinstimmt.

Dieselbe Gleichung gilt auch noch, wenn man sich vorstellt, der Teil M des Mediums habe, relativ zu irgend einem Bezugssystem, eine Translationsbewegung. Nur hat man dann unter p_1, p_2 und v die Geschwindigkeiten von A und B, sowie die Fortpflanzungsgeschwindigkeit der Wellen relativ zu M zu verstehen. Wenn alles, was in dem Medium enthalten ist, an der Bewegung teilnimmt, so ist v von gleicher Größe, wie die Fortpflanzungsgeschwindigkeit in dem ruhenden Medium.

Die Ableitung der Formel in dieser neuen Bedeutung unterscheidet sich von der oben gegebenen bloß dadurch, daß man das erste Koordinatensystem an der Bewegung von M teilnehmen lassen muß.

Es ist auch der Fall denkbar, daß die Schwingungen auf ihrem Wege von A nach B einen dritten Körper C, der ebenfalls eine Translationsgeschwindigkeit p_3 hat, durchlaufen, oder davon reflektiert werden. Wir wollen uns vorstellen, daß eine merkliche durch die Bewegung von C verursachte Strömung des Mittels auf einen Raum M_3 beschränkt bleibt, der von M_1 und M_2 durch Räume getrennt ist, in denen die Bewegung keines der drei Körper sich bemerklich macht.

Wir betrachten das Medium in diesen Räumen als ruhend und stellen uns vor, das in dem Raume zwischen M_1 und M_3 eine Fortpflanzung ebener Wellen mit der Normale $\mathbf{n}$ stattfindet, und daß ebenso der hieraus entstehende Zustand zwischen M_3 und M_2 als eine Fortpflanzung ähnlicher Wellen mit der Normale $\mathbf{n}'$ betrachtet werden kann.

Ebenso wie wir im vorher betrachteten Falle die Größen n_1 und n_2 unterschieden haben, die wir die relativen Frequenzen in bezug auf A und B nennen können, so haben wir jetzt diesen beiden noch eine dritte, die relative Frequenz n_3 in bezug auf C hinzuzufügen. Da nun, wie man leicht sieht, ganz ähnliche Betrachtungen wie oben für das System A, B mit dem zwischenliegenden Mittel, jetzt für das System A, C, sowie für C, B gelten, so ergibt sich

$$n_3 = \frac{v - p_{3\mathbf{n}}}{v - p_{1\mathbf{n}}} n_1 , \qquad n_2 = \frac{v - p_{2\mathbf{n}'}}{v - p_{3\mathbf{n}'}} n_3$$

und also

$$n_2 = \frac{v - p_{3\mathbf{n}}}{v - p_{1\mathbf{n}}} \cdot \frac{v - p_{2\mathbf{n}'}}{v - p_{3\mathbf{n}'}} n_1 ,$$

was mit der von *Doppler* auf S. 97 angeführten Gleichung einige Ähnlichkeit hat.

Selbstverständlich hat man nun wieder in jedem einzelnen Fall die Frage zu beantworten, inwiefern die Vorgänge in dem Körper C durch die relative Frequenz n_3 bestimmt seien. Ist z. B. C ein ponderables optisches Mittel mit selektiver Absorption, so hat man guten Grund zu der Annahme, daß die Intensität der Absorption immer, gleichviel ob der Körper ruht oder sich bewegt, in derselben Weise von der Frequenz der Schwingungen abhängt, die im Inneren seiner Teilchen erregt werden. Das Maximum der Absorption ist dann an einen bestimmten Wert von n_3 gebunden, welche Größe aber, wenn C sich, sagen wir bei ruhendem A, bewegt, von der ursprünglichen Frequenz n_1 verschieden ist. In dieser Weise läßt sich zeigen, daß die durch einen Körper hervorgebrachten Absorptionslinien sich infolge einer Bewegung des Körpers in genau derselben Weise wie die Emissionslinien verschieben.

H. A. Lorentz.

OSTWALDS KLASSIKER
DER EXAKTEN WISSENSCHAFTEN

Band 96
SIR I. NEWTON
Optik
oder Abhandlung über Spiegelungen, Brechungen, Beugungen und Farben des Lichts
(Erstes bis drittes Buch)

▸Reprint der Einzelbd. 96 und 97
Übers. und Hrsg.: W. Abendroth
2. Auflage 1998, 288 Seiten, kt.,
ISBN 3-8171-3096-1

Bei der Durchführung optischer Experimente entdeckte Newton die Abhängigkeit des Brechungsindex von der Farbe des Lichts und die Zusammensetzung des weißen Lichts aus den verschiedenen Spektralfarben. In den drei Büchern der Optik gab er eine genaue Beschreibung seiner Experimente zu Spiegelungen, Brechungen, Beugungen und Farben des Lichts und versuchte, sie mit seiner Korpuskulartheorie des Lichts zu erklären.
Sir Isaac Newton (1642-1727) entwickelte bahnbrechende theoretische Ansätze über die Natur des Lichts, über Gravitation und Planetenbewegungen und zu mathematischen Problemen. Er gilt als Begründer der klassischen theoretischen Physik und - neben Galilei - der exakten Naturwissenschaften überhaupt. Die von ihm geschaffene Grundlage der Mechanik wurde erst zu Beginn des 20. Jahrhunderts durch die Einsteinsche Relativitätstheorie modifiziert.

OSTWALDS KLASSIKER DER EXAKTEN WISSENSCHAFTEN

Band 255
E. Hertzsprung
Zur Strahlung der Sterne
Drei Arbeiten

Einl. und Anm.: D.B. Herrmann
5. Auflage 2000, 100 Seiten, kt.
ISBN 3-8171-3410-X

Zu den bedeutendsten Entdeckungen des dänischen Astrophysikers Ejnar Hertzsprungs (1873 - 1967) zählt die Aufklärung des Zusammenhanges zwischen den absoluten Helligkeiten und den Spektralklassen der Sterne. Er war unmittelbar an der ersten Entfernungsbestimmung eines extragalaktischen Objektes (Kleine Magellansche Wolke) beteiligt und griff so in den langewährenden Streit um den Aufbau des Universums ein. Auch bei der Untersuchung veränderlicher Sterne und visueller Doppelsternsysteme leistete er Pionierarbeit.
Der Band enthält die beiden Abhandlungen Hertzsprungs „Zur Strahlung der Sterne“ (1905/1907) sowie seine im Anschluß veröffentlichte zusammenfassende Darstellung der dort gewonnenen Ergebnisse (1909). Gemeinsam mit parallelen Arbeiten H. N. Russels bildeten sie die Grundlage für das Hertzsprung-Russel-Diagramm, das größte Bedeutung für das Verständnis der Sternenentwicklung hat. Astronomische Details, universelle Aussagen, Paradebeispiele logisch-wissenschaftlicher Datenverarbeitung und wegweisende Interpretationen zusammenhängender Sternentwicklungsreihen zeichnen die Arbeiten aus.